MATEO FALCONE
et autres nouvelles

PROSPER MÉRIMÉE

Mateo Falcone

et autres nouvelles de

Mosaïque

INTRODUCTION ET NOTES PAR JEAN BALSAMO

LE LIVRE DE POCHE
Classiques

Cet ouvrage a été publié
sous la direction de Michel Simonin

Ancien élève de l'École normale supérieure, agrégé de lettres et
docteur d'État, Jean Balsamo est professeur de langue et littérature françaises à l'université de Reims. Il a publié en 2007 la nouvelle édition des *Essais* de Montaigne dans la Bibliothèque de la
Pléiade et édité dans « Le Livre de Poche Classiques » *Carmen* et
Colomba de Prosper Mérimée ainsi que les *Confessions* de Jean-
Jacques Rousseau.

© Librairie Générale Française, 1995, pour l'introduction et les notes.
ISBN : 978-2-253-13888-4 – 1re publication – LGF

INTRODUCTION

Mérimée, écrit Sainte-Beuve dans la plus fine étude qui ait jamais été consacrée aux récits recueillis dans *Mosaïque*, était un esprit à la fois exquis et dur. Amoureux du XVIᵉ siècle, un âge d'énergie individuelle poussée à son comble, florissant sur l'héritage de siècles d'organisation catholique, le romancier qu'il était savait trouver ce que sa propre époque, bourgeoise et conventionnelle gardait encore d'acéré et d'impitoyable : les histoires de bandits corses, les aventures de négriers, les exploits de fils de famille héroïques, mais aussi les retours subtils de jalousie et de remords, que l'ordinaire de la bonne société cachait dans son insipidité. À cet art de voir correspondait un art de dire, le langage le plus bref et le plus fort :

une simplicité parfaite, une force continue ; point de *pomposo* ni de bavardages ; point de réflexions ni de digressions ; quelque chose de droit qui va au but... des lignes nettes, des couleurs fortes dans leur sobriété, des ciels un peu crus, des tons graves et bruns ; chaque circonstance essentielle décrite, chaque réalité serrée de près et rendue avec une exactitude sévère, chaque personnage conséquent à lui-même de tout point ; vrai de geste, de costume et de visage, concentré et viril dans sa passion, même les femmes[1].

Mérimée pour le meilleur était un romantique, et il savait l'être à la perfection, sans emphase et sans effusion.

Ces nouvelles si denses et si fortes, qui contribuèrent immédiatement à la réputation de leur auteur, furent composées en quelques mois : « Si Dieu m'est en aide, je noircirai du papier

---

1. Sainte-Beuve, *Le Globe*, 24 janvier 1831, texte cité par lui-même dans ses *Portraits contemporains,* Paris, Livry, 1890, t. 2, p. 196-199, note. Ce texte est reproduit à la fin de ce volume, p. 218.

en 1829 », annonçait-il à son ami Stapfer. Publiées en revues la même année, elles ne furent recueillies en volume qu'en 1833, sous un titre modeste mais qui était aussi promesse de variété. Entre-temps, le jeune homme de lettres, le dandy élégant et d'apparence futile qui croyait comme tant d'autres que l'écriture était un destin, avait connu, dans l'intensité de tous les plaisirs, l'initiation de l'Espagne et la providence des heureuses recommandations qu'il ne devait pas seulement à son savoir-plaire mais encore à son intelligence, l'une des plus vives de sa génération ; chef de cabinet du ministre du Commerce, chevalier de la Légion d'Honneur, maître des Requêtes au Conseil d'Etat, les dignités couronnaient l'année « climatérique » de ses trente ans mieux que toute reconnaissance littéraire. *Mosaïque* pouvait être publiée, ce n'était désormais qu'une « bagatelle » qui paraissait sous le nom de *l'auteur de La Guzla*. Mérimée n'avait-il pas, quelques années plus tôt, conçu et mené à bien l'une des plus parfaites supercheries philologiques de son temps ? Et il n'avait pas fallu moins d'un an à l'Europe savante et toute la sagacité de Goethe pour reconnaître que cette prétendue traduction de poésies populaires illyriques – nous dirions croato-bosniaques – n'était en fait qu'un brillant canular. Masquée, la littérature toutefois gagnait en précision : les travaux de l'érudit et du haut-fonctionnaire consacraient le divertissement savant et rendaient à l'imagination sa nécessité.

Achevé par Mérimée le 14 février 1829, *Mateo Falcone* vit le jour le 3 mai dans la *Revue de Paris*. Petite chose, certes, si on la compare aux chefs-d'œuvre de la maturité, la nouvelle eut toutefois une importance décisive, tant pour la réputation de l'auteur que dans la constitution d'un « mythe » corse, qui verra en *Colomba* son expression aboutie. Œuvre d'un jeune auteur déjà maître de sa manière, le court récit faisait son miel de toute une tradition qu'il renouvelait profondément et qu'il installait dans la littérature. Les critiques se sont longuement penchés sur les sources du récit. Mérimée avait probablement eu connaissance d'une étude anonyme, mais attribuée au général Sebastiani ou à l'avocat Patorni, intitulée « Des devoirs de la France envers la Corse », publiée au mois de juillet 1828 dans la *Revue trimestrielle* d'Alexandre Buchon, à laquelle, quelques mois plus tôt, il avait confié des fragments de sa *Jaquerie*. Il y trouva, en particulier, une anecdote fort pathétique. Deux déserteurs d'un régiment français basé dans l'île au XVIIIᵉ siècle se cachent dans un bois. Un berger, qui les avait aperçus, révèle au colonel leur cachette et reçoit, en récompense, quatre louis d'or. Sa famille, indignée par ce trait de vénalité, décide de le mettre à mort au moment où les deux malheureux sont exécutés. L'argent est bien entendu rendu aux officiers.

Cette anecdote était ancienne et avait connu divers avatars. Mettant en jeu les lois de l'hospitalité et de l'honneur du clan, elle définissait déjà un des « lieux » obligés du discours sur la Corse, antérieur à celui de la « vendetta » dont *Colomba* allait exploiter toutes les ressources tragiques. L'abbé de Germanès l'avait racontée dans son *Histoire des révolutions de la Corse* (1771). L'abbé Gaudin, dans son *Voyage en Corse* (1787), en donna une version légèrement différente : il n'y a qu'un seul déserteur, le berger hésite, résiste, puis cède à la tentation de cinq louis, son « vieux père » cherche à obtenir la grâce du condamné et, ne pouvant adoucir la sentence, tue son fils à l'endroit même de la trahison et jette l'argent sur le cadavre. Cette version fut reprise dans les célèbres *Sketches of Corsica* du capitaine Benson (1825), qui au déserteur substituait un bandit demandant l'hospitalité. Dans tous ces textes, Mérimée trouvait un thème déjà « traditionnel » auquel il put ajouter ses propres variations. Soucieux de vraisemblance, il donna en outre un cadre et des circonstances avérés à son récit. Il emprunta en effet des données précises au livre de Feydel, *Mœurs et coutumes de la Corse*, publié en 1799, et trouva d'autres éléments d'information dans une série d'articles publiés entre le 25 mai 1826 et le 5 mars 1827 dans *Le Globe*, journal dont il était alors un des collaborateurs. L'auteur anonyme de ces relations évoquait le maquis, les bandits, qu'il prenait bien soin de décrire comme des proscrits et non pas comme des brigands, et analysait l'ouvrage de Benson.

Mérimée pourtant n'entendait pas proposer un nouveau « document » sur la Corse, même si sa nouvelle tirait profit de la confusion qui existait alors pour le public entre le genre de la *relation* et celui du *tableau de mœurs*. Il ne retournait pas non plus, comme on l'a affirmé, à l'immense fonds des récits folkloriques. Cette forme modernisée et d'une certaine manière parodique de l'histoire du romain Brutus n'hésitant pas à faire mourir ses fils qui avaient trahi leur devoir, ressortissait à la tradition des « histoires tragiques ». Elle mêlait avec un art consommé et inédit un pathétique exacerbé fondé sur l'atrocité de l'honneur, capable d'indigner son lecteur, et l'ironie d'un narrateur s'amusant des effets qu'il provoquait, de ses personnages et de la matière « sauvage » de son récit.

La *Vision de Charles XI*[1], publiée dans la *Revue de Paris* du 28 juillet 1829, marque ce que l'on a voulu voir comme les débuts de Mérimée dans un genre où il allait passer maître, la nouvelle « fantastique ». Les choses pourtant ne sont pas aussi simples, sauf à identifier entièrement un effet de lecture avec un genre dont la portée et les ressorts risquent d'être ainsi limités. Sans être une mystification comme *La Guzla* ou une supercherie, la nouvelle imite d'abord le document historique, qui lui-même est une falsification. Mérimée, dès ses débuts, savait trouver dans l'écriture savante et les travaux érudits la principale source de son écriture « littéraire ». Celle-ci gagnait dans l'érudition toutes les ressources du vraisemblable et de l'attestation, qu'elle prolongeait parfois en parodie, pour l'agrément d'un divertissement toujours lettré ; et inversement, les formes littéraires savaient compléter le domaine limité de la réalité des faits de toutes les suggestions du possible, comme l'a fort bien vu l'intéressé lui-même dans son étude sur Gogol. La suite même de la carrière de Mérimée montra du reste à l'évidence comment il conciliait l'archéologue et le romancier ou le savant et le conteur, et quelle hiérarchie des genres il respectait. Pour lui, du moins, la littérature ne se limitait pas aux formes les plus minces de la fiction ou de la parole personnelle.

La *Vision de Charles XI* parut donc comme un « témoignage

---

1. Né en 1655, Charles XI de Suède régna de 1660 à sa mort en 1697. Allié de Louis XIV, vaincu par le Grand Électeur à qui il doit abandonner ses possessions en Allemagne qu'il récupérera cependant en 1679 grâce au traité de Saint-Germain, il affermit et étend l'autorité de la monarchie dans son pays, où il passe après Gustave Ier Vasa et Gustave II Adolphe pour l'un de ses plus grands souverains.

historique» assez digne d'intérêt pour que l'ambassadeur de Suède à Paris, le comte Loewenhielme lui donnât un démenti. Son texte, publié dans la revue en juin 1833, invoquant l'autorité d'un employé aux archives de Suède, critiquait la version donnée par le prétendu procès-verbal, relevait ce qu'il croyait être des erreurs de noms et de titres, notait des confusions. La version de Mérimée ne correspondait pas à la vérité. Il reconnaissait toutefois qu'elle avait une part de réalité. Mérimée avait eu connaissance d'une fausse prophétie, attribuée à Charles XI, mais forgée longtemps après sa mort. Une première version, dont le texte ne nous est pas parvenu, fut utilisée dans un dessein politique, en 1742, dans le cadre des querelles de la succession au trône de Suède, lorsque la reine Ulrique-Éléonore hésitait entre deux candidats. La vision, qui annonçait la fin tragique d'un prince de la maison de Holstein devenu roi, aurait été forgée de toute pièce par les partisans de son rival. L'érudit Roger Peyre découvrit, dans les archives du ministère des Affaires étrangères, une autre version, tardive, du texte de cette fausse prophétie, et il la publia en 1914. Nous la donnons en appendice. Il s'agissait de la traduction française d'un article paru au mois de juin 1810 dans le *Vaterländisches Museum*, qui racontait, sous forme de procès-verbal, la vision qu'aurait eue le roi Charles XI, la nuit du 16 au 17 décembre 1676 au château de Gripsholm. Or, à l'époque où paraissait l'article, se posait, comme en 1742, un nouveau problème de succession, qui risquait de rompre l'équilibre politique de l'Europe du Nord. Le dernier roi de Suède de la dynastie Vasa, Charles XIII, allait désigner comme héritier le maréchal français Bernadotte. La prophétie, inventée vers 1742, reprise et complétée en 1810, semblait annoncer cet événement; toute apocryphe qu'elle était, la prophétie attribuée à Charles XI par son lointain successeur se réalisait. La fiction et l'histoire se confondaient, et cette étonnante combinaison ne pouvait que séduire Mérimée.

En récrivant le texte, Mérimée ne cherchait pas à mettre en lumière l'usage politique de la fiction, à une époque qui connaissait déjà les formes subtiles de la propagande et de la désinformation. Sensible aux ressources offertes par la crédulité populaire, comme on le voit par la délectation avec laquelle il met au jour l'intime connivence des imposteurs politiques et de

leurs dupes dans *Les Faux Demetrius*, il voulait en exploiter
jusqu'à ses limites extrêmes la force troublante. Il transforma
le texte, volontairement. Il changea en personnages de son
invention, réduisant leur nombre, les signataires du « vrai-faux »
procès-verbal, qui du reste ne correspondaient pas non plus à
des personnages véritables de l'entourage de Charles XI. À la
structure du texte original, au symbolisme trop dépouillé (le roi
dort, il s'éveille, il pose trois questions), il substitua un dialogue,
insista sur le tempérament mélancolique du souverain qui, minant
le rationalisme positif de sa foi luthérienne, suggéra son hésitation
et son inquiétude. Bouleversant la chronologie, il créait une
atmosphère de deuil et de remords prémonitoire. Au message
divin et favorable de la vision originale, succédait une menace
diabolique. La vision se peuplait de fantômes, et elle s'amplifiait
en une véritable mise en scène de l'horreur, le sang coulait, le
cadavre s'animait, la tête roulait aux pieds du roi. Simple
annonce des mutations et des vicissitudes du royaume, le texte
original ne créait qu'une inquiétude objective et confirmait la
nature irréelle de la vision : le roi voit le sang jaillir et ne
trouve aucune trace sur ses pantoufles. À l'inverse, dans la
version de Mérimée « la pantoufle de Charles conserva une
tache rouge, qui seule aurait suffi pour lui rappeler les scènes
de cette nuit ». Plus que le message politique que porte le texte
original conçu à cet effet, subsiste l'impression du rêve éveillé,
contre toute raison, et le délicieux plaisir, pour le lecteur, de
son trouble.

La prise de la redoute de Schwardino ou Chevardino est un
épisode bien connu de la campagne de Russie. Le 5 septembre
1812, l'armée russe cessa son mouvement de retraite et fit front
à l'armée française. Dans la plaine, en avant de la Moskowa,
une redoute, le village fortifié de Schwardino, était la clef du
dispositif russe. Napoléon ordonna au général Compans et à sa
division d'infanterie de prendre l'ouvrage. Le combat eut lieu
dans la soirée, il dura moins d'une heure, mais fut d'une extrême
violence ; les Français victorieux avaient perdu 5 000 hommes
dans l'assaut. Le surlendemain, ils remportèrent la bataille de
la Moskowa, où ils enlevèrent une autre « grande redoute ».

La *Revue française* publia en septembre 1829, sous le titre

L'enlèvement de la redoute, un court récit de Mérimée, présenté comme une «scène contemporaine», offrant «les meilleurs matériaux que l'histoire ait un jour à consulter». Mérimée se bornait, en apparence, à rapporter le témoignage d'un «militaire de (s)es amis», qui avait connu son baptême du feu à cette occasion mémorable. La critique, depuis lors, s'est vainement efforcée d'identifier l'officier auteur du récit, et de rattacher à sa personne ce qu'il convient, en fait, de rendre à Mérimée écrivain. Et sans contradiction aucune, d'éminents historiens militaires ont pu dénoncer ce qu'ils considéraient comme les inexactitudes du récit transmis par le narrateur. Sans doute l'emploi de certains termes ressortissaient à des inadvertances surprenantes toutefois chez un auteur si attentif d'ordinaire à l'exactitude du lexique (le *sabre* de l'officier et le *chapeau* du colonel). Mais ces inexactitudes appartenaient au travail du romancier : la lune était en réalité invisible le soir du 4 septembre, mais elle *devait* paraître «d'une grandeur extraordinaire» aux yeux d'un jeune officier impatient de se battre, et rouge, annonciatrice de malheur, à son compagnon.

Plus encore que les deux premières nouvelles du recueil, *L'enlèvement de la redoute* repose sur l'équivoque du genre auquel elle se rattache et dont elle tire ses effets. La réalité historique la mieux attestée ne sert pas simplement de cadre, elle est la matière et l'objet même du travail du conteur, qui la donne à comprendre, en termes subjectifs et de valeurs. Mérimée connaissait le récit fait de l'événement par le comte de Ségur dans son *Histoire de Napoléon et de la Grande Armée pendant l'année 1812*, (Paris, 1824), mais, puisant à une autre tradition, orale, il s'en écartait sur le fond même : là où Ségur évoquait un assaut des Français, puis trois contre-attaques russes, Mérimée décrivait un assaut suivi d'une fusillade à bout portant et la boucherie du corps à corps. Dans ce texte rapide, tous les thèmes mériméens de la superstition étaient esquissés, les présages menaçants, la prémonition liée à un signe ou à un nom, le déchaînement d'une violence primitive. Il cherchait surtout à concentrer une impression, la vision – fantasmagorique – des grenadiers russes immobiles dans la fumée. Le jeune officier avait connu son initiation ; comme Fabrice Del Dongo, il n'avait rien vu, mais contrairement à lui, tout en faisant de l'esprit, il avait compris le sublime et l'horreur de la bataille.

L'histoire de Tamango est, de toutes les nouvelles rassemblées dans *Mosaïque*, la plus directement liée à l'actualité et aux débats de l'époque. C'est aussi une nouvelle fortement documentée, fruit des lectures de Mérimée, qui entre par son sujet dans un double courant polémique et romanesque, de littérature africaine et d'histoires maritimes. Toutes ces déterminations, qui devraient définir son sens et sa portée, n'épuisent pas toutefois sa force et son ambiguïté.

La nouvelle fut publiée dans la *Revue de Paris* en octobre 1829. Partie d'Angleterre, fondée sur des motifs humanitaires mais aussi sur le souci d'entraver la politique coloniale française, une forte campagne abolitionniste avait eu lieu les mois précédents contre les « bastilles négrières » françaises. Abolie par la Convention (décret du 4 février 1794), à nouveau légalisée par Bonaparte en 1802, la traite était officiellement interdite par une ordonnance royale de 1817, puis par une loi de 1818, mais certains armateurs continuaient d'envoyer des navires sur les côtes du Sénégal pour un fructueux commerce, malgré les contrôles douaniers et les escadres anglaises. La capture du *Vigilant*, arraisonné à Bonny au mois d'avril 1822 avec 344 Noirs à bord, avait fait scandale. Les cercles que Mérimée fréquentait étaient agités par la question, et certains de ses amis, alors plus connus et plus influents que le jeune dandy qu'il était, se trouvaient engagés dans ce combat pour obtenir l'aggravation de la législation concernant la traite et l'esclavage, sinon déjà pour l'émancipation des Noirs. Cette loi fut votée le 25 avril 1827, et complétée en 1830. Le pasteur Abel Stapfer, père d'Albert Stapfer, un ami très proche, fut l'un des fondateurs de la *Société de la Morale chrétienne*. Cette association, présidée par le duc de Broglie, organisait toute une campagne de publications et de conférences contre la traite, au cours de laquelle le baron de Staël fit connaître les résultats de ses enquêtes à Nantes, le principal port négrier, allant jusqu'au scandale en exposant des fers, les fameuses *barres de justice*, qu'il avait achetés. Le comte d'Argout, dont Mérimée sera le chef de cabinet au ministère du Commerce, fut lui aussi un membre actif de la société. Mérimée connut en personne miss Wright, une abolitionniste américaine, venue en tournée en Europe où elle cherchait des appuis pour fonder un foyer d'accueil ouvert aux esclaves libérés.

La littérature faisait écho à la cause humanitaire. En 1823, l'Académie française proposa comme sujet de son concours de poésie «L'Abolition de la traite des Noirs». Mérimée put entendre chez Delécluze une lecture du drame de Charles de Rémusat, *L'Insurrection de Saint-Domingue*. La nouvelle qu'il préparait s'inscrivait dans un courant «africain» très en vogue, dont le texte fondateur avait été, un siècle plus tôt, *Oroonoko or the Royal Slave* d'Aphra Bens, traduit en 1745. *Bug-Jargal* de Victor Hugo (1826) ou *Kélédor* (1828) du baron Roger, en avaient suivi l'inspiration, et offraient des types et l'évocation de sentiments convenus.

La nouvelle de Mérimée trouvait également ses sources dans la littérature «négrière» de l'époque, littérature documentaire à l'usage du combat abolitionniste, ou de fiction. Les parties les plus techniques de la nouvelle, la description du navire et celle du traitement réservé aux captifs venaient d'une brochure de Thomas Clarkson, *Le Cri des Africains contre leurs oppresseurs*, traduite en 1821 et publiée par les soins de la *Société de la morale chrétienne*. L'ouvrage était surtout utile par la grande planche gravée, qui donnait le plan en coupe d'un navire négrier ; Mérimée en suivit scrupuleusement les données. Il avait aussi fait usage d'une brochure anonyme, la *Description d'un navire négrier*, et du *Précis historique de la traite des Noirs et de l'eclavage colonial*, de Joseph Morénas, publié à Paris en 1828. Tout ce qu'il attribuait à l'ingéniosité du capitaine Ledoux, dans l'art de «comprimer les corps», et qui dans le récit faisait l'originalité atroce de son navire, n'était que trop habituel.

La littérature de voyage, dont Mérimée était grand amateur, lui offrit également un cadre et les descriptions de coutumes qui contribuaient à la vraisemblance du récit. Il les utilisa avec art, sans la moindre concession aux facilités de la couleur locale : les paysages africains, évoqués en une phrase, étaient ceux d'un paradis perdu auquel rêvaient des captifs hébétés d'alcool et de désespoir. L'épisode de Mama-Jumbo met en évidence la fourberie de Tamango et la crédulité de ses victimes.

Il était adapté du récit de Mungo Park, dont les *Travels in the interiors districts of Africa*, publiés en 1799, avaient été traduits en français par Castéra. Mérimée tirait d'autres détails sur la musique mandigue et le *folgar*, de l'*Histoire générale des voyages* (1747) de l'abbé Prévost, la description de la fourche, de l'*Histoire des établissements et du commerce des Européens dans les deux Indes* (1780) de l'abbé Raynal.

Restait l'intrigue proprement dite. Elle était topique, proposant une variation sur un thème obligé : les histoires de mer sont toujours, jusqu'au *Benito Cereno* de Melville, des histoires de mutineries et de naufrages. L'abbé Prévost avait déjà raconté une révolte sur un négrier. Daniel Defoe, dans *The Life, Adventures and Piracies of the famous captain Singelton* (1720) évoquait, d'après un récit espagnol du XVIIᵉ siècle, un épisode très proche de la fin de *Tamango* : un vaisseau anglais recueille des captifs sur un négrier à la dérive, dont l'équipage français s'est enfui après une révolte. Mérimée enfin avait pu lire dans le *Traité des assurances et des contrats* (1827) d'Emerigon, un dernier récit, la révolte d'une trentaine de Noirs sur le *Comte d'Estaing*. Aucun de ces modèles toutefois n'offrait plus que l'histoire d'une révolte en mer, au succès relatif, et dans des circonstances très différentes de celles du récit que fit Mérimée.

De fait, les révoltes sur des négriers étaient fort rares, limitées à des cas individuels d'insubordination, tant étaient sévères les mesures de protection et de coercition. Pour tout le XVIIIᵉ siècle, on recense 155 cas de rébellion, sur près de 3 500 expéditions négrières françaises, à peine cent qui furent accompagnés de mort d'homme[1]. Là résidait précisément l'invention de Mérimée, sur toutes les données que lui fournissait sa documentation. Il racontait une révolte, qui se déroulait de son temps, au moment même où les navires, perfectionnés par une longue expérience et l'ingéniosité d'autres Ledoux, étaient capables d'accueillir un plus grand nombre de captifs, et où les techniques carcérales rendaient quasi impossible tout événement de ce genre. Il imaginait et décrivait une révolte totale, sans quartier, à laquelle aucun Blanc n'échappait et à la suite de laquelle mouraient tous les Noirs, incapables de diriger le navire dont ils s'étaient rendus

---

1. La meilleure documentation sur le sujet est donnée par S. Daget, *La Traite des Noirs*, Ouest-France Université, 1990.

maîtres. Il ne sauvait du désastre que le responsable même de leur malheur et de leur provisoire libération. Reposant sur la documentation la plus sûre, offrant le plus grand vraisemblable, *Tamango* était une pure fiction poussée jusqu'à l'extrême de la violence et de la cruauté, mêlant le cynisme et l'imposture aux scènes de massacre et de désespoir.

La nouvelle prenait assurément son sens dans le contexte abolitionniste, et il n'est pas impossible qu'elle ait joué comme la meilleure des recommandations auprès du comte d'Argout. Mieux que tout autre texte, par l'effet habituel chez Mérimée de la présence d'un narrateur-témoin crédible (allant jusqu'à confirmer sa *bonne foi* et la véracité de son récit par la « dubitation » qui ouvre le dernier paragraphe), elle décrivait en détail l'horreur de la traite. Le narrateur, de surcroît, confirmait la thèse abolitionniste de toute l'énergie d'une ironie âpre, imitée d'une page fameuse de Montesquieu[1]. Mais le récit de Mérimée était plus ironique et plus sombre encore, il évitait le pathétique des « descriptions dégoûtantes des tortures de la faim », pour s'achever en dérision. Comment – quoique la chose ait été peu soulignée par la critique – ne pas goûter telle facétie mériméenne à double entente mettant en cause les infortunes et fortunes de Ledoux. Le héros éponyme, un potentat odieux et ridicule, imposteur héroïque et bestial, était puni de ses crimes en devenant lui-même captif d'un marchand sans scrupules qui trahissait le pacte de la traite :

Parbleu ! s'écria le capitaine Ledoux, les Noirs qu'il a vendus vont rire de bon cœur en le voyant esclave à son tour. C'est pour le coup qu'ils verront bien qu'il y a une Providence.

Mais la Providence a des voies impénétrables. Tamango, dont le patronyme, un emprunt apparent, ne figure en fait dans aucune source connue et atteste une nouvelle fois le talent de pasticheur de Mérimée, échappait à la catastrophe où avaient été engloutis victimes et bourreaux sans distinction, pour mourir plus tard d'une inflammation de poitrine, à l'hôpital, comme une grisette.

Publié en novembre 1829 dans la *Revue de Paris*, *Federigo* a suscité bien des interrogations. Le conte fut repris dans *Mosaïque* en 1833, mais son auteur avait manifesté une certaine gêne.

---

1. *Esprit des lois*, XV, 5. Le texte est cité en p. 217.

Dans une lettre à son éditeur Hippolyte Fournier, il l'acceptait comme un pis-aller : «Je crois décidément qu'il n'y a pas d'inconvénient à mettre *Frédérigo* (sic) qui grossira le volume. D'ailleurs je l'ai signé[1].» Ajouté par défaut dans le premier recueil, le conte ne fut jamais repris dans les autres éditions publiées du vivant de l'auteur, et il ne réapparut qu'en 1873, joint aux *Dernières Nouvelles*. On ignore les raisons de cette désaffection.

L'origine même du récit nous échappe, et sans doute convient-il d'y chercher les raisons de la réserve de Mérimée à son égard. Tout donne à croire qu'il s'agit de l'adaptation littéraire d'un conte populaire d'origine italienne, dont Mérimée aurait trouvé une version écrite dans un recueil narratif, jusqu'alors non identifié, ou dont il aurait eu connaissance d'une version orale. C'est ce qu'indique en tout cas la note savante ajoutée au titre. C'est ce que semble aussi rappeler Mérimée dans une lettre, tardive, adressée à Champfleury : «Je ne connais pas l'histoire du Bonhomme Misère. Celle de *Federigo* est populaire à Naples, et n'est qu'une sorte de traduction[2].» Champfleury avait publié en 1861 une étude consacrée à la littérature populaire en France, dans laquelle il citait le récit de Mérimée, afin d'illustrer les différents avatars d'un personnage type, le Bonhomme Misère, vainqueur de la mort grâce à un pouvoir surnaturel qu'il avait reçu de Jésus-Christ en récompense de son hospitalité :

«Le Bonhomme Misère, si populaire en France, me parut d'abord un conte italien traduit, peut-être arrangé par parties. M. Mérimée confirmait mon opinion sur la provenance italienne du Bonhomme Misère par un court récit, *Federigo* (...) Chacun sait de quelle remarquable sobriété de conteur la nature a doué Mérimée : mieux que personne il était apte à rendre l'esprit des anciennes légendes ; pourtant je préfère la courte histoire du Bonhomme Misère au récit de *Federigo*. La légende française me semble supérieure au conte d'origine napolitaine, surtout par sa simplicité de composition[3].»

Avec beaucoup de naïveté, mais de façon significative au moment où s'édifiait dans le domaine littéraire l'historiographie de la notion d'«italianisme», Champfleury donnait sa préférence à la version française sur l'archétype italien. Mais il ne connaissait

---

1. Lettre du 19 avril 1833, *Correspondance générale*, XVI, p. 66.
2. Lettre du 7 juin 1868, *Correspondance générale*, XIV, p. 155.
3. Champfleury, *Histoire de l'imagerie populaire*, Paris, 1886, p. 128.

celui-ci que grâce à la médiation de Mérimée ; il prenait le conte pour la traduction de l'original, en répétant la précision étonnamment vague (« sorte de traduction ») donnée par l'auteur sur la nature de son propre texte. En fait, le rapport était bien lointain entre l'extrême élaboration du texte de Mérimée et la légende française que lui préférait Champfleury, et il était difficile de voir en lui un prototype, « populaire », même adapté par un auteur très cultivé.

Quelques années plus tôt, Mérimée s'était fait connaître du public lettré par la publication de *La Guzla*. Ce choix de poésies illyriques, introduit par un prétendu éditeur italien anonyme qui les attribuait au célèbre « Hyacinthe Maglanovich », était une supercherie littéraire, à l'instar du faux Ossian. Elles étaient assez habilement composées pour que Pouchkine se laissât prendre et en retraduisît quelques-unes en russe. Mérimée avait récidivé : il avait fait paraître, en 1825, des pièces de théâtre, qu'il disait traduites de l'espagnol et attribuées à Clara Gazul. La mince et charmante histoire de Federigo se rattachait à cette veine, encore représentée dans *Mosaïque* par trois ballades. Plutôt que de voir en *Federigo* une adaptation littéraire et tardive d'un conte populaire médiéval dont on aurait perdu l'original, il n'est pas absurde de le lire comme un pastiche de conte populaire ou comme une savante création littéraire d'un conte populaire, à partir d'éléments fort généraux, le voyage du Christ et de ses Apôtres, les trois grâces accordées en récompense au pauvre homme qui les a hébergés de son mieux un soir d'orage, la personnification de la mort. La note liminaire fait penser aux déclarations d'authenticité contenues dans les avant-propos du *Théâtre* et de la *Guzla* ; elle vise précisément à confirmer et à rendre authentique ce qui est de l'ordre de l'invention. Les citations en italien, les italianismes du lexique et des noms contribuent à renforcer la couleur italienne, peu habituelle chez Mérimée (qui ne fit son voyage à Naples que dix ans plus tard), et donnent, sous forme de citation, l'apparence d'une traduction à la maladresse voulue. De fait, le personnage de Federigo, fortement caractérisé, se distingue des personnages habituels de conte populaire, et l'intrigue correspond au développement des traits de ce caractère, sur lequel se greffe, comme un épisode, la donnée folklorique, la visite du Christ. À l'inverse, la référence aux Enfers, virgilienne, est trop précise et trop littérale pour être passée par le crible d'une forme populaire, la couleur historique est volontairement appuyée jusqu'à l'anachronisme (le jeu de l'hombre au Moyen Âge), et l'allusion à des vers contemporains de Baour-Lormian, donnent à comprendre qu'il s'agit bien d'un jeu savant. La morale enfin est rien moins qu'édifiante et ne saurait appartenir à la tradition. Le jeune seigneur dissolu obtient la récompense du paradis sans s'être repenti. Il est sauvé par ses seules qualités mondaines de beau joueur, qui joue son âme généreusement et non pas au moment de sa mort, et d'homme d'esprit. La douceur de la légende dorée se combine, dans cette pièce mineure et charmante, au sel de l'irrespect voltairien.

Changeant de décor et de monde, Mérimée ne renonçait ni à l'ironie ni à la cruauté, ni au plaisir de conter.

Le vase étrusque, publié dans la *Revue de Paris*, le 14 février 1830, s'achevait par deux morts dont une en duel, et traçait une satire pleine d'esprit de milieux et de personnages que Mérimée connaissait bien, les salons parisiens et les assemblées de *dandies*. L'esprit est assurément la matière de cette nouvelle bien plus qu'un simple moyen de la narration, et Mérimée met en œuvre, avec les ressources d'un style plus dépouillé et plus neutre que jamais, toutes les possibilités et toutes les formes de l'ironie, qui sert comme un scalpel à l'analyse psychologique. Comme *Le Misanthrope* de Molière, dont il est une variation implicite, *Le vase étrusque* met en scène un extravagant qui, dans son souci d'être singulier, se méprend sur soi, sur le monde, sur la femme qui l'aime, et qui est objet de la méprise de ses compagnons. Mérimée introduit ici pour la première fois ce motif, la méprise, qui sera l'élément essentiel de ses nouvelles « mondaines ». Ce motif, d'origine dramatique, donne à l'intrigue sa structure et la conduit jusqu'au dénouement, nécessairement tragique. Mais elle se déploie également à travers une galerie de portraits : des caractères, des types et des ridicules, qui ont tous en commun ce qui rend la méprise possible, un défaut de langage, qui fait que l'on parle et que l'on n'écoute pas, ou que l'on parle mal au point de n'être pas entendu. C'est bien le langage, porté tour à tour par tous les personnages, qui est le sujet de la nouvelle. Saint-Clair, distrait et insolent, ne parle pas le langage du monde dont il fait partie ; il dit n'importe quoi, il dissimule ou il se tait, par peur d'être raillé, et se rend lui-même victime du discours intérieur de son imagination. Les amis du héros fournissent les autres portraits, eux dont la parole oscille entre les banalités convenues des sujets (des chevaux anglais aux femmes) et la médisance indiscrète qui fait naître la jalousie de Saint-Clair. Cette parole du monde a ses gloires («la femme de France la plus spirituelle») et ses damnés (Massigny, rival imaginaire de Saint-Clair, a «de la conversation comme son cheval»). Le point culminant de cette véritable prosopopée du langage mondain est la cacophonie et la cacologie du récit de voyage, où «tous parlaient à la fois». En quelques répliques, le voyageur déploie devant ses auditeurs ébahis toute la quincaillerie de bazar rapportée en souvenir d'Égypte, cette couleur locale dont les Français raffoleront, de Hugo à Loti, et qui n'est que pittoresque de mots rares et vides. Rien n'échappe à l'ironie du narrateur ; celle-ci est comme le miroir déformant de la parole mensongère, qui n'épargne ni le matin des amants, en brouillant son faux lyrisme par une citation de Shakespeare, ni la fin malheureuse et pathétique du héros, en la rapportant par la conversation infiniment banale de deux comparses qui déplorent surtout le chien du pistolet cassé par le tireur. Les faux semblants du langage et du monde sont mis à nu dans ce qui semblait en être la fête. Reste à choisir entre le désespoir et la dérision, et pour l'écrivain soucieux d'une éthique de la parole, entre atticisme et mutisme. Sa parole « authentique » serait-elle alors dans les maximes qui scandent la nouvelle : *qu'il est difficile de trouver un ami ; les Français aiment à parler d'eux-mêmes ; la vanité se glisse toujours dans les affaires de ce monde ; quand une passion nous emporte, nous éprouvons quelque consolation d'amour-propre à contempler notre faiblesse du haut de notre orgueil ; un homme a l'air bien sot quand il reçoit froidement les cajoleries d'une jolie femme*? Mais la maxime est le condensé de la parole mondaine autant que parole d'écrivain. Aux clichés orientalistes répondent les clichés cultivés et ces clichés, où s'exerce l'ultime ironie de Mérimée, si courants, qu'ils passent, comme l'avait finement souligné Charles Du Bos, totalement inaperçus.

Nouvelle contemporaine, située à Paris, évoquant des réalités familières de Mérimée et de son public, *Le vase étrusque* a souvent été considéré comme un récit à clefs et comme une œuvre autobiographique, voire comme une « confidence » de son auteur. Cette interprétation, amplifiée par Taine, remonte à une amie de Sainte-Beuve, Hortense Allart, qui lui indiqua en Emilie Lacoste la « véritable » madame de Coursy :

> Je n'ai pu vous dire hier soir que la dame en face de vous, à laquelle j'ai été parler, est la femme du *Vase étrusque* de Mérimée, celle pour laquelle il s'est battu et la seule sans doute qu'il ait aimée[1].

Il n'est pas contestable que Mérimée ait esquissé ses personnages en se servant de traits pris çà et là dans son entourage, les combinant, rapportant mots d'esprits et choses entendues, évoquant même « ce jeune auteur qui fait de si jolies aquarelles », une formule qui avait dû le désigner lui-même dans quelque salon. Mais aucune clef n'a de valeur en elle-même ; les dandies n'ont de sens que dramatique, dans l'ordonnance d'une intrigue, qui fait se définir Saint-Clair contre eux. Le héros lui-même, inventé et composé par Mérimée, n'est pas l'homme Mérimée, qui ne l'aimait guère : « Ne m'en voulez pas pour la mort du héros, écrivait-il à Sophie Duvaucel, j'avais une vengeance personnelle à exercer contre lui : il m'avait tant ennuyé que je n'ai pu m'empêcher de le tuer[2]. » L'allusion aux amours d'une jeune ouvrière est un lieu commun et offre un exemple de récit mensonger à deux fins possibles, l'épisode du duel répond à la cohérence du dénouement, il avait déjà été esquissé dans une première version de l'histoire, vers 1823. Ni l'un ni l'autre ne révèle quoi que ce soit sur Mérimée, ni sur la singularité de son art ; ils n'ont d'intérêt biographique que pour ce lecteur indiscret et naïf, pour qui un écrivain s'apprécie selon son conformisme politique et le nombre de ses maîtresses, pour qui une œuvre est pleine de « petits secrets ». Autre méprise, dont Mérimée savait bien se jouer.

Publiée le 13 juin 1830 dans la *Revue de Paris*, mais placée dans *Mosaïque* par l'éditeur ou par Mérimée lui-même avant *Le vase étrusque* qu'elle devait suivre, *La partie de trictrac*

---

1. Hortense Allart, *Lettres inédites à Sainte-Beuve*, Paris, 1908, p. 194.
2. Lettre du 3 mars 1830, *Correspondance générale*, I, p. 60.

réunit trois thèmes développés individuellement dans les récits précédents. Comme *L'enlèvement de la redoute*, elle se situe sous l'Empire et offre la version navale de l'héroïsme militaire à l'épreuve du feu. Comme *Tamango*, il s'agit d'une histoire de mer, et plusieurs détails sont en étroite correspondance : la fatalité du vendredi, l'opposition entre l'excellent marin qu'est Ledoux et le capitaine incompétent de la *Galatée*, un même cadre, la côte d'Afrique. Comme dans *Federigo* enfin, le personnage principal est un joueur ruiné, qui triche pour se refaire. Mais à ces données, qui ne sont pas négligeables pour définir l'imaginaire de Mérimée conteur, du moins dans ses premières années, s'ajoutent deux éléments nouveaux. *La partie de trictrac* est aussi, pour la première fois la description, brève, du sentiment amoureux, de son objet charmant et mal choisi, une actrice légère, de son tourment et de ses folies. Mais le sentiment amoureux est plus qu'une simple circonstance, il devient principe de rivalité : la « fille de joie » donne au tricheur une leçon de morale qui lui est insupportable : « je me ferais payer par un matelot, mais... *je ne le volerais pas* ». En quelques pages, Mérimée trace le portrait psychologique de Roger et noue son drame, raconté par un de ses amis : enfant illégitime devenu officier par son mérite, il ne peut s'affirmer que par son excellence, ses excès et son *chic*, qui le conduisent à tricher, et à perdre en trichant ces caractères mêmes qui le distinguaient à ses yeux, qui faisaient sa singularité pour autrui ; sans honneur, il est rappelé, intimement, à sa condition de paria. Drame de l'amour-propre, *La partie de trictrac* est aussi un drame du remords. Mais comment payer la mort du joueur hollandais que Roger, qui s'est mépris sur le flegme apparent de son partenaire, n'a su prévenir ? Comment racheter l'estime de soi, sinon par sa propre mort ? Mais on ne rejoue pas, même au prix de la vie.

La nouvelle est d'une complexité de construction qui n'avait jusqu'alors aucun exemple chez Mérimée, par récits emboîtés, celui de l'officier, qui rapporte celui du capitaine, qui lui-même fait parler Roger. Leurs commentaires sur l'histoire de Roger et leur propre récit (une histoire trop souvent racontée qui fait fuir les autres officiers, une histoire sans éloquence, ou dont les mots, rapportés, ont bien moins d'effet que dans le moment où ils furent prononcés) contribuent à la désinvolture et à l'esprit, habituellement assumés par le narrateur Mérimée. Le second récit, interrompu avant la fin de l'histoire, ne donne pas la clef de la mort de Roger. Il renforce au contraire l'aspect dérisoire d'un dénouement pourtant tragique et de l'héroïsme guerrier qui l'illustre.

Aucune source, aucune référence extérieure à l'œuvre de Mérimée ne sont connues pour ce texte. On a pu y voir un récit authentique, raconté à l'auteur par un cousin avec qui il était fort lié, et qu'il avait rencontré plusieurs fois à Paris en 1829, le lieutenant de vaisseau Jean-Auguste Marc. Celui-ci avait servi sur un vaisseau nommé la *Gabrielle*, le prénom, donné peut-être comme *private joke*, de l'actrice aimée du héros. On se tromperait toutefois en accordant trop d'importance à cet hypothétique récit tout comme en le négligeant. Le fond même de l'histoire était somme toute assez banal, quinze ans après la fin des guerres de l'Empire. Qu'un récit de marin fait à Mérimée, un soir en accompagnant un punch, ait contenu toute la matière de la nouvelle, ou que ce récit n'ait offert qu'une anecdote que Mérimée sut recomposer, peu importe, ou plutôt, ce qui importe est bien le lien qui unit la nouvelle mériméenne à un art de la conversation familière, qui la précède, l'ordonne et la prolonge.

Les *Lettres d'Espagne* publiées dans *Mosaïque* se rattachent à une expérience humaine nouvelle dans la vie de Mérimée, et qui fut pour lui essentielle. Il découvrit dans la Péninsule sa patrie de cœur et son pays «mental», son ailleurs toujours accessible, et il y fit, en la personne de la comtesse de Montijo, une rencontre appelée à changer sa vie. Ces *Lettres* offraient aussi, en puissance, une matière pour l'œuvre à venir qu'elles allaient nourrir de leur substance. *Les Ames du purgatoire* et *Carmen* en furent les fruits, longuement mûris. En 1833 pourtant, présentées sans incohérence mais non sans arbitraire avec les autres pièces de *Mosaïque* dont elles élargissaient l'inspiration à de nouveaux horizons, elles contribuaient à créer ce charme de la «variété» qu'entendait offrir le recueil. Plus qu'une rupture avec l'univers et les personnages des nouvelles précédentes, plus qu'une rupture avec le genre même de la fiction narrative brève, dans la différence apparente d'une forme épistolaire et du recours

à la première personne, il convient de voir dans ces lettres les
constantes d'un style, d'une esthétique et d'une pensée. À leur
manière, les *Lettres* sont aussi des nouvelles, et c'est en véritable
écrivain, attentif à cueillir ce qui pourrait enrichir une forme
dans laquelle il excellait, que Mérimée avait fait, en Espagne,
un voyage jusqu'alors plus habituellement réservé aux militaires
et aux marchands. Car les dates importent. Au détour de ce
tiers de siècle, l'Espagne n'est pas encore – mais plus pour
très longtemps il est vrai – une destination très fréquentée. Dans
l'un de ses *Nouveaux Lundis*, en février 1862, Sainte-Beuve
célèbre encore « ce qui nous plaît et nous étonne dans les
saynètes et les nouvelles espagnoles de Mérimée », quelques
lignes après avoir souhaité la réédition du journal du *Voyage
d'Espagne* de Mme d'Aulnoy[1].

De retour de voyage au début du mois de décembre 1830,
Mérimée rédigea trois récits, en forme de « lettres ouvertes »,
adressées au directeur de la *Revue de Paris*. Il racontait, sans
suivre l'ordre chronologique de son propre voyage, une corrida,
décrivait une exécution à Valence, évoquait les voleurs d'Andalousie. Il s'était servi des notes prises en cours de route, au
jour le jour, rédigées du même mouvement que les quelques
lettres privées qu'il avait adressées à ses amis restés à Paris.
La richesse de ce qu'il découvrait, son désir de tout voir et de
tout connaître, le rythme du voyage lui interdisaient une mise
en forme immédiate de ses brouillons ; il était difficile, en un
pays encore aussi peu décrit, de se plier aux habitudes et aux
règles données par une longue tradition de voyageurs savants,
qui ordonnaient tout ensemble et sur les mêmes « lieux » leur
voyage et leur journal :

> Maintenant, voyageant trop rapidement, je n'ai plus le temps de
> mettre mes notes en ordre. À mon retour, si cela peut vous être
> agréable, j'aurai bien des choses à vous dire[2].

Les *Lettres d'Espagne* furent publiées en janvier et mars de
l'année suivante. Elles devaient être accompagnées de deux
autres lettres, consacrées aux sorcières d'Andalousie et aux
tableaux du musée de Madrid. Celles-ci étaient encore en chantier

---

1. Édition de Paris, Michel Lévy, 1866, t. 2, p. 49.
2. Lettre du 4 septembre 1830 à Albert Stapfer, *Correspondance générale*,
I, p. 70.

lorsque Mérimée fit paraître *Mosaïque* ; la première fut publiée
séparément dans la *Revue de Paris* du mois de décembre 1833,
mais ne fut jamais jointe aux rééditions du recueil. Trop occupé
par ses nouvelles fonctions auprès du comte d'Argout, Mérimée
oublia définitivement la seconde, trop technique.

Les trois lettres publiées répondaient à l'orientation d'une
revue soucieuse d'offrir une matière à réflexion et des textes
d'agrément. Elles furent reçues avec intérêt par les lecteurs,
comme des documents à la fois véridiques et pittoresques, sur
une réalité encore mal connue. Sans être à la mode comme
l'Égypte ou la Grèce, sans constituer l'objet d'une tradition
séculaire de récits de voyages comme l'Italie, l'Espagne était
dans l'air du temps[1]. Les vétérans des guerres napoléoniennes
en gardaient de mauvais souvenirs, évoqués par le lieutenant
Roger, le héros malheureux de *La partie de trictrac*. Sous la
Restauration, le gouvernement Villèle avait fait de ce pays alors
déchiré entre factions rivales, entre royalistes et constitutionnels,
en butte à d'incessants *pronunciamentos*, un lieu privilégié de
son activité diplomatique. En 1823, une expédition militaire
commandée par le duc d'Angoulême fut envoyée pour rétablir
l'ordre. La « promenade militaire » connut son heure de gloire
devant le fort du Trocadéro, et des troupes d'occupation demeurèrent dans la Péninsule jusqu'en 1828. Mais outre les possibilités
d'expérimentation politique qu'elle offrait, Mérimée avait eu
l'intuition que l'Espagne recélait surtout d'admirables trésors
artistiques et un *tempérament* bien plus authentique que ce que
ses contemporains allaient chercher en des lieux plus convenus
ou plus lointains.

Les *Lettres* constituaient le point où se rencontraient une
écriture, ou mieux, une parole privée, destinée au cercle étroit
des intimes, et une écriture publique, de fiction, qui se cache
et de document qui s'affirme. En Espagne même, Mérimée avait
écrit à ses amis, et il avait évoqué certains traits du voyage
réel. Dans une lettre à Stapfer, il disait la solitude qu'il avait
éprouvée et surmontée. Il faisait allusion, à mots couverts, par
crainte d'une éventuelle censure, aux événements politiques qui
avaient eu lieu à Paris durant son absence et dont il commençait

---

1. Voir Margaret Rees, *French Authors in Spain. 1800-1850*, London,
Grant and Cutler, 1977.

à percevoir les échos à Madrid. Il tirait déjà le bilan de ce qu'il avait découvert : le caractère « singulier » des Espagnols, la finesse d'esprit si étonnante de la « canaille » et du bas peuple, la révélation de la corrida, celle de son propre goût, ce qui ne manquait pas de le troubler, pour le sang et la mort, pour un spectacle qui rendait fade toute forme de tragédie au théâtre, la beauté des femmes et de l'architecture mauresque.

Mais ces lettres écrites « en chemin », ne pouvaient être que des promesses ; elles annonçaient les conversations du retour, dont les trois lettres publiées dans la *Revue de Paris* furent la mise en forme destinée à un plus large public. La conversation, amicale ou mondaine, et les lettres qui la reproduisaient ne reposaient pas sur le récit chaque fois répété du voyage personnel dans son déroulement et sa réalité. Elle demandait d'abord que le voyageur s'effaçât, au nom des convenances et des règles d'une société qui continuait de trouver indiscrète l'exhibition du moi et de sa pauvre aventure individuelle. Personne du reste n'était plus réservé que Mérimée, qui savait ne pas confondre *personal matters* et littérature. Le voyageur n'était qu'un témoin, privilégié, et ce rôle modeste donnait autorité à ce qu'il racontait. C'est ainsi qu'il faut comprendre le commentaire de Mérimée au spectacle de la corrida, non pas comme l'aveu d'un sentiment personnel, mais comme une figure rhétorique de l'*éthos*, qui se sert d'une parole personnalisée pour mettre en relief l'objet du discours, qui rend une situation crédible en référence à la bonne foi de celui qui parle :

> j'ai honte de me citer ; pourtant vous savez que je n'ai pas les goûts d'un anthropophage. La première fois que j'entrai dans le cirque de Madrid, je craignis de ne pouvoir supporter la vue du sang... Il n'en fut rien.

La conversation demandait en outre un objet, une anecdocte choisie pour sa portée à la fois singulière et générale, désignant clairement un caractère national. Elle demandait sa mise en forme, son ordonnance et son ornement, afin qu'elle produisît au mieux les effets de sa narration. À l'anecdote enfin devait se joindre le sel des allusions et des jeux d'esprit, qui n'était pas ornement surajouté ou forcé, mais la forme qui donnait vie à une matière commune. Cette forme recomposée du récit de voyage avait des modèles illustres, parmi lesquels les *Lettres d'Italie* du président de Brosses brillaient du plus grand éclat.

Les trois lettres de Mérimée étaient les variations espagnoles sur ce modèle.

Une autre lettre écrite « en chemin », que nous donnons en appendice, relie la lettre privée aux trois lettres publiques, et révèle plus précisément les procédés de tri, les choix d'un écrivain conscient de ses effets. Adressées à la spirituelle fille du naturaliste Cuvier, ces pages privées étaient l'occasion pour Mérimée d'esquisser les thèmes et de chercher le ton de la lettre « littéraire » qu'il écrirait à son retour après en avoir raconté l'anecdote à ses amis. La lettre à Sophie Duvaucel prolongeait, à distance, les jeux d'esprit du salon parisien et en annonçait d'autres. Elle faisait usage, à cet effet, de la prétérition et jouait du contraste. La première figure est topique : « je ne vous dirai rien de l'Alhambra », elle devait stimuler l'imagination et feindre de refuser, dans le même temps, les lieux communs descriptifs ou narratifs du récit de voyage traditionnel. Pour éviter les descriptions, Mérimée affirmait n'être pas peintre, mais il suggérait à sa lectrice toutes les couleurs du tableau ; il n'avait enfin rien à dire des voleurs dont on attendait pourtant le portrait, il ne les avait pas vus. Par la seconde figure, le narrateur opposait les merveilles des paysages, les beautés de l'architecture et la grâce des femmes aux réalités sordides du voyage. Les oppositions qu'il soulignait créaient les surprises d'étonnants reliefs. Mérimée entendait refuser le pittoresque attendu des aventures bonnes pour des touristes anglais, mais il consacrait un long paragraphe à « quelque chose de plus tragique » survenu dans une bourgade où il passait et dont l'interprétation faisait naître son indignation. La lettre publique consacrée aux voleurs naquit précisément de cette équivoque, de ces prétéritions et de ces contrastes. Les brigands des grands chemins appartenaient en propre au monde du récit, non qu'ils n'eussent hanté, réellement, les *sierras*, mais parce qu'ils hantaient plus fortement encore les songes des voyageurs et les discours de leurs hôtes. La lettre offre ainsi un subtil récit de récits, récit des frayeurs que font naître des brigands supposés, récits rapportés de leurs exploits, récits paradoxaux des malheurs de ceux qui, comme l'Anglais de la lettre, finissent par ne plus croire aux voleurs. La foule anonyme de tous ces brigands si respectables trouvait enfin son archétype et son héros en José

Maria, une légende vivante, qui appartenait à la littérature, comme Robin des Bois ou Roque Guinar, comme Mateo Falcone aussi, avec qui il partageait une même adresse au tir.

Les *Lettres* fondaient à leur manière les lieux communs d'une Espagne essentielle : des brigands généreux et courtois, des corridas sanglantes, des cérémonies d'un autre âge. Cette Espagne « éternelle » sera, grâce aux conversations savantes de la comtesse de Montijo, mieux et plus finement connue par un Mérimée toujours plus érudit ; elle servira aussi à mesurer la lente et secrète décadence d'un peuple qui se pliait au modèle commun. Mais toute littéraire qu'elle était, et précisément parce qu'elle était littéraire, elle avait sa vérité. Toute la différence qu'affrontait Mérimée dans ses *Lettres* était de dire l'Espagne, de la façon la plus intime et la plus brillante à la fois, en échappant à ce qui menaçait tout récit de voyage, nécessairement fondé sur le parcours de « lieux communs », le pittoresque, la couleur locale et l'emphase. *Le vase étrusque* avait donné les clefs de l'exotisme romanesque et en avait montré les ridicules. Mérimée voyageur était le contraire de Néville. Les *Lettres* ne rapportaient pas à leur lecteur des objets de bazar, cette couleur locale de pacotille, reposant sur le seul pittoresque des mots rares et sonores. On notera à cet effet l'attention portée aux expressions idiomatiques. Mérimée citait bien des termes espagnols ; il ne leur accordait aucune valeur pour eux-mêmes. Il les accompagnait toujours de leur traduction, il les adaptait, et finalement, ne gardait en espagnol que d'irréductibles hispanismes, la marque même d'une distance que le langage ne pouvait pas franchir. L'Espagne était, de surcroît, poétique. Mérimée échappait à la poétisation de son objet. La lettre sur la corrida avait un précédent fameux, qu'il connaissait bien. Byron, dans le *Pèlerinage de Childe Harold*, traduit en français en 1819, avait décrit le même spectacle. À l'imprécision du lexique et à l'emphase qui correspondaient au style de l'épopée moderne, Mérimée opposait la précision du terme et la simplicité, et il pouvait, avec humour, alléguer le poète anglais pour montrer à son lecteur qu'il savait rendre mieux que lui la nature véritable, héroïque et non pas pathétique, du spectacle.

Quitte à paraître peu colorées, au contraire de la correspondance privée qui montre un Mérimée très occupé de ses frasques, les *Lettres* échappaient au pittoresque parce qu'elles échappaient au culte des images, c'est-à-dire des clichés, rhétoriques, visuels et idéologiques. À cet égard, la description de l'exécution est assurément un des textes les plus troublants de Mérimée. D'une scène qui aurait permis tous les effets, il esquivait le pathétique qui pouvait naître du jeu des antithèses visuelles. La seule émotion exprimée était rapportée à la jeune spectatrice, elle s'exprimait par un *amen*, qui renvoyait à la nature chrétienne d'une peine présentée comme une rédemption. Mérimée donnait à comprendre les paroles et les sentiments. Il révélait le paradoxe insoutenable pour une sensibilité moderne qui refuse et qui craint d'«envisager» la mort, il découvrait dans les formes archaïques d'une justice cruelle en apparence, dont se gaussaient les modernes Français, plus d'humanité et plus de respect pour le condamné, accompagné, aidé et consolé, que ne pouvaient concevoir les «philosophes», les philanthropes libéraux dans leur réforme laïque et rationaliste de la société. Tout à la fois sanglante et courtoise, cruelle et charitable, l'Espagne idéale de Mérimée ne servait pas au dépaysement du touriste, mais à une connaissance plus profonde, comme la littérature, de son propre mystère.

Jean BALSAMO

BIOGRAPHIE DE P. MÉRIMÉE

1803 – *28 septembre* : naissance, à Paris, 7, Carré Sainte-Gene-
viève, de Prosper Mérimée, fils de Léonor Mérimée et d'Anne-
Louise Moreau.

1807 – Léonor Mérimée est nommé secrétaire de l'École des
Beaux-Arts.

1812 – Mérimée entre au lycée Napoléon (actuel lycée
Henry-IV).

1820 – Études de droit.

1822 – Mérimée fait la connaissance de Stendhal.

1823 – Mérimée passe sa licence de droit.

1824 – Mérimée publie dans *Le Globe* quatre articles, non
signés, sur le théâtre espagnol.

1825 – Lecture, chez Delécluze, des premiers écrits : *Les
Espagnols en Danemark, Une femme est un diable* ; publication
du *Théâtre de Clara Gazul*.

1826 – *Avril* : premier voyage, en Angleterre.

1827 – Publication de *La Guzla*.

1828 – *Janvier* : Mérimée est blessé en duel par l'époux de
sa maîtresse Émilie Lacoste. Il est reçu chez Cuvier.

1829 – Publication de la *Chronique du règne de Charles IX*.
La même année, Mérimée fait paraître dans la *Revue de
Paris* : *Mateo Falcone, Le carrosse du Saint-Sacrement,
Vision de Charles XI, Tamango*, et dans la *Revue française,
L'enlèvement de la redoute*.

1830 – *Juin-décembre* : voyage en Espagne ; Mérimée rencontre
le comte et la comtesse de Montijo.

1831 - *Janvier* : publication, dans la *Revue de Paris*, des
premières *Lettres d'Espagne* ; *Février* : Mérimée est nommé
chef de bureau au Secrétariat général de la Marine ; *mars* :

chef de cabinet du comte d'Argout, au ministère du Commerce ; *mai* : nommé chevalier de la Légion d'honneur ; *octobre* : début de la correspondance avec Jenny Dacquin.

1832 – Nommé maître des requêtes. Rencontre Jenny Dacquin.

1833 – *Juin* : publication de *Mosaïque* ; *septembre : La Double Méprise.*

1834 – *Mai* : Mérimée est nommé inspecteur des Monuments historiques ; *juillet-décembre* : première tournée d'inspection, voyage en Bourgogne, dans la vallée du Rhône, le Languedoc, la Provence.

1835 – Publication des *Notes d'un voyage dans le Midi de la France* ; *juillet-octobre* : voyage d'inspection en Bretagne et dans le Poitou.

1836 – Début de la liaison avec Valentine Delessert ; voyage d'inspection en Alsace et en Champagne ; *septembre* : mort du père de Mérimée ; *octobre* : publication des *Notes d'un voyage dans l'Ouest de la France.*

1837 – *Mai* : publication de *La Vénus d'Ille* dans la *Revue des Deux Mondes* ; voyage avec Stendhal jusqu'à Bourges. Mérimée poursuit jusqu'en Auvergne ; Mérimée et Stendhal sont reçus par la comtesse de Montijo à Versailles.

1838 – *Juillet-septembre* : voyage dans l'Ouest et dans le Midi ; publication des *Notes d'un voyage en Auvergne.*

1839 – Mérimée organise le réseau des correspondants du service des Monuments historiques ; *29 juin-7 octobre* : voyage en Corse ; *octobre-novembre* : séjour en Italie, en compagnie de Stendhal, visite de Rome ainsi que de Naples et de ses environs.

1840 – Publication des *Notes d'un voyage en Corse. 1er juillet* : publication de *Colomba* dans la *Revue des Deux Mondes.*

1841 – *Juin* : tournée d'inspection en Normandie et en Bretagne ; publication de l'*Essai sur la Guerre sociale* ; *août-décembre* : voyage en Grèce et en Turquie.

1842 – Mort de Stendhal.

1843 – Mérimée est élu membre de l'Académie des Inscriptions et Belles-Lettres.

1844 – Élection à l'Académie française.

1845 – Publication de *Carmen* dans la *Revue des Deux Mondes.*

1850 – Publication confidentielle de *H.B.*, recueil de souvenirs sur Stendhal.

1852 – Mérimée est condamné à quinze jours de prison à la suite de ses articles parus dans la *Revue des Deux Mondes* sur le procès de son ami Libri, inculpé pour vol de livres précieux.

1853 – Napoléon III épouse Eugénie de Montijo ; *juin* : Mérimée est nommé sénateur ; il fréquente la Cour ; *décembre* : il est élu membre étranger de la Society of Antiquaries de Londres.

1854 – Rupture avec Valentine Delessert.

1856 – Premier séjour à Cannes.

1860 – Mérimée donne sa démission de l'Inspection générale des Monuments historiques.

1870 – *Juillet* : guerre franco-allemande ; *août* : Mérimée essaie de s'entremettre entre l'Impératrice et Thiers. *4 septembre* : proclamation de la République ; dernier séjour à Cannes. *23 septembre* : mort de Mérimée.

NOTE SUR LE TEXTE

Mosaïque fut publié au mois de juin 1833, à Paris, chez H. Fournier jeune. Ce «recueil de contes et nouvelles» était composé de *Mateo Falcone, Vision de Charles XI, L'enlèvement de la redoute, Tamango, Federigo, La partie de trictrac, Le vase étrusque, Lettres d'Espagne*, qui avaient paru séparément dans la *Revue de Paris* et la *Revue française*, entre 1829 et 1832. À ces textes s'ajoutaient des pièces lyriques, *Le fusil enchanté* et *Ballades (Le ban de Croatie, Le heyduque mourant, La perle de Tolède)*, ainsi qu'une pièce dramatique, *Les Mécontents*. Cette édition originale fut immédiatement suivie d'une contrefaçon belge, en deux émissions, imprimée par A. Wahlen. Le recueil *Mosaïque* fut réédité en 1842, avec *Colomba*, chez Charpentier. Cette deuxième édition était corrigée et remaniée. Les trois *Ballades* disparaissaient du volume pour être jointes à la deuxième édition de *La Guzla*, ainsi que *Federigo*, que Mérimée ne fit plus réimprimer avant sa mort. Réimprimée en 1845, cette édition fut suivie, en 1850, d'une troisième édition, que Mérimée avait revue et qui est définitive. Nous en suivons le texte. Les différentes nouvelles continuèrent à être publiées séparément dans différentes anthologies. Nous ne donnons pas, dans notre édition, *Les Mécontents*, qui n'appartiennent pas au genre de la fiction narrative en prose, mais nous y incluons *Federigo*, que les éditeurs de Mérimée avaient fait figurer dans les *Dernières nouvelles*, publiées posthumes en 1873.

Les notes introduites par un astérisque sont dues à Mérimée et figurent dans le texte original. Elles sont complétées, le cas échéant, par des précisions de l'éditeur, ajoutées entre crochets.

I

MATEO FALCONE[1]
(1829)

En sortant de Porto-Vecchio[2] et se dirigeant au nord-
ouest[3], vers l'intérieur de l'île, on voit le terrain s'élever
assez rapidement, et après trois heures de marche par des
sentiers tortueux, obstrués par de gros quartiers de rocs,
et quelquefois coupés par des ravins, on se trouve sur le
bord d'un *maquis*[4] très étendu. Le maquis est la patrie
des bergers corses et de quiconque s'est brouillé avec la
justice. Il faut savoir que le laboureur corse, pour s'épargner la peine de fumer son champ, met le feu à une
certaine étendue de bois[5] : tant pis si la flamme se répand
plus loin que besoin n'est; arrive que pourra; on est sûr
d'avoir une bonne récolte en semant sur cette terre fertilisée
par les cendres des arbres qu'elle portait. Les épis enlevés,

---

1. Mateo Falcone : l'édition originale *(Revue de Paris)* portait le sous-titre :
Mœurs de la Corse. La date *(1829)* fut ajoutée dans l'édition de 1842.
2. Chef-lieu de canton, situé sur la côte sud-est de l'île. Mérimée y passa
le 20 septembre 1839. **3.** Au nord-ouest : addition de 1850; les éditions
antérieures portaient : se dirigeant *vers l'intérieur de l'île.* **4.** Mérimée, qui
écrivait encore *mâquis (RP, 1829)*, naturalisait un terme corse (« *macchia*,
tache de végétation sur le flanc d'une montagne »), et lui donnait sa véritable illustration littéraire, faisant du maquis l'emblème de la nature et de
la culture corses. Il empruntait sa description à G. Feydel, *Mœurs et
Coutumes de la Corse*, Paris, 1799, p. 38, et à la *Revue trimestrielle* (juillet
1828), dans laquelle il trouvait cette définition : « le mot signifie brous-
sailles, bruyères, buisson, hallier; les écrivains français du siècle dernier
disaient *mâches* par imitation de l'orthographe; on imite aujourd'hui la
prononciation et on dit *makis*. » **5.** Étendue de bois : le manuscrit portait
de forêts.

car on laisse la paille, qui donnerait de la peine à recueillir[1],
les racines qui sont restées en terre sans se consumer
poussent au printemps suivant, des cépées[2] très épaisses
qui, en peu d'années, parviennent à une hauteur de sept
ou huit pieds[3]. C'est cette manière de taillis fourré que
l'on nomme maquis. Différentes espèces d'arbres et
d'arbrisseaux le composent, mêlés et confondus comme
il plaît à Dieu. Ce n'est que la hache à la main que
l'homme s'y ouvrirait un passage, et l'on voit des maquis
si épais et si touffus, que les mouflons[4] eux-mêmes ne
peuvent y pénétrer.

Si vous avez tué un homme[5], allez dans le maquis
de Porto-Vecchio, et vous y vivrez en sûreté, avec un
bon fusil, de la poudre et des balles ; n'oubliez pas un
manteau brun garni d'un capuchon*, qui sert de couverture
et de matelas. Les bergers vous donnent du lait[6], du
fromage et des châtaignes, et vous n'aurez rien à craindre
de la justice ou des parents du mort, si ce n'est quand
il vous faudra descendre à la ville pour y renouveler vos
munitions.

Mateo Falcone, quand j'étais en Corse en 18.., avait
sa maison à une demi-lieue[7] de ce maquis. C'était un
homme assez riche pour le pays ; vivant noblement,

---

* Pilone. [*Il s'agit d'un manteau en poil de chèvre. Les premières éditions
portaient* ruppa (RP, 1833) : *ce terme, désignant une sorte de redingote à
basques, était impropre. Dans une note du chapitre XVI de* Colomba,
Mérimée précise le sens de pilone : « *manteau de drap très épais garni
d'un capuchon* ». *Le livre de Feydel,* Mœurs et Coutumes des Corses, *dont
il avait fait usage pour sa nouvelle, s'ouvrait par le portrait de trois bergers
couverts de ce manteau.*]

---

1. Remarque prise de Feydel, qui écrivait : « le Corse est excessivement
paresseux... Quand il moissonne son blé, il ne coupe pas la paille mais
seulement les épis », *ibid.*, p. 13. 2. Jeunes taillis d'un an. 3. Environ
2,50 m : le pied mesurait approximativement 32 cm. 4. Sorte de mouton
sauvage à poil fauve ou noir : les mâles ont des cornes recourbées en
volutes. 5. Ce conseil, dont on appréciera l'ironie, s'adresse, rappelons-le,
aux paisibles lecteurs de la *Revue de Paris*. 6. Donnent du lait : *vous
vendront du lait* (1833) ; Mérimée a corrigé ce passage après avoir fait, en
1839, lors de son voyage, l'expérience de la généreuse hospitalité « homé-
rique » des Corses. 7. Environ deux kilomètres.

c'est-à-dire sans rien faire[1], du produit de ses troupeaux, que des bergers, espèces[2] de nomades, menaient paître çà et là sur les montagnes. Lorsque je le vis, deux années après l'événement que je vais raconter, il me parut âgé de cinquante ans tout au plus. Figurez-vous un homme petit, mais robuste[3], avec des cheveux crépus, noirs comme le jais, un nez aquilin, les lèvres minces, les yeux grands et vifs, et un teint couleur de revers de botte[4]. Son habileté au tir du fusil passait pour extraordinaire, même dans son pays, où il y a tant de bons tireurs. Par exemple, Mateo n'aurait jamais tiré sur un mouflon avec des chevrotines[5], mais, à cent vingt pas, il l'abattait d'une balle dans la tête ou dans l'épaule, à son choix. La nuit, il se servait de ses armes aussi facilement que le jour, et l'on m'a cité de lui ce trait d'adresse qui paraîtra peut-être incroyable à qui n'a pas voyagé en Corse. À quatre-vingts pas[6], on plaçait une chandelle allumée derrière un transparent de papier, large comme une assiette. Il mettait en joue, puis on éteignait la chandelle, et, au bout d'une minute dans l'obscurité la plus complète, il tirait et perçait le transparent trois fois sur quatre.

Avec un mérite aussi transcendant[7] Mateo Falcone s'était attiré une grande réputation. On le disait aussi bon ami

---

1. La correction «sans rien faire» ajoute à l'ironie de la formule déjà soulignée par la restriction. L'idéal de vie du notable corse est de faire le *signore*, vivant frugalement de l'activité de ses bergers, ses clients, qui constituent également ses hommes de main, et laissant tout autre travail aux femmes ou aux immigrés lucquois. Cette conception trouve, si l'on peut dire, ses lettres de noblesse dans l'Antiquité classique. **2.** Espèces : toutes les éditions portent *espèce*; le manuscrit : *espèces*. **3.** Robuste : robuste, *mais petit (RP)*. **4.** Au teint basané ou olivâtre ; dans ses *Notes d'un voyage en Corse* publiées en 1840, Mérimée évoquera le type habituel des insulaires d'origine génoise ou ibérique : «le visage allongé, étroit, le nez aquilin, les lèvres minces et bien dessinées, la peau d'une teinte uniforme, olivâtre», éd. P. M. Auzas, Paris, 1989, p. 25. **5.** Cartouche chargée de gros plomb pour tirer le gibier sans précision. On rapprochera ces prouesses de Mateo de celles d'Œil de Faucon : le héros du *Dernier des Mohicans* méprise les chevrotines et se vante d'atteindre un animal, d'une seule balle, à l'endroit qu'il aura choisi. Le roman de Fenimore Cooper, traduit en 1826, était bien connu de Mérimée. **6.** C'est-à-dire plus de cent vingt mètres, le pas géométrique mesurant cinq pieds. **7.** Pris ici dans un sens familier : remarquable, qui l'emporte sur tous les autres.

que dangereux ennemi : d'ailleurs serviable et faisant
l'aumône[1], il vivait en paix avec tout le monde dans le
district de Porto-Vecchio. Mais on contait de lui qu'à
Corte, où il avait pris femme, il s'était débarrassé fort
vigoureusement d'un rival qui passait pour aussi redoutable
en guerre qu'en amour : du moins on attribuait à Mateo
certain coup de fusil qui surprit ce rival comme il était
à se raser devant un petit miroir pendu à sa fenêtre.
L'affaire assoupie, Mateo se maria. Sa femme Giuseppa
lui avait donné d'abord trois filles (dont il enrageait)[2], et
enfin un fils, qu'il nomma Fortunato : c'était l'espoir de
sa famille, l'héritier du nom. Les filles étaient bien
mariées : leur père pouvait compter au besoin sur les
poignards et les escopettes[3] de ses gendres. Le fils n'avait
que dix ans, mais il annonçait déjà d'heureuses dispositions.

Un certain jour d'automne, Mateo sortit de bonne heure
avec sa femme pour aller visiter un de ses troupeaux
dans une clairière du maquis. Le petit Fortunato voulait
l'accompagner, mais la clairière était trop loin ; d'ailleurs,
il fallait bien que quelqu'un restât pour garder la maison ;
le père refusa donc : on verra s'il n'eut pas lieu de s'en
repentir.

Il était absent depuis quelques heures[4] et le petit
Fortunato était tranquillement étendu au soleil, regardant
les montagnes bleues, et pensant que, le dimanche prochain, il irait dîner à la ville, chez son oncle le *caporal**,

---

* Les caporaux furent autrefois les chefs que se donnèrent les communes
corses quand elles s'insurgèrent contre les seigneurs féodaux. Aujourd'hui,
on donne encore quelquefois ce nom à un homme qui, par ses propriétés,
ses alliances et sa clientèle, exerce une influence et une sorte de magistra-
ture effective sur une *pieve* ou un canton. Les Corses se divisent, par une
ancienne habitude, en cinq castes : les *gentilshommes* (dont les uns sont

---

1. Aumône : serviable *et aumônier (RP)*. 2. L'article de la *Revue trimestrielle*, d'où Mérimée avait tiré sa documentation, indiquait que les Corses
« ne s'embarrassent guère de leurs filles ». 3. Escopette ou tromblon, fusil
à canon évasé : le Corse dit *schiopetto*. Mérimée consacra une note au
chapitre III de *Colomba* à l'expression *« schiopetto, stiletto, strada »*. *Cf.
Colomba*, Le Livre de Poche, n° 4641, p. 78. 4. Quelques heures : *depuis
plusieurs heures (RP, 1833)*.

quand il fut soudainement interrompu dans ses méditations par l'explosion d'une arme à feu. Il se leva et se tourna du côté de la plaine d'où partait ce bruit. D'autres coups de fusil se succédèrent, tirés à intervalles inégaux, et toujours de plus en plus rapprochés ; enfin, dans le sentier qui menait de la plaine à la maison de Mateo parut un homme, coiffé d'un bonnet pointu[1] comme en portent les montagnards, barbu, couvert de haillons, et se traînant avec peine en s'appuyant sur son fusil. Il venait de recevoir un coup de feu dans la cuisse.

Cet homme était un bandit*, qui, étant parti de nuit pour aller chercher de la poudre à la ville, était tombé en route dans une embuscade de voltigeurs corses**. Après une vigoureuse défense, il était parvenu à faire sa retraite, vivement poursuivi et tiraillant de rocher en rocher. Mais il avait peu d'avance sur les soldats et sa blessure le mettait hors d'état de gagner le maquis avant d'être rejoint.

Il s'approcha de Fortunato et lui dit :
« Tu es le fils de Mateo Falcone ?
– Oui.

---

magnifiques, les autres *signori*), les *caporali*, les *citoyens*, les *plébéiens* et les *étrangers*. [*Orso della Rebbia, le héros de* Colomba, *descend d'une famille de caporaux, et la confusion que fait sir Nevil entre ce titre de notabilité et un grade militaire est à l'origine d'un amusant quiproquo au début du roman. En Corse même, le terme n'était plus d'un usage courant dès le début du* XIXe *siècle. Jusqu'à l'édition de 1850, Mérimée écrivait encore* caporale, à la corse.] * Ce mot est ici synonyme de proscrit [*note ajoutée en 1842. Mérimée, dans* Colomba, *revient sur ce terme et précise :* « *être* alla campagna, *c'est-à-dire être bandit. Bandit n'est point un terme odieux : il se prend dans le sens de banni ; c'est l'*outlaw *des ballades anglaises.* » *Dans l'imaginaire romanesque de l'époque, le bandit corse est un personnage d'honneur. Mis « hors la loi » pour une affaire d'honneur, une vendetta, il n'agit jamais pour des motifs crapuleux*]. ** C'est un corps levé depuis peu d'années par le gouvernement, et qui sert concurremment avec la gendarmerie au maintien de la police [*soldats d'un bataillon d'infanterie servant au maintien de l'ordre en Corse. Ce corps avait été organisé en 1822 par le général Couture*].

---

1. La *barreta pinsuta*. Ce couvre-chef de velours noir ou brun, à revers, disparaissait du costume corse au début du XIXe siècle.

– Moi, je suis Gianetto Sanpiero[1]. Je suis poursuivi par les collets jaunes*. Cache-moi, car je ne puis aller plus loin.

– Et que dira mon père si je te cache sans sa permission ?

– Il dira que tu as bien fait.

– Qui sait ?

– Cache-moi vite ; ils viennent.

– Attends que mon père soit revenu.

– Que j'attende ? malédiction ! Ils seront ici dans cinq minutes. Allons, cache-moi, ou je te tue. »

Fortunato lui répondit avec le plus grand sang-froid :

« Ton fusil est déchargé, et il n'y a plus de cartouches dans ta *carchera***.

– J'ai mon stylet[2].

– Mais courras-tu aussi vite que moi ? »

Il fit un saut, et se mit hors d'atteinte.

« Tu n'es pas le fils de Mateo Falcone ! Me laisseras-tu donc arrêter devant ta maison ? »

L'enfant parut touché.

« Que me donneras-tu si je te cache ? » dit-il en se rapprochant.

Le bandit[3] fouilla dans une poche de cuir qui pendait à sa ceinture, et il en tira une pièce de cinq francs qu'il avait réservée sans doute pour acheter de la poudre. Fortunato sourit à la vue de la pièce d'argent ; il s'en saisit, et dit à Gianetto :

---

* L'uniforme des voltigeurs était alors un habit brun avec un collet jaune [*l'uniforme des voltigeurs était alors : est (RP, 1833). L'uniforme des voltigeurs était en fait brun, à collet et parements verts : en 1842, Mérimée, sans corriger ce détail, crée un effet de réel en faisant croire à un changement d'uniforme*]. ** Ceinture de cuir qui sert de giberne et de portefeuille. [*Jusqu'en 1833, le texte donnait* giberne, *avant la correction par le terme corse. Dans une note du chapitre XI de* Colomba, *Mérimée précisait :* « Carchera, *ceinture où l'on met des cartouches. On y attache un pistolet à gauche.* »]

1. Ce nom renvoie au héros national corse Sampiero dit Bastelica (1498-1567). Voir *Colomba*, ch. III, p. 74 de l'édition précitée, note 1. 2. Poignard à lame fine et longue : autre élément caractéristique du costume et des mœurs corses. 3. Le bandit : le *proscrit (RP*, 1833).

« Ne crains rien. »

Aussitôt il fit un grand trou dans un tas de foin placé auprès de la maison[1]. Gianetto s'y blottit, et l'enfant le recouvrit de manière à lui laisser un peu d'air pour respirer, sans qu'il fût possible cependant de soupçonner que ce foin cachât un homme. Il s'avisa, de plus, d'une finesse de sauvage assez ingénieuse. Il alla prendre une chatte et ses petits, et les établit sur le tas de foin pour faire croire qu'il n'avait pas été remué depuis peu. Ensuite, remarquant des traces de sang sur le sentier près de la maison, il les couvrit de poussière avec soin, et, cela fait, il se recoucha au soleil avec la plus grande tranquillité.

Quelques minutes après, six hommes en uniforme brun à collet jaune, et commandés par un adjudant, étaient devant la porte de Mateo. Cet adjudant était quelque peu parent de Falcone. (On sait qu'en Corse on suit les degrés de parenté beaucoup plus loin qu'ailleurs.) Il se nommait Tiodoro Gamba : c'était un homme actif, fort redouté des bandits dont il avait déjà traqué plusieurs.

« Bonjour, petit cousin, dit-il à Fortunato en l'abordant ; comme te voilà grandi ! As-tu vu passer un homme tout à l'heure ?

— Oh ! je ne suis pas encore si grand que vous, mon cousin, répondit l'enfant d'un air niais.

— Cela viendra. Mais n'as-tu pas vu passer un homme, dis-moi ?

— Si j'ai vu passer un homme ?

— Oui, un homme avec un bonnet pointu en velours noir[2], et une veste brodée de rouge et de jaune ?

— Un homme avec un bonnet pointu, et une veste brodée de rouge et de jaune ?

— Oui, réponds vite, et ne répète pas mes questions.

— Ce matin, M. le curé est passé devant notre porte,

---

1. Détail ingénieux, utile pour l'intrigue, mais qui n'est pas conforme à la réalité : le fourrage n'existe pas au maquis et l'on ne voyait guère de tas de foin devant les maisons corses. 2. Velours noir : un bonnet pointu de *peau de chèvre* (*RP*, 1833). Mérimée corrigea ce détail dans *Mateo Falcone* d'après ses lectures préparatoires à *Colomba*, mais déplorait de pas avoir vu de ces bonnets durant son voyage de 1839 ; voir *Correspondance générale*, II, p. 286.

sur son cheval Piero. Il m'a demandé comment papa se portait, et je lui ai répondu...

— Ah! petit drôle, tu fais le malin! Dis-moi vite par où est passé Gianetto, car c'est lui que nous cherchons; et, j'en suis certain, il a pris par ce sentier.

— Qui sait?

— Qui sait? C'est moi qui sais que tu l'as vu.

— Est-ce qu'on voit les passants quand on dort?

— Tu ne dormais pas, vaurien; les coups de fusil t'ont réveillé.

— Vous croyez donc, mon cousin, que vos fusils font tant de bruit? L'escopette de mon père en fait bien davantage.

— Que le diable te confonde, maudit garnement! Je suis bien sûr que tu as vu le Gianetto. Peut-être même l'as-tu caché. Allons, camarades, entrez dans cette maison, et voyez si notre homme n'y est pas. Il n'allait plus que d'une patte, et il a trop de bon sens, le coquin, pour avoir cherché à gagner le maquis en clopinant. D'ailleurs, les traces de sang s'arrêtent ici.

— Et que dira papa? demanda Fortunato en ricanant; que dira-t-il s'il sait qu'on est entré dans sa maison pendant qu'il était sorti?

— Vaurien! dit l'adjudant Gamba en le prenant par l'oreille, sais-tu qu'il ne tient qu'à moi de te faire changer de note[1]? Peut-être qu'en te donnant une vingtaine de coups de plat de sabre tu parleras enfin. »

Et Fortunato ricanait toujours.

« Mon père est Mateo Falcone! dit-il avec emphase[2].

— Sais-tu bien, petit drôle, que je puis t'emmener à Corte ou à Bastia. Je te ferai coucher dans un cachot, sur la paille, les fers aux pieds, et je te ferai guillotiner si tu ne dis où est Gianetto Sanpiero. »

L'enfant éclata de rire à cette ridicule menace. Il répéta:

« Mon père est Mateo Falcone!

— Adjudant, dit tout bas un des voltigeurs, ne nous brouillons pas avec Mateo. »

---

1. On dirait « changer de ton ». 2. Terme de rhétorique désignant une exagération dans la manière de dire.

Gamba paraissait évidemment embarrassé. Il causait à voix basse avec ses soldats, qui avaient déjà visité toute la maison. Ce n'était pas une opération fort longue, car la cabane[1] d'un Corse ne consiste qu'en une seule pièce carrée. L'ameublement se compose d'une table[2], de bancs, de coffres et d'ustensiles de chasse ou de ménage. Cependant le petit Fortunato caressait sa chatte, et semblait jouir malignement[3] de la confusion des voltigeurs et de son cousin.

Un soldat s'approcha du tas de foin. Il vit la chatte, et donna un coup de baïonnette[4] dans le foin avec négligence, en haussant les épaules, comme s'il sentait que sa précaution était ridicule. Rien ne remua ; et le visage de l'enfant ne trahit pas la plus légère émotion.

L'adjudant et sa troupe se donnaient au diable ; déjà ils regardaient sérieusement du côté de la plaine, comme disposés à s'en retourner par où ils étaient venus, quand leur chef, convaincu que les menaces ne produiraient aucune impression sur le fils de Falcone, voulut faire un dernier effort et tenter le pouvoir des caresses et des présents.

« Petit cousin, dit-il, tu me parais un gaillard bien éveillé ! Tu iras loin. Mais tu joues un vilain jeu avec moi ; et, si je ne craignais de faire de la peine à mon cousin Mateo, le diable m'emporte ! je t'emmènerais avec moi[5].

– Bah !

– Mais, quand mon cousin sera revenu, je lui conterai l'affaire, et, pour ta peine d'avoir menti, il te donnera le fouet jusqu'au sang.

---

1. Le terme répond mal à la maison de pierre d'un notable corse ; Mérimée reprend ce terme de l'ouvrage de Feydel, et semble faire une confusion avec la hutte du berger ; il veut surtout, par un effet de contraste, faire ressortir l'aspect très fruste du cadre et des personnages. 2. Table : table *qui sert de lit* (*RP*, 1833). 3. Malignement : à la fois avec une méchanceté fourbe et en faisant le malin. Le personnage de Fortunato est rendu très déplaisant par Mérimée, et le garnement n'aura que ce qu'il mérite. 4. Les voltigeurs étaient armés d'une carabine et non pas d'un fusil à baïonnette ; ce détail, inexact, est rendu nécessaire par le contexte. 5. Le diable m'emporte : le diable m'emporte *si je ne t'emmènerais pas avec moi* (1842).

– Savoir ?

– Tu verras... Mais tiens... sois brave garçon, et je te donnerai quelque chose.

– Moi, mon cousin, je vous donnerai un avis : c'est que, si vous tardez davantage, le Gianetto sera dans le maquis, et alors il faudra plus d'un luron comme vous pour aller l'y chercher. »

L'adjudant tira de sa poche une montre d'argent qui valait bien dix écus[1], et, remarquant que les yeux du petit Fortunato étincelaient en la regardant, il lui dit en tenant la montre suspendue au bout de sa chaîne d'acier :

« Fripon ! tu voudrais bien avoir une montre comme celle-ci suspendue à ton col, et tu te promènerais dans les rues de Porto-Vecchio, fier comme un paon ; et les gens te demanderaient : "Quelle heure est-il ?" et tu leur dirais : "Regardez à ma montre."

– Quand je serai grand, mon oncle le caporal me donnera une montre.

– Oui ; mais le fils de ton oncle en a déjà une... pas aussi belle que celle-ci, à la vérité... Cependant, il est plus jeune que toi. »

L'enfant soupira.

« Eh bien, la veux-tu cette montre, petit cousin ? »

Fortunato, lorgnant la montre du coin de l'œil, ressemblait à un chat à qui l'on présente un poulet tout entier. Et comme il sent qu'on se moque de lui, il n'ose y porter la griffe, et de temps en temps il détourne les yeux pour ne pas s'exposer à succomber à la tentation ; mais il se lèche les babines à tout moment, et il a l'air de dire à son maître : « Que votre plaisanterie est cruelle ! »

Cependant l'adjudant Gamba semblait de bonne foi en présentant sa montre. Fortunato n'avança pas la main ; mais il lui dit avec un sourire amer :

« Pourquoi vous moquez-vous de moi* ?

– Par Dieu ! je ne me moque pas. Dis-moi seulement où est Gianetto, et cette montre est à toi. »

_____

* *Perché me c... ? [L'original, plus grossier, fait allusion aux* coglione.]

_____

1. Dix écus : six écus (*RP*, 1833).

Fortunato laissa échapper un sourire d'incrédulité ; et, fixant ses yeux noirs sur ceux de l'adjudant, il s'efforçait d'y lire la foi qu'il devait avoir en ses paroles.

« Que je perde mon épaulette[1], s'écria l'adjudant, si je ne te donne pas la montre à cette condition ! Les camarades sont témoins ; et je ne puis m'en dédire. »

En parlant ainsi, il approchait toujours la montre, tant qu'elle touchait presque la joue pâle de l'enfant. Celui-ci montrait bien sur sa figure le combat que se livraient en son âme la convoitise et le respect dû à l'hospitalité[2]. Sa poitrine nue se soulevait avec force, et il semblait près d'étouffer. Cependant la montre oscillait, tournait, et quelquefois lui heurtait le bout du nez. Enfin, peu à peu, sa main droite s'éleva vers la montre : le bout de ses doigts la toucha ; et elle pesait tout entière dans sa main sans que l'adjudant lâchât pourtant le bout de la chaîne... le cadran était azuré[3], la boîte nouvellement fourbie[4]..., au soleil, elle paraissait toute de feu... La tentation était trop forte.

Fortunato éleva aussi sa main gauche, et indiqua du pouce, par-dessus son épaule, le tas de foin auquel il était adossé. L'adjudant le comprit aussitôt. Il abandonna l'extrémité de la chaîne ; Fortunato se sentit seul possesseur de la montre. Il se leva avec l'agileté d'un daim, et s'éloigna de dix pas du tas de foin, que les voltigeurs se mirent aussitôt à culbuter.

On ne tarda pas à voir le foin s'agiter ; et un homme sanglant, le poignard à la main, en sortit ; mais, comme il essayait de se lever en pied[5], sa blessure refroidie ne lui permit plus de se tenir debout. Il tomba. L'adjudant

---

1. Pièce d'ornement, faite d'une patte boutonnée sur l'épaule, parfois garnie de frange, permettant d'identifier l'arme d'un militaire et son grade s'il est officier. 2. Toute la nouvelle repose sur la rupture de ce pacte d'hospitalité, fondement de la société corse. La *Revue trimestrielle*, d'où Mérimée avait tiré son information, notait que « le droit de l'hospitalité est vénéré parmi les Corses », et que « l'hospitalité a toujours été une sorte de religion », mais l'article remarquait aussi que ce droit connaissait des exceptions, il appartenait déjà au mythe. 3. Terme d'orfèvrerie : en émail bleu. 4. Polie, rendue brillante. 5. Cette expression, dont le sens est clair, n'était déjà plus d'usage courant vers 1830.

se jeta sur lui et lui arracha son stylet. Aussitôt on le garrotta[1] fortement malgré sa résistance.

Gianetto, couché par terre et lié comme un fagot, tourna la tête vers Fortunato qui s'était rapproché.

«Fils de...!» lui dit-il avec plus de mépris que de colère.

L'enfant lui jeta la pièce d'argent qu'il en avait reçue, sentant qu'il avait cessé de la mériter; mais le proscrit n'eut pas l'air de faire attention à ce mouvement. Il dit avec beaucoup de sang-froid à l'adjudant:

«Mon cher Gamba, je ne puis marcher; vous allez être obligé de me porter à la ville.

– Tu courais tout à l'heure plus vite qu'un chevreuil, repartit le cruel vainqueur; mais sois tranquille: je suis si content de te tenir, que je te porterais une lieue sur mon dos sans être fatigué. Au reste, mon camarade, nous allons te faire une litière avec des branches et ta capote; et à la ferme de Crespoli[2] nous trouverons des chevaux.

– Bien, dit le prisonnier; vous mettrez aussi un peu de paille sur votre litière, pour que je sois plus commodément.»

Pendant que les voltigeurs s'occupaient, les uns à faire une espèce de brancard avec des branches de châtaignier, les autres à panser la blessure de Gianetto, Mateo Falcone et sa femme parurent tout d'un coup au détour d'un sentier qui conduisait au maquis. La femme s'avançait courbée péniblement sous le poids d'un énorme sac de châtaignes[3], tandis que son mari se prélassait, ne portant qu'un fusil à la main et un autre en bandoulière; car il est indigne d'un homme de porter d'autre fardeau que ses armes[4].

---

1. On le lia très solidement et très serré. 2. Il s'agit d'un nom de propriétaire et non pas d'un nom géographique. 3. Mérimée reprend une remarque de la *Revue trimestrielle*. «Les Corses, qui se croiraient déshonorés en se livrant au travail, y condamnent impitoyablement leurs femmes... ce sont elles qui font ordinairement les transports de fourrage et des autres objets qu'on amène de la campagne à la ville.» Le *Globe* du 25 mai 1826 décrit celles-ci «marchant pieds nus, un énorme fardeau sur la tête, à côté d'un mari indolent et hautain qui chevauche tranquillement le fusil sur l'épaule». 4. Description pittoresque, prise de la *Revue trimestrielle*. «On sent que

À la vue des soldats, la première pensée de Mateo fut qu'ils venaient pour l'arrêter. Mais pourquoi cette idée ? Mateo avait-il donc quelques démêlés avec la justice ? Non. Il jouissait d'une bonne réputation. C'était, comme on dit, *un particulier bien famé*[1] ; mais il était Corse et montagnard, et il y a peu de Corses[2] montagnards qui, en scrutant bien leur mémoire, n'y trouvent quelque peccadille[3], telle que coups de fusil, coups de stylet et autres bagatelles. Mateo, plus qu'un autre, avait la conscience nette ; car depuis plus de six ans il n'avait dirigé son fusil contre un homme ; mais toutefois il était prudent, et il se mit en posture de faire une belle défense, s'il en était besoin.

«Femme, dit-il à Giuseppa, mets bas ton sac et tiens-toi prête.»

Elle obéit sur-le-champ. Il lui donna le fusil qu'il avait en bandoulière et qui aurait pu le gêner. Il arma celui qu'il avait à la main, et il s'avança lentement vers sa maison, longeant les arbres qui bordaient le chemin, et prêt, à la moindre démonstration hostile, à se jeter derrière le plus gros tronc, d'où il aurait pu faire feu à couvert. Sa femme marchait sur ses talons, tenant son fusil de rechange et sa giberne[4]. L'emploi d'une bonne ménagère, en cas de combat, est de charger les armes de son mari[5].

D'un autre côté, l'adjudant était fort en peine en voyant

---

dans un tel état de société, on ne doit jamais marcher sans armes. Aussi... vous ne rencontrez pas de Corse qui ne soit pour ainsi dire en équipage de guerre.» **1.** Qui est de bonne réputation, expression de style administratif, propre aux rapports de gendarmerie. **2.** Il y a peu de Corses : *il n'y a point de Corses* (*RP*, 1833) ; cette correction, faite par Mérimée à la suite de son voyage, tient plus à un souci de nuance qu'au désir de ne pas froisser des susceptibilités locales ; c'est en effet ironiquement qu'il écrit à son ami Vitet : «Si je n'avais pas craint de déplaire à trois ou quatre bandits de mes amis, j'aurais pu vous donner encore quelques touches de couleur locale, mais ici on ne m'aurait pas cru et quand je serais retourné en Corse, on m'aurait fait mourir *della mala morte*.» Lettre du 15 juillet 1840, *Correspondance générale*, II, p. 378. **3.** Petits péchés – du moins aux yeux de Falcone. **4.** Synonyme de cartouchière. C'est une boîte recouverte de cuir où l'on met les cartouches. **5.** Mérimée adapte, en la généralisant, une anecdote citée dans l'article de la *Revue trimestrielle*, faisant des femmes les auxiliaires de leur mari lorsque celui-ci tire au fusil : «Les deux autres,

Mateo s'avancer ainsi, à pas comptés, le fusil en avant
et le doigt sur la détente.

« Si par hasard, pensa-t-il, Mateo se trouvait parent de
Gianetto, ou s'il était son ami, et qu'il voulût le défendre,
les bourres[1] de ses deux fusils arriveraient à deux d'entre
nous, aussi sûr qu'une lettre à la poste, et s'il me visait,
nonobstant la parenté[2] !... »

Dans cette perplexité, il prit un parti fort courageux,
ce fut de s'avancer seul vers Mateo pour lui conter
l'affaire, en l'abordant comme une vieille connaissance ;
mais le court intervalle qui le séparait de Mateo lui parut
terriblement long.

« Holà ! eh ! mon vieux camarade, criait-il, comment
cela va-t-il, mon brave ? C'est moi, je suis Gamba, ton
cousin. »

Mateo, sans répondre un mot, s'était arrêté, et, à mesure
que l'autre parlait, il relevait doucement le canon de son
fusil, de sorte qu'il était dirigé vers le ciel au moment
où l'adjudant le joignit.

« Bonjour, frère*, dit l'adjudant en lui tendant la main.
Il y a bien longtemps que je ne t'ai vu.

— Bonjour, frère !

— J'étais venu pour te dire bonjour en passant, et à
ma cousine Pepa. Nous avons fait une longue traite
aujourd'hui ; mais il ne faut pas plaindre[3] notre fatigue,
car nous avons fait une fameuse prise. Nous venons
d'empoigner Gianetto Sanpiero.

— Dieu soit loué ! s'écria Giuseppa. Il nous a volé une
chèvre laitière la semaine passée. »

Ces mots réjouirent Gamba.

« Pauvre diable ! dit Mateo, il avait faim.

---

* *Buon giorno, fratello*, salut ordinaire des Corses.

---

retranchées derrière un petit mur, tiraient à tout instant, parce que les trois
femmes qui les secondaient chargeaient dans les intervalles. » **1.** Morceau
de feutre ou d'étoupe que l'on enfonçait sur la charge d'une arme à feu
pour la retenir ; ici, la charge. **2.** Nonobstant : en dépit de. **3.** Regretter :
sens vieilli qui subsiste dans l'expression *plaindre sa peine*, c'est-à-dire
travailler sans ardeur.

– Le drôle s'est défendu comme un lion, poursuivit l'adjudant un peu mortifié ; il m'a tué un de mes voltigeurs, et, non content de cela, il a cassé le bras au caporal Chardon ; mais il n'y a pas grand mal, ce n'était qu'un Français[1]... Ensuite, il s'était si bien caché, que le diable ne l'aurait pu découvrir. Sans mon petit cousin Fortunato, je ne l'aurais jamais pu trouver.

– Fortunato ! s'écria Mateo.

– Fortunato ! répéta Giuseppa.

– Oui, le Gianetto s'était caché sous ce tas de foin là-bas ; mais mon petit cousin m'a montré la malice. Aussi je le dirai à son oncle le caporal, afin qu'il lui envoie un beau cadeau pour sa peine. Et son nom et le tien seront dans le rapport que j'enverrai à M. l'avocat général[2].

– Malédiction ! » dit tout bas Mateo.

Ils avaient rejoint le détachement. Gianetto était déjà couché sur la litière et prêt à partir. Quand il vit Mateo en la compagnie de Gamba, il sourit d'un sourire étrange ; puis, se tournant vers la porte de la maison, il cracha sur le seuil en disant[3] :

« Maison d'un traître ! »

Il n'y avait qu'un homme décidé à mourir qui eût osé prononcer le mot de traître en l'appliquant à Falcone. Un bon coup de stylet, qui n'aurait pas eu besoin d'être répété, aurait immédiatement payé l'insulte. Cependant, Mateo ne fit pas d'autre geste que celui de porter sa main à son front comme un homme accablé.

Fortunato était entré dans la maison en voyant arriver son père. Il reparut bientôt avec une jatte de lait, qu'il présenta les yeux baissés à Gianetto.

« Loin de moi ! » lui cria le proscrit d'une voix foudroyante.

---

1. « ce n'était qu'un Français » : expression de mépris du Corse pour les étrangers ; Mérimée la reprend à la lettre de l'article de la *Revue trimestrielle*. 2. L'adjudant savoure sa vengeance, par ce rapport ; sous couleur de récompenser Falcone « bien famé », en lui rendant un hommage public, il le compromettra aux yeux des Corses comme celui qui a trahi les lois de l'hospitalité et a livré un proscrit. 3. Signe de mépris et de malédiction.

Puis, se tournant vers un des voltigeurs :

« Camarade, donne-moi à boire », dit-il.

Le soldat remit sa gourde entre ses mains, et le bandit but l'eau que lui donnait un homme avec lequel il venait d'échanger des coups de fusil. Ensuite il demanda qu'on lui attachât les mains de manière qu'il les eût croisées sur sa poitrine, au lieu de les avoir liées derrière le dos.

« J'aime, disait-il, à être couché à mon aise. »

On s'empressa de le satisfaire ; puis l'adjudant donna le signal du départ, dit adieu à Mateo, qui ne lui répondit pas, et descendit au pas accéléré vers la plaine.

Il se passa près de dix minutes avant que Mateo ouvrît la bouche. L'enfant regardait d'un œil inquiet tantôt sa mère et tantôt son père, qui, s'appuyant sur son fusil, le considérait avec une expression de colère concentrée.

« Tu commences bien ! dit enfin Mateo d'une voix calme, mais effrayante pour qui connaissait l'homme.

— Mon père ! » s'écria l'enfant en s'avançant les larmes aux yeux comme pour se jeter à ses genoux.

Mais Mateo lui cria :

« Arrière de moi[1] ! »

Et l'enfant s'arrêta et sanglota, immobile, à quelques pas de son père.

Giuseppa s'approcha. Elle venait d'apercevoir la chaîne de la montre, dont un bout sortait de la chemise de Fortunato.

« Qui t'a donné cette montre ? demanda-t-elle d'un ton sévère.

— Mon cousin l'adjudant. »

Falcone saisit la montre, et, la jetant avec force contre une pierre, il la mit en mille pièces.

« Femme, dit-il, cet enfant est-il de moi ? »

Les joues brunes de Giuseppa devinrent d'un rouge de brique.

« Que dis-tu, Mateo ? et sais-tu bien à qui tu parles ?

---

1. « Arrière de moi » : cette expression d'apparence dialectale, « *lungi da me* », corrigée en « loin de moi » un peu plus haut, est ici conservée par Mérimée par souci d'expressivité et de couleur locale.

– Eh bien, cet enfant est le premier de sa race qui ait une trahison.»

Les sanglots et les hoquets de Fortunato redoublèrent, et Falcone tenait ses yeux de lynx toujours attachés sur lui. Enfin, il frappa la terre de la crosse de son fusil, puis le jeta sur son épaule et reprit le chemin du maquis en criant à Fortunato de le suivre. L'enfant obéit.

Giuseppa courut après Mateo et lui saisit le bras.

«C'est ton fils, lui dit-elle d'une voix tremblante en attachant ses yeux noirs sur ceux de son mari, comme pour lire ce qui se passait dans son âme.

– Laisse-moi, répondit Mateo : je suis son père.»

Giuseppa embrassa son fils et entra en pleurant dans sa cabane. Elle se jeta à genoux devant une image de la Vierge et pria avec ferveur. Cependant Falcone marcha quelque deux cents pas dans le sentier et ne s'arrêta que dans un petit ravin où il descendit. Il sonda la terre avec la crosse de son fusil et la trouva molle et facile à creuser. L'endroit lui parut convenable pour son dessein.

«Fortunato, va auprès de cette grosse pierre.»

L'enfant fit ce qu'il lui commandait, puis il s'agenouilla.

«Dis tes prières.

– Mon père, mon père, ne me tuez pas.

– Dis tes prières!» répéta Mateo d'une voix terrible.

L'enfant, tout en balbutiant et en sanglotant, récita le *Pater* et le *Credo*. Le père, d'une voix forte, répondait *Amen!* à la fin de chaque prière.

«Sont-ce là toutes les prières que tu sais?

– Mon père, je sais encore l'*Ave Maria* et la litanie[1] que ma tante m'a apprise.

– Elle est bien longue, n'importe.»

L'enfant acheva la litanie d'une voix éteinte.

«As-tu fini?

– Oh! mon père, grâce! pardonnez-moi! Je ne le ferai plus! Je prierai tant mon cousin le caporal qu'on fera grâce au Gianetto[2]!»

1. Longue prière en forme d'invocations répétées à la Vierge ou aux saints.
2. Plus haut, p. 36, Mérimée faisait du caporal l'oncle de Fortunato.

Il parlait encore ; Mateo avait armé son fusil et le couchait en joue en lui disant :

« Que Dieu te pardonne ! »

L'enfant fit un effort désespéré pour se relever et embrasser les genoux de son père ; mais il n'en eut pas le temps. Mateo fit feu, et Fortunato tomba roide mort.

Sans jeter un coup d'œil sur le cadavre, Mateo reprit le chemin de sa maison pour aller chercher une bêche afin d'enterrer son fils. Il avait fait à peine quelques pas qu'il rencontra Giuseppa, qui accourait alarmée du coup de feu.

« Qu'as-tu fait ? s'écria-t-elle.

— Justice.

— Où est-il ?

— Dans le ravin. Je vais l'enterrer. Il est mort en chrétien ; je lui ferai chanter une messe. Qu'on dise à mon gendre Tiodoro Bianchi de venir demeurer avec nous. »

1829.[1]

---

1. 1829 : le manuscrit portait deux lignes en grec moderne, dont la première indiquait la date de composition : 14 février 1829 et la seconde une notation plus intime : « Là-dessus, oui, j'ai baisé ma bonne amie trois fois. »

II

VISION DE CHARLES XI

There are more things in heav'n and earth, Horatio,
Than are dreamt of in your philosophy.
SHAKESPEARE, Hamlet[1].

On se moque des visions et des apparitions surnaturelles ; quelques-unes, cependant, sont si bien attestées[2], que, si l'on refusait d'y croire, on serait obligé, pour être conséquent, de rejeter en masse tous les témoignages historiques[3].

Un procès-verbal en bonne forme[4], revêtu des signatures de quatre témoins dignes de foi, voilà ce qui garantit l'authenticité du fait que je vais raconter. J'ajouterai que la prédiction contenue dans ce procès-verbal était connue et citée bien longtemps avant que des événements arrivés de nos jours aient paru l'accomplir.

Charles XI[5], père du fameux Charles XII, était un des

_____

1. « Il y a plus de choses au ciel et sur la terre, Horatio, que n'en rêve votre philosophie », *Hamlet*, I, 5. L'épigraphe, qui répond à l'engouement romantique pour Shakespeare, est bien choisie : l'intrigue de la pièce repose sur la querelle de succession au trône de Danemark, et fait intervenir des spectres. 2. Garanties par des témoins de bonne foi. Toute la nouvelle, précisément, relate un phénomène surnaturel « attesté » par procès-verbal qui a force de preuve. 3. Témoignages (correction de 1850) ; les éditions antérieures portaient : toutes les *preuves*. 4. Acte officiel dressé par une autorité compétente, qui constate un fait entraînant des conséquences juridiques ou qui relate ce qui a été fait au cours d'une assemblée. 5. Charles XI (1655-1697). Mérimée suit l'*Histoire de Charles XII* de Vol-

monarques les plus despotiques[1], mais un des plus sages qu'ait eus la Su-de. Il restreignit les privilèges monstrueux de la noblesse, abolit la puissance du Sénat, et fit des lois de sa propre autorité; en un mot, il changea la constitution du pays, qui était oligarchique avant lui[2], et força les États à lui confier l'autorité absolue. C'était d'ailleurs un homme éclairé[3], brave, fort attaché à la religion luthérienne, d'un caractère inflexible, froid, positif[4], entièrement dépourvu d'imagination.

Il venait de perdre sa femme Ulrique-Éléonore[5]. Quoique sa dureté pour cette princesse eût, dit-on, hâté sa fin, il l'estimait, et parut plus touché de sa mort qu'on ne l'aurait attendu d'un cœur aussi sec que le sien. Depuis cet événement, il devint encore plus sombre et taciturne qu'auparavant, et se livra au travail avec une application qui prouvait un besoin impérieux d'écarter des idées pénibles.

À la fin d'une soirée d'automne, il était assis en robe de chambre et en pantoufles devant un grand feu allumé dans son cabinet au palais de Stockholm. Il avait auprès de lui son chambellan, le comte Brahé[6], qu'il honorait de

---

taire (1731) : «Charles XI, guerrier comme tous ses ancêtres, fut plus absolu qu'eux; il abolit l'autorité du Sénat, qui fut déclaré Sénat du Roi et non du royaume. Il était frugal, vigilant, laborieux, tel qu'on l'eût aimé, si son despotisme n'eût réduit les sentiments de ses sujets pour lui à celui de la crainte », *Œuvres historiques*, Bibliothèque de la Pléiade, 1962, p. 61. **1.** Il exerce un pouvoir absolu, corruption de la monarchie, selon Montesquieu. Ce pouvoir cependant n'est pas tyrannique, puisqu'il est «éclairé», qu'il repose sur des lois et le respect de Dieu, et qu'il a pour fin, en réduisant les privilèges des corps traditionnels, d'unifier et de moderniser l'État. **2.** Gouvernement de l'État par quelques familles de la noblesse ou du patriciat urbain. **3.** Instruit, qui bénéficie des «lumières» de la science et qui s'entoure de conseillers compétents. **4.** Le roi, en strict luthérien, ne tient compte que de la réalité objective ou révélée, et, partant, ne se laisse pas facilement impressionner par des manifestations irrationnelles ou affectives. **5.** Ulrique-Eléonore était la fille du roi du Danemark; elle mourut en 1693 des «chagrins que lui donnait son mari», selon Voltaire. Située par la tradition en 1676, alors que la reine vivait encore, la vision est placée par Mérimée après la mort de la reine, et se trouve ainsi liée à la tristesse et au deuil du souverain. **6.** Le comte Brahé, mort en 1680, fut membre du conseil de régence pendant la minorité de Charles XI. Le nom évoque surtout le célèbre astronome danois Tycho Brahé (1546-1601).

ses bonnes grâces, et le médecin Baumgarten[1], qui, soit dit en passant, tranchait de l'esprit fort[2], et voulait que l'on doutât de tout, excepté de la médecine. Ce soir-là, il l'avait fait venir pour le consulter sur je ne sais quelle indisposition.

La soirée se prolongeait, et le roi, contre sa coutume, ne leur faisait pas sentir, en leur donnant le bonsoir, qu'il était temps de se retirer. La tête baissée et les yeux fixés sur les tisons, il gardait un profond silence, ennuyé de sa compagnie, mais craignant, sans savoir pourquoi, de rester seul. Le comte Brahé s'apercevait bien que sa présence n'était pas fort agréable, et déjà plusieurs fois il avait exprimé la crainte que Sa Majesté n'eût besoin de repos : un geste du roi l'avait retenu à sa place. À son tour, le médecin parla du tort que les veilles font à la santé ; mais Charles lui répondit entre ses dents :

« Restez, je n'ai pas encore envie de dormir. »

Alors on essaya différents signes de conversation qui s'épuisaient tous à la seconde ou troisième phrase. Il paraissait évident que Sa Majesté était dans une de ses humeurs noires[3], et, en pareille circonstance, la position d'un courtisan est bien délicate. Le comte Brahé, soupçonnant que la tristesse du roi provenait de ses regrets pour la perte de son épouse, regarda quelque temps le portrait de la reine suspendu dans le cabinet, puis il s'écria avec un grand soupir :

« Que ce portrait est ressemblant ! Voilà bien cette expression à la fois si majestueuse et si douce !

— Bah ! répondit brusquement le roi, qui croyait entendre un reproche toutes les fois qu'on prononçait devant lui

---

1. Ce personnage a été imaginé par Mérimée. 2. Qui affecte de ne pas croire sinon en Dieu du moins aux manifestations de surnaturel ; le rationalisme du médecin correspond au caractère « positif » du roi. Au début d'*Arsène Guillot*, le docteur K... offre un autre portrait de médecin « esprit fort ». 3. Terme de l'ancienne médecine, désignant une altération de la bile, ou *mélancolie*. Cette maladie est à l'origine de la tristesse du roi, mais aussi de sa propension aux visions, tout positif qu'il est.

le nom de la reine. Ce portrait est trop flatté[1] ! La reine était laide. »

Puis, fâché intérieurement de sa dureté, il se leva et fit un tour dans la chambre pour cacher une émotion dont il rougissait. Il s'arrêta devant la fenêtre qui donnait sur la cour. La nuit était sombre et la lune à son premier quartier[2].

Le palais où résident aujourd'hui les rois de Suède n'était pas encore achevé[3] et Charles XI, qui l'avait commencé, habitait alors l'ancien palais situé à la pointe du Ritterholm qui regarde le lac Mæler[4]. C'est un grand bâtiment en forme de fer à cheval. Le cabinet du roi était à l'une des extrémités, et à peu près en face se trouvait la grande salle où s'assemblaient les États[5] quand ils devaient recevoir quelque communication de la couronne.

Les fenêtres de cette salle semblaient en ce moment éclairées d'une vive lumière. Cela parut étrange au roi. Il supposa d'abord que cette lueur était produite par le flambeau de quelque valet. Mais qu'allait-on faire à cette heure dans une salle qui depuis longtemps n'avait pas été ouverte ? D'ailleurs, la lumière était trop éclatante pour provenir d'un seul flambeau. On aurait pu l'attribuer à un incendie ; mais on ne voyait point de fumée, les vitres n'étaient pas brisées, nul bruit ne se faisait entendre ; tout annonçait plutôt une illumination[6].

Charles regarda ces fenêtres quelque temps sans parler. Cependant le comte Brahé, étendant la main vers le cordon d'une sonnette, se disposait à sonner un page pour l'envoyer reconnaître la cause de cette singulière clarté ; mais le roi l'arrêta.

---

1. Embelli, idéalisé. Le sourd travail du remords accrédite l'explication rationaliste des visions prêtées au roi. 2. Lune : la lune *ne paraissait pas* (*RP*). 3. Le palais du Riddarholm ou Kunghus n'a jamais été habité par Charles XI. D'après le commentaire accompagnant procès-verbal « authentique », la scène se serait déroulée au château de Gripsholm. 4. Lac en bordure de Stockholm. La ville est située entre le lac Mæler et la mer. Elle est bâtie sur huit îles et deux presqu'îles. 5. Réunion des quatre ordres de la société suédoise ; voir la note de Mérimée, p. 57. 6. Illumination : illumination *d'apparat* (*RP*, 1833).

« Je veux aller moi-même dans cette salle », dit-il.

En achevant ces mots on le vit pâlir, et sa physionomie exprimait une espèce de terreur religieuse. Pourtant il sortit d'un pas ferme ; le chambellan et le médecin le suivirent, tenant chacun une bougie allumée.

Le concierge, qui avait la charge des clefs, était déjà couché. Baumgarten alla le réveiller et lui ordonna, de la part du roi, d'ouvrir sur-le-champ les portes de la salle des États. La surprise de cet homme fut grande à cet ordre inattendu ; il s'habilla à la hâte et joignit le roi avec son trousseau de clefs. D'abord il ouvrit la porte d'une galerie qui servait d'antichambre ou de dégagement à la salle des États. Le roi entra ; mais quel fut son étonnement en voyant les murs entièrement tendus de noir !

« Qui a donné l'ordre de faire tendre ainsi cette salle ? demanda-t-il d'un ton de colère.

— Sire, personne, que je sache, répondit le concierge tout troublé, et, la dernière fois que j'ai fait balayer la galerie, elle était lambrissée de chêne comme elle l'a toujours été... Certainement ces tentures-là ne viennent pas du garde-meuble de Votre Majesté. »

Et le roi, marchant d'un pas rapide, était déjà parvenu à plus des deux tiers de la galerie. Le comte et le concierge le suivaient de près ; le médecin Baumgarten était un peu en arrière, partagé entre la crainte de rester seul et celle de s'exposer aux suites d'une aventure qui s'annonçait d'une façon assez étrange.

« N'allez pas plus loin, sire ! s'écria le concierge. Sur mon âme, il y a de la sorcellerie là-dedans. À cette heure... et depuis la mort de la reine, votre gracieuse épouse..., on dit qu'elle se promène dans cette galerie... Que Dieu nous protège !

— Arrêtez ! sire ! s'écriait le comte de son côté. N'entendez-vous pas ce bruit[1] qui part de la salle des États ? Qui sait à quels dangers Votre Majesté s'expose !

---

1. Bruit : bruit *étrange* (1833).

– Sire, disait Baumgarten, dont une bouffée de vent venait d'éteindre la bougie, permettez du moins que j'aille chercher une vingtaine de vos trabans[1].

– Entrons, dit le roi d'une voix ferme en s'arrêtant devant la porte de la grande salle ; et toi, concierge, ouvre vite cette porte. »

Il la poussa du pied, et le bruit, répété par l'écho des voûtes, retentit dans la galerie comme un coup de canon.

Le concierge tremblait tellement que sa clef battait la serrure sans qu'il pût parvenir à la faire entrer.

« Un vieux soldat qui tremble ! dit Charles en haussant les épaules. – Allons, comte, ouvrez-nous cette porte.

– Sire, répondit le comte en reculant d'un pas, que Votre Majesté me commande de marcher à la bouche d'un canon danois ou allemand, j'obéirai sans hésiter ; mais c'est l'enfer que vous voulez que je défie. »

Le roi arracha la clef des mains du concierge.

« Je vois bien, dit-il d'un ton de mépris, que ceci me regarde seul » ; et, avant que sa suite eût pu l'en empêcher, il avait ouvert l'épaisse porte de chêne, et était entré dans la grande salle en prononçant ces mots : « Avec l'aide de Dieu[2] ! » Ses trois acolytes[3], poussés par la curiosité, plus forte que la peur, et peut-être honteux d'abandonner leur roi, entrèrent avec lui.

La grande salle était éclairée par une infinité de flambeaux. Une tenture noire avait remplacé l'antique tapisserie à personnages. Le long des murailles paraissaient disposés en ordre, comme à l'ordinaire, des drapeaux allemands, danois ou moscovites, trophées[4] des soldats de Gustave-

---

1. Hallebardiers de la garde royale. À cet endroit du récit, il est bon de marquer que même le médecin « esprit fort » a perdu sa superbe. 2. « L'aide de Dieu » : formule rituelle de conjuration et d'exorcisme. 3. À l'origine, clerc qui sert le prêtre ; ici, compagnons. Mérimée joue peut-être sur le sens étymologique, *qui suit*. 4. Butin des victoires, armes et drapeaux pris à l'ennemi. Mérimée cite les victoires du roi dans l'ordre inverse de la chronologie.

Adolphe[1]. On distinguait au milieu des bannières suédoises, couvertes de crêpes funèbres[2].

Une assemblée immense[3] couvrait les bancs. Les quatre ordres de l'État* siégeaient chacun à son rang. Tous étaient habillés de noir, et cette multitude de faces humaines, qui paraissaient lumineuses sur un fond sombre, éblouissaient tellement les yeux, que, des quatre témoins de cette scène extraordinaire, aucun ne put trouver dans cette foule une figure connue. Ainsi un acteur vis-à-vis d'un public nombreux ne voit qu'une masse confuse, où ses yeux ne peuvent distinguer un seul individu.

Sur le trône élevé d'où le roi avait coutume de haranguer l'assemblée, ils virent un cadavre sanglant, revêtu des insignes de la royauté. À sa droite, un enfant, debout et la couronne en tête, tenait un sceptre à la main ; à sa gauche, un homme âgé, ou plutôt un autre fantôme, s'appuyait sur le trône. Il était revêtu du manteau de cérémonie que portaient les anciens administrateurs de la Suède[4], avant que Wasa en eût fait un royaume. En face du trône, plusieurs personnages d'un maintien grave et austère, revêtus de longues robes noires, et qui paraissaient être des juges, étaient assis devant une table sur laquelle on voyait de grands in-folio et quelques parchemins[5]. Entre le trône et les bancs de l'assemblée, il y avait un billot[6] couvert d'un crêpe noir, et une hache reposait auprès.

---

* La noblesse, le clergé, les bourgeois et les paysans.

---

1. Gustave-Adolphe Wasa, dit le Grand (1594-1632), roi à partir de 1611 ; allié de la France et chef du parti protestant, il engagea la Suède dans la guerre de Trente Ans, se tailla un empire en Allemagne avant d'être tué à la bataille de Lützen. 2. Tissu léger, ici voile noir de deuil. 3. Cette « assemblée immense » qui rend l'atmosphère du récit plus dramatique n'est pas mentionnée dans le texte dont s'inspire Mérimée. 4. Les *Administrateurs* ont gouverné la Suède de 1448 à 1520, après que celle-ci eut gagné son indépendance. Reconquise par le Danemark, elle fut à nouveau libérée par Gustave Wasa (1496-1560), qui fut proclamé roi, puis roi héréditaire en 1540. 5. Gros volumes, de grand format, probablement les recueils des lois du royaume. Les éditions antérieures à 1842 portaient : devant une table *couverte* de grands in-folio. 6. Bloc de bois sur lequel on appuyait la tête d'un condamné à la décapitation.

Personne, dans cette assemblée surhumaine, n'eut l'air de s'apercevoir de la présence de Charles et des trois personnages qui l'accompagnaient. À leur entrée, ils n'entendirent d'abord qu'un murmure confus, au milieu duquel l'oreille ne pouvait saisir des mots articulés ; puis le plus âgé des juges en robe noire, celui qui paraissait remplir les fonctions de président, se leva, et frappa trois fois de la main sur un in-folio ouvert devant lui. Aussitôt il se fit un profond silence. Quelques jeunes gens de bonne mine, habillés richement, et les mains liées derrière le dos, entrèrent dans la salle par une porte opposée à celle que venait d'ouvrir Charles XI. Ils marchaient la tête haute et le regard assuré. Derrière eux, un homme robuste, revêtu d'un justaucorps de cuir brun, tenait le bout des cordes qui leur liaient les mains. Celui qui marchait le premier, et qui semblait être le plus important des prisonniers, s'arrêta au milieu de la salle, devant le billot, qu'il regarda avec un dédain superbe. En même temps, le cadavre parut trembler d'un mouvement convulsif, et un sang frais et vermeil coula de sa blessure. Le jeune homme s'agenouilla, tendit la tête ; la hache brilla dans l'air, et retomba aussitôt avec bruit. Un ruisseau de sang jaillit sur l'estrade, et se confondit avec celui du cadavre ; et la tête, bondissant plusieurs fois sur le pavé rougi, roula jusqu'aux pieds de Charles, qu'elle teignit de sang.

Jusqu'à ce moment, la surprise l'avait rendu muet ; mais, à ce spectacle horrible, sa langue se délia ; il fit quelques pas vers l'estrade, et s'adressant à cette figure revêtue du manteau d'Administrateur, il prononça hardiment la formule bien connue :

« *Si tu es de Dieu, parle ; si tu es de l'Autre, laisse-nous en paix*[1]. »

Le fantôme lui répondit lentement et d'un ton solennel :

« CHARLES ROI ! ce sang ne coulera pas sous ton règne...

---

1. Mérimée a pris cette formule de conjuration chez Agrippa d'Aubigné, dans un contexte bouffon : « Si tu es de Dieu, parle, si tu es de l'autre, va-t'en ! », *Les Aventures du baron de Foeneste*, III, 24 ; elle vient de Rabelais, *Gargantua*, XXXV.

(ici la voix devint moins distincte) mais cinq règnes après. Malheur, malheur, malheur au sang de Wasa[1] ! »

Alors les formes des nombreux personnages de cette étonnante assemblée commencèrent à devenir moins nettes et ne semblaient déjà plus que des ombres colorées, bientôt elles disparurent tout à fait ; les flambeaux fantastiques s'éteignirent, et ceux de Charles et de sa suite n'éclairèrent plus que les vieilles tapisseries, légèrement agitées par le vent. On entendit encore, pendant quelque temps, un bruit assez mélodieux, qu'un des témoins compara au murmure du vent dans les feuilles, et un autre, au son que rendent les cordes de harpe en cassant au moment où l'on accorde l'instrument. Tous furent d'accord sur la durée de l'apparition, qu'ils jugèrent avoir été d'environ dix minutes.

Les draperies noires, la tête coupée, les flots de sang qui teignaient le plancher, tout avait disparu avec les fantômes ; seulement la pantoufle de Charles conserva une tache rouge[2], qui seule aurait suffi pour lui rappeler les scènes de cette nuit, si elles n'avaient pas été trop bien gravées dans sa mémoire.

Rentré dans son cabinet, le roi fit écrire la relation de ce qu'il avait vu, la fit signer par ses compagnons, et la signa lui-même. Quelques précautions que l'on prît pour cacher le contenu de cette pièce au public, elle ne laissa pas d'être bientôt connue, même du vivant de Charles XI ; elle existe encore, et jusqu'à présent, personne ne s'est avisé d'élever des doutes sur son authenticité. La fin en est remarquable :

« Et, si ce que je viens de relater, dit le roi, n'est pas l'exacte vérité, je renonce à tout espoir d'une meilleure vie, laquelle je puis avoir méritée pour quelques bonnes

---

1. Les cinq règnes sont ceux de Charles XII, Ulrique-Eléonore, Frédéric Ier, Adolphe-Frédéric, Gustave III. 2. Tout comme l'« assemblée immense » décrite ci-dessus, la « tache rouge » est une invention de Mérimée. Leurs fonctions respectives diffèrent dans le récit. L'assemblée n'est qu'un élément du décor. La tache, elle, sert à étayer l'interprétation surnaturelle.

actions, et surtout pour mon zèle à travailler au bonheur
de mon peuple, et à défendre la religion de mes ancêtres[1]. »

Maintenant, si l'on se rappelle la mort de Gustave III,
et le jugement d'Ankarstroem, son assassin, on trouvera
plus d'un rapport entre ces événements et les circonstances
de cette singulière prophétie.

Le jeune homme décapité en présence des États aurait
désigné Ankarstroem.

Le cadavre couronné serait Gustave III[2].

L'enfant, son fils et son successeur, Gustave-Adolphe IV.

Le vieillard, enfin, serait le duc de Sudermanie, oncle
de Gustave IV, qui fut régent du royaume, puis enfin roi
après la déposition de son neveu.

                                                      1829.

---

1. Religion : et *à soutenir les intérêts de* la religion (éditions antérieures
à 1850). 2. Gustave III, né en 1746, roi de Suède de 1771 à sa mort en
1792. Il mena une politique absolutiste, s'aliénant la noblesse à qui il
imposa un *Acte d'Union et de Sûreté*. Les seigneurs, avec l'appui de la
Russie, se soulevèrent. Ankarstroem, le 16 mars 1792, au cours d'un bal
masqué (le *Ballo in maschera* de Verdi), le blessa d'un coup de feu ; le roi
mourut quinze jours plus tard. Le régicide eut le poing coupé et fut décapité.
Le fils de Gustave III, Gustave IV, n'ayant que quatorze ans, la régence
fut exercée par son oncle, le duc de Sudermanie, qui le déposa en 1809, et
se fit déclarer roi sous le nom de Charles XIII. Étant sans enfant, il transmit
la royauté au maréchal français Bernadotte, qui devint roi de Suède en
1810.

III

L'ENLÈVEMENT DE LA REDOUTE[1]

Un militaire de mes amis, qui est mort de la fièvre en Grèce il y a quelques années[2], me conta un jour la première affaire à laquelle il avait assisté. Son récit me frappa tellement, que je l'écrivis de mémoire aussitôt que j'en eus le loisir. Le voici :

« Je rejoignis le régiment le 4 septembre au soir. Je trouvai le colonel au bivac[3]. Il me reçut d'abord assez brusquement ; mais, après avoir lu la lettre de recommandation du général B..., il changea de manières, et m'adressa quelques paroles obligeantes.

Je fus présenté par lui à mon capitaine, qui revenait à l'instant même d'une reconnaissance. Ce capitaine, que je n'eus guère le temps de connaître, était un grand homme brun, d'une physionomie dure et repoussante. Il avait été simple soldat, et avait gagné ses épaulettes et sa croix[4] sur les champs de bataille. Sa voix, qui était enrouée et faible, contrastait singulièrement avec sa stature presque gigantesque[5]. On me dit qu'il devait cette voix

---

1. Ouvrage de fortification, généralement de terre, détaché en avant d'ouvrages plus importants, formant résistance. 2. L'informateur supposé de Mérimée, qui joue ici d'un effet de réel, a pu faire partie de l'expédition Favier, rassemblant en 1822 et 1823 les volontaires philhellènes, ou de l'expédition de Morée en 1828. 3. Bivac ou bivouac (de l'all. *bei*, auprès de ; *Wachen*, veiller) : garde de nuit, en plein air, ou repos d'une armée en campagne sans campement. 4. La décoration de la Légion d'honneur. 5. Gigantesque : avec les *proportions* presque gigantesques *de sa personne* (*Revue française*, 1833).

étrange à une balle qui l'avait percé de part en part à la bataille d'Iéna[1].

En apprenant que je sortais de l'école de Fontainebleau[2], il fit la grimace et dit :

« Mon lieutenant est mort hier... »

Je compris qu'il voulait dire : « C'est vous qui devez le remplacer, et vous n'en êtes pas capable. » Un mot piquant me vint sur les lèvres, mais je me contins.

La lune se leva derrière la redoute de Cheverino, située à deux portées de canon de notre bivac. Elle était large et rouge comme cela est d'ordinaire à son lever. Mais, ce soir-là, elle me parut d'une grandeur extraordinaire. Pendant un instant, la redoute se détacha en noir sur le disque éclatant de la lune. Elle ressemblait au cône d'un volcan au moment de l'éruption.

Un vieux soldat, auprès duquel je me trouvais, remarqua la couleur de la lune.

« Elle est bien rouge, dit-il ; c'est signe qu'il en coûtera bon pour l'avoir, cette fameuse redoute ! »

J'ai toujours été superstitieux, et cet augure[3], dans ce moment surtout, m'affecta. Je me couchai, mais je ne pus dormir. Je me levai, et je marchai quelque temps, regardant l'immense ligne de feux qui couvrait les hauteurs au-delà du village de Cheverino.

Lorsque je crus que l'air frais et piquant de la nuit avait assez rafraîchi mon sang, je revins auprès du feu ; je m'enveloppai soigneusement dans mon manteau, et je fermai les yeux, espérant ne pas les ouvrir avant le jour. Mais le sommeil me tint rigueur[4]. Insensiblement mes pensées prenaient une teinte lugubre. Je me disais que je n'avais pas un ami parmi les cent mille hommes qui couvraient cette plaine. Si j'étais blessé, je serais dans un hôpital, traité sans égards par des chirurgiens ignorants.

---

1. Napoléon remporta la victoire d'Iéna sur les Prussiens le 13 octobre 1806. 2. Fontainebleau : l'école militaire, établie à Fontainebleau en 1803, avait été transférée à Saint-Cyr en 1808, et le combat de Schwardino eut lieu en 1812. 3. Etymologiquement, celui qui discerne l'avenir dans le chant ou le mouvement des oiseaux. Sens dérivé : présage. 4. Ne pas accéder à une demande, ne pas accorder à quelqu'un ce qu'il attend.

Ce que j'avais entendu dire des opérations chirurgicales
me revint à la mémoire. Mon cœur battait avec violence,
et machinalement je disposais comme une espèce de
cuirasse, le mouchoir et le portefeuille que j'avais sur la
poitrine. La fatigue m'accablait, je m'assoupissais à chaque
instant, et à chaque instant quelque pensée sinistre se
reproduisait avec plus de force et me réveillait en sursaut.

Cependant la fatigue l'avait emporté, et, quand on battit
la diane[1], j'étais tout à fait endormi. Nous nous mîmes
en bataille, on fit l'appel, puis on remit les armes en
faisceaux[2], et tout annonçait que nous allions passer une
journée tranquille.

Vers trois heures, un aide de camp arriva, apportant
un ordre. On nous fit reprendre les armes ; nos tirailleurs
se répandirent dans la plaine[3], nous les suivîmes lentement,
et, au bout de vingt minutes, nous vîmes tous les avant-
postes des Russes se replier et rentrer dans la redoute.

Une batterie d'artillerie vint s'établir à notre droite,
une autre à notre gauche, mais toutes les deux bien en
avant de nous. Elles commencèrent un feu très vif sur
l'ennemi, qui riposta énergiquement, et bientôt la redoute
de Cheverino disparut sous des nuages épais de fumée.

Notre régiment était presque à couvert du feu des
Russes par un pli de terrain. Leurs boulets, rares d'ailleurs
pour nous (car ils tiraient de préférence sur nos canonniers),
passaient au-dessus de nos têtes, ou tout au plus nous
envoyaient de la terre et de petites pierres.

Aussitôt que l'ordre de marcher en avant nous eût été
donné, mon capitaine me regarda avec une attention qui
m'obligea à passer deux ou trois fois la main sur ma
jeune moustache d'un air aussi dégagé qu'il me fut
possible. Au reste, je n'avais pas peur, et la seule crainte
que j'éprouvasse, c'était que l'on ne s'imaginât que j'avais
peur. Ces boulets inoffensifs contribuèrent encore à me
maintenir dans mon calme héroïque. Mon amour-propre

---

1. Batterie de tambour qui sonne le réveil. 2. Avant la manœuvre ou le
combat, les fusils sont déposés et réunis par les canons en forme de pyra-
mide. 3. Troupe en lignes espacées, faisant feu à volonté.

me disait que je courais un danger réel[1], puisque enfin j'étais sous le feu d'une batterie. J'étais enchanté d'être si à mon aise, et je songeai[2] au plaisir de raconter la prise de la redoute de Cheverino, dans le salon de Mme de B..., rue de Provence[3].

Le colonel passa devant notre compagnie ; il m'adressa la parole : « Eh bien, vous allez en voir de grises pour votre début[4]. »

Je souris d'un air tout à fait martial en brossant la manche de mon habit, sur laquelle un boulet, tombé à trente pas de moi, avait envoyé un peu de poussière.

Il paraît que les Russes s'aperçurent du mauvais succès[5] de leurs boulets ; car ils les remplacèrent par des obus[6] qui pouvaient plus facilement nous atteindre dans le creux où nous étions postés. Un assez gros éclat m'enleva mon schako[7] et tua un homme auprès de moi.

« Je vous fais mon compliment, me dit le capitaine, comme je venais de ramasser mon schako, vous en voilà quitte pour la journée[8]. » Je connaissais cette superstition militaire qui croit que l'axiome *non bis in idem*[9] trouve son application aussi bien sur un champ de bataille que dans une cour de justice. Je remis fièrement mon schako.

« C'est faire saluer les gens sans cérémonie », dis-je

---

1. Danger réel : un *grand* danger (*RF*, 1833). 2. Songeai : correction de 1850 ; les éditions antérieures portent *je pensai*. 3. Mme de B... : dans le salon *de Madame de Saint-Luxan* (*RF*) : par sa correction, Mérimée fait probablement allusion à Mme de Boigne, qui habitait 12, rue de Provence, et chez qui il était reçu. On peut du reste rapprocher ce passage de Vigny : « Messieurs, nous raconterons cela à nos maîtresses à Paris ! s'écria Locmaria en jetant son chapeau en l'air. » *Cinq Mars*, IX (1826). 4. Des choses bien sinistres. 5. *Succès* au sens de « résultat » : ce qui arrive, ce qui survient. Bossuet : « Les mauvais succès sont les seuls maîtres qui peuvent nous reprendre utilement. » 6. Projectile creux, rempli d'explosif, remplaçant les boulets pleins, de peu d'effet. 7. Haut couvre-chef des troupes d'infanterie. 8. « Journée » ici au sens de « bataille » : « Les fautes que nous fîmes nous rendirent cette journée aussi fatale que celle d'Azincourt », Duclos, *Hist. de Louis XI*. 9. *non bis in idem* : application parodique d'un axiome juridique : « (on ne sévit) pas deux fois contre le même (crime) » ou « on ne peut engager deux fois le même procès ».

aussi gaiement que je pus. Cette mauvaise plaisanterie, vu la circonstance, parut excellente.

« Je vous félicite, reprit le capitaine, vous n'aurez rien de plus, et vous commanderez une compagnie ce soir ; car je sens bien que le four chauffe pour moi. Toutes les fois que j'ai été blessé, l'officier auprès de moi a reçu quelque balle morte, et, ajouta-t-il d'un ton plus bas et presque honteux[1], leurs noms commençaient toujours par un P[2]. »

Je fis l'esprit fort ; bien des gens auraient fait comme moi ; bien des gens auraient été aussi bien que moi frappés de ces paroles prophétiques. Conscrit comme je l'étais, je sentais que je ne pouvais confier mes sentiments à personne, et que je devais toujours paraître froidement intrépide.

Au bout d'une demi-heure, le feu des Russes diminua sensiblement ; alors nous sortîmes de notre couvert pour marcher sur la redoute.

Notre régiment était composé de trois bataillons[3]. Le deuxième fut chargé de tourner la redoute du côté de la gorge[4], les deux autres devaient donner l'assaut. J'étais dans le troisième bataillon.

En sortant de derrière l'espèce d'épaulement qui nous avait protégés, nous fûmes reçus par plusieurs décharges de mousqueterie qui ne firent que peu de mal dans nos rangs. Le sifflement des balles me surprit : souvent je tournais la tête, et je m'attirai ainsi quelques plaisanteries de la part de mes camarades plus familiarisés avec ce bruit.

« À tout prendre, me dis-je, une bataille n'est pas une chose si terrible. »

Nous avancions au pas de course, précédés de tirailleurs : tout à coup les Russes poussèrent trois hourras, trois

---

1. Honteux : plus bas et *plus* honteux (*RF*, 1833). 2. On a voulu voir dans cette initiale une allusion à un jeune lieutenant nommé Pasquier, qui aurait été parent du chancelier, lui-même fort lié à Mme de Boigne évoquée plus haut. Cette parenté toutefois était fictive. 3. Trois bataillons, de 1 200 hommes chacun. 4. Entrée étroite, ouverte du côté de l'armée russe, que la redoute devait protéger.

hourras distincts[1], puis demeurèrent silencieux et sans tirer.

« Je n'aime pas ce silence, dit mon capitaine ; cela ne nous présage rien de bon. »

Je trouvai que nos gens étaient un peu trop bruyants, et je ne pus m'empêcher de faire intérieurement la comparaison de leurs clameurs tumultueuses avec le silence imposant de l'ennemi.

Nous parvînmes rapidement au pied de la redoute, les palissades avaient été brisées et la terre bouleversée par nos boulets. Les soldats s'élancèrent sur ces ruines nouvelles avec des cris de *Vive l'empereur !* plus forts qu'on ne l'aurait attendu de gens qui avaient déjà tant crié.

Je levai les yeux, et jamais je n'oublierai le spectacle que je vis. La plus grande partie de la fumée s'était élevée et restait suspendue comme un dais à vingt pieds au-dessus de la redoute[2]. Au travers d'une vapeur bleuâtre, on apercevait derrière leur parapet[3] à demi détruit les grenadiers russes, l'arme haute, immobiles comme des statues. Je crois voir encore chaque soldat, l'œil gauche attaché sur nous, le droit caché par son fusil élevé. Dans une embrasure, à quelques pieds de nous, un homme tenant une lance à feu était auprès d'un canon[4].

Je frissonnai, et je crus que ma dernière heure était venue.

« Voilà la danse qui va commencer, s'écria mon capitaine. Bonsoir ! »

Ce furent les dernières paroles que je l'entendis prononcer.

Un roulement de tambours retentit dans la redoute.

Je vis se baisser tous les fusils. Je fermai les yeux, et j'entendis un fracas épouvantable, suivi de cris et de gémissements. J'ouvris les yeux, surpris de me trouver

---

1. Hourras ou houras : cri de guerre des cosaques et plus généralement de l'armée russe. 2. Environ 6 m. 3. Levée de terre devant une tranchée, destinée à protéger les combattants. 4. Lance à feu : tenant un *boutefeu* (*RF*) ; bâton muni d'une mèche, servant à allumer, à distance, la poudre des canons.

encore au monde. La redoute était de nouveau enveloppée de fumée. J'étais entouré de blessés et de morts. Mon capitaine était étendu à mes pieds : sa tête avait été broyée par un boulet, et j'étais couvert de sa cervelle et de son sang. De toute ma compagnie, il ne restait debout que six hommes et moi.

À ce carnage succéda un moment de stupeur. Le colonel, mettant son chapeau[1] au bout de son épée, gravit le premier le parapet en criant : *Vive l'empereur!* Il fut suivi aussitôt de tous les survivants. Je n'ai presque plus de souvenir net de ce qui suivit. Nous entrâmes dans la redoute, je ne sais comment. On se battit corps à corps au milieu d'une fumée si épaisse, que l'on ne pouvait se voir. Je crois que je frappai, car mon sabre[2] se trouva tout sanglant. Enfin j'entendis crier : « Victoire ! » et la fumée diminuant, j'aperçus du sang et des morts sous lesquels disparaissait la terre de la redoute. Les canons surtout étaient enterrés sous des tas de cadavres[3]. Environ deux cents hommes debout, en uniforme français, étaient groupés sans ordre, les uns chargeant leurs fusils, les autres essuyant leurs baïonnettes. Onze prisonniers russes étaient avec eux.

Le colonel était renversé tout sanglant sur un caisson brisé, près de la gorge. Quelques soldats s'empressaient autour de lui : je m'approchai.

« Où est le plus ancien capitaine ? » demandait-il à un sergent.

Le sergent haussa les épaules d'une manière très expressive.

« Et le plus ancien lieutenant ?

– Voici monsieur qui est arrivé d'hier », dit le sergent d'un ton tout à fait calme.

Le colonel sourit amèrement.

« Allons, monsieur, me dit-il, vous commandez en chef ; faites promptement fortifier la gorge de la redoute avec

---

1. Inadvertance de la part de Mérimée, les fantassins ayant un schako.
2. Impropriété de Mérimée, les officiers des troupes à pied ayant une épée.
3. Cadavres : encombrés *sous* des tas *(RF)* ; encombrés *par* des tas (1833).

ces chariots, car l'ennemi est en force ; mais le général C...
va vous faire soutenir.

   – Colonel, lui dis-je, vous êtes grièvement blessé ?

   – F..., mon cher, mais la redoute est prise[1] ! »

---

1. Cette exclamation virile, jugée trop grossière, fut remplacée par
« perdu », dans une réédition de *L'enlèvement de la redoute* en 1865 ;
Mérimée précisa à un de ses correspondants : « L'interprétation la moins
honnête n'était peut-être pas admissible dans un livre destiné à la jeunesse,
mais je n'ai pas été consulté pour la correction. » *Correspondance générale*,
XIII, p. 13.

IV

TAMANGO

Le capitaine Ledoux[1] était un bon marin. Il avait
commencé par être simple matelot, puis il devint aide-
timonier. Au combat de Trafalgar[2], il eut la main gauche
fracassée par un éclat de bois ; il fut amputé, et congédié
ensuite avec de bons certificats. Le repos ne lui convenait
guère, et, l'occasion de se rembarquer se présentant, il
servit, en qualité de second lieutenant, à bord d'un corsaire[3]. L'argent qu'il retira de quelques prises lui permit
d'acheter des livres et d'étudier la théorie de la navigation,
dont il connaissait déjà parfaitement la pratique. Avec le
temps, il devint capitaine d'un lougre[4] corsaire de trois
canons et de soixante hommes d'équipage, et les caboteurs
de Jersey[5] conservent encore le souvenir de ses exploits.
La paix le désola[6] ; il avait amassé pendant la guerre une
petite fortune, qu'il espérait augmenter aux dépens des
Anglais. Force lui fut d'offrir ses services à de pacifiques
négociants ; et, comme il était connu pour un homme de
résolution et d'expérience, on lui confia facilement un

---

1. Ce nom, comme on le verra, est choisi par antiphrase. *Cf.* également
p. 70, le nom choisi pour son bateau : *L'Espérance*. 2. Célèbre combat
naval, le 21 octobre 1805, près de Gibraltar, qui vit la victoire de l'amiral
anglais Nelson sur la flotte française. 3. Navire privé, armé, autorisé par
des « lettres de course » de son gouvernement à capturer les navires marchands de l'ennemi. À distinguer du pirate, brigand des mers. 4. Petit
navire à trois mâts, de l'anglais *lugger*. 5. Navires de transport côtier.
6. La paix avec l'Angleterre, conclue en 1814, lors de la première Restauration, fut renouvelée en 1815.

navire. Quand la traite des nègres[1] fut défendue, et que, pour s'y livrer, il fallut non seulement tromper la vigilance des douaniers français, ce qui n'était pas très difficile, mais encore, et c'était le plus hasardeux, échapper aux croiseurs[2] anglais, le capitaine Ledoux devint un homme précieux pour les trafiquants de bois d'ébène*.

Bien différent de la plupart des marins qui ont langui longtemps comme lui dans les postes subalternes, il n'avait point cette horreur profonde des innovations, et cet esprit de routine qu'ils apportent trop souvent dans les grades supérieurs. Le capitaine Ledoux, au contraire, avait été le premier à recommander à son armateur l'usage des caisses en fer, destinées à contenir et conserver l'eau. À son bord, les menottes et les chaînes, dont les bâtiments négriers ont provision, étaient fabriquées d'après un système nouveau, et soigneusement vernies pour les préserver de la rouille. Mais ce qui lui fit le plus d'honneur parmi les marchands d'esclaves, ce fut la construction, qu'il dirigea lui-même, d'un brick[3] destiné à la traite, fin voilier, étroit, long comme un bâtiment de guerre, et cependant capable de contenir un très grand nombre de Noirs[4]. Il le nomma *L'Espérance*. Il voulut que les

---

* Nom que se donnent eux-mêmes les gens qui font la traite. [Bois d'ébène *est un euphémisme, désignant, au moment où elle est interdite, la traite, c'est-à-dire le commerce et le transport des captifs noirs, d'Afrique en Amérique. La cour royale de Caen donna cette définition en 1818 : « Laquelle traite consiste dans l'achat des nègres dans leur propre pays, du prince à qui ils appartiennent par droit de conquête, naissance ou autrement, et en échange de marchandises européennes. »*]

---

1. Terme désignant les Africains victimes de la traite et employés comme esclaves ; Furetière, au XVIIe siècle, écrit à l'article « Amérique » de son dictionnaire : « On fait dans l'Amérique un grand trafic d'esclaves nègres. » L'équivoque malhonnête de l'expression courante n'est pas tant dans l'emploi de l'adjectif (doublet savant de noir, du latin *niger*), que dans celui du nom *esclaves*, passant sous silence la mise en esclavage de peuples libres, comme si les négriers n'allaient chercher que des esclaves. 2. Navires de guerre qui « croisent », qui sillonnent une même zone pour une mission de surveillance. 3. Navire marchand ou de guerre, à deux mâts, plus grand que le lougre ; la forme altérée *brick* s'est imposée sur le nom d'origine anglaise *brig*. 4. Un négrier pouvait contenir jusqu'à 600 captifs, son équipage était de 45 hommes.

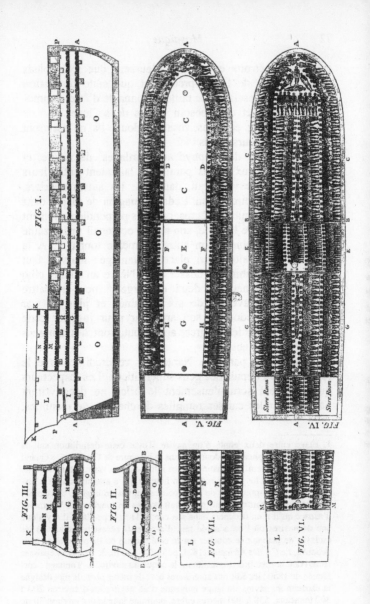

Plan d'un navire négrier.
Photo Jean-Loup Charmet.

entreponts[1], étroits et rentrés, n'eussent que trois pieds quatre pouces de haut[2], prétendant que cette dimension permettait aux esclaves de taille raisonnable d'être commodément assis ; et quel besoin ont-ils de se lever ?

« Arrivés aux colonies, disait Ledoux, ils ne resteront que trop sur leurs pieds ! »

Les Noirs, le dos appuyé aux bordages[3] du navire, et disposés sur deux lignes parallèles, laissaient entre leurs pieds un espace vide, qui, dans tous les autres négriers, ne sert qu'à la circulation. Ledoux imagina de placer dans cet intervalle d'autres Nègres, couchés perpendiculairement aux premiers. De la sorte, son navire contenait une dizaine de Nègres de plus qu'un autre du même tonnage[4]. À la rigueur, on aurait pu en placer davantage ; mais il faut avoir de l'humanité, et laisser à un Nègre au moins cinq pieds[5] en longueur et deux en largeur[6] pour s'ébattre pendant une traversée de six semaines et plus : « Car enfin, disait Ledoux à son armateur pour justifier cette mesure libérale, les Nègres, après tout, sont des hommes comme les Blancs[7]. »

L'Espérance partit de Nantes un vendredi, comme le remarquèrent depuis des gens superstitieux. Les inspecteurs qui visitèrent scrupuleusement le brick ne découvrirent pas six grandes caisses remplies de chaînes, de menottes,

---

1. Etage entre deux ponts d'un navire. Toute cette description suit la planche et les explications données dans la brochure de Clarkson : « Quand le vaisseau est plein, la situation de ces infortunés est vraiment déplorable. Dans les navires les mieux réglés, un homme qui a atteint toute sa croissance ne peut disposer que de seize pouces anglais en largeur, deux pieds huit pouces en hauteur, cinq pieds huit pouces en longueur. C'est moins d'espace qu'il n'en occupera dans son cercueil ! Et cependant, il n'y a que peu de navires où l'on accorde tant d'espace. Il en est beaucoup où les esclaves ne peuvent se coucher sur le côté ; aucun où ils puissent se tenir debout », *Le Cri des Africains,* 1821, p. 51. **2.** 1,10 m. **3.** Planches épaisses recouvrant la membrure, constituant la coque du navire. **4.** Tonnage : correction de 1850 ; les éditions antérieures ont : de même *port* : le mot désigne la capacité du navire ; la jauge moyenne d'un négrier est d'environ 200 à 300 tonneaux, 550 à 800 mètres cubes, pour une longueur d'environ 30 m. **5.** 1,60 m. **6.** 65 cm. **7.** L'ironie de Mérimée procède de celle de Montesquieu dans le fameux chapitre « De l'esclavage des Nègres », du livre XV, ch. V, de *L'Esprit des lois* (1748) reproduit p. 217.

et de ces fers[1] que l'on nomme, je ne sais pourquoi, *barres de justice*. Ils ne furent point étonnés non plus de l'énorme provision d'eau que devait porter *L'Espérance*, qui, d'après ses papiers, n'allait qu'au Sénégal pour y faire le commerce de bois et d'ivoire. La traversée n'est pas longue, il est vrai, mais enfin le trop de précautions ne peut nuire. Si l'on était surpris par un calme[2], que deviendrait-on sans eau[3] ?

L'Espérance partit donc un vendredi, bien gréée[4] et bien équipée de tout. Ledoux aurait voulu peut-être des mâts un peu plus solides[5] ; cependant, tant qu'il commanda le bâtiment, il n'eut point à s'en plaindre. Sa traversée fut heureuse et rapide jusqu'à la côte d'Afrique. Il mouilla dans la rivière de Joale[6] (je crois) dans un moment où les croiseurs anglais ne surveillaient point cette partie de la côte. Des courtiers[7] du pays vinrent aussitôt à bord. Le moment était on ne peut plus favorable ; Tamango, guerrier fameux et vendeur d'hommes, venait de conduire à la côte une grande quantité d'esclaves ; et il s'en défaisait à bon marché, en homme qui se sent la force et les moyens d'approvisionner promptement la place, aussitôt que les objets de son commerce y deviennent rares.

Le capitaine Ledoux se fit descendre sur le rivage, et fit sa visite à Tamango. Il le trouva dans une case en paille qu'on lui avait élevée à la hâte, accompagné de ses deux femmes et de quelques sous-marchands et conducteurs d'esclaves. Tamango s'était paré pour recevoir le capitaine blanc. Il était vêtu d'un vieil habit d'uniforme

---

1. L'expression est employée en 1825 par le baron de Staël qui exposa au public de semblables fers servant à entraver les captifs, qu'il avait achetés chez des fabricants nantais. 2. Cessation complète du vent. 3. Un négrier embarque environ 600 barriques d'eau douce, représentant un volume de 170 tonneaux, plus de la moitié de son tonnage. Le transport de chaque captif nécessite environ 350 kilos en eau et vivres. L'ironie corrosive de Mérimée suggère une complaisance tarifée des inspecteurs. *Cf.* la fin du 1ᵉʳ paragraphe. 4. Garnie de sa voilure complète et de bonne qualité. 5. Préparation du démâtement du navire à la suite de la fausse manœuvre de Tamango. 6. Port, ou plutôt mouillage du Sénégal. 7. Intermédiaires assurant la fourniture d'esclaves.

bleu[1], ayant encore les galons de caporal ; mais sur chaque
épaule pendaient deux épaulettes d'or attachées au même
bouton, et ballottant, l'une par-devant, l'autre par-derrière.
Comme il n'avait pas de chemise, et que l'habit était un
peu court pour un homme de sa taille, on remarquait
entre les revers blancs de l'habit et son caleçon de toile
de Guinée[2] une bande considérable de peau noire qui
ressemblait à une large ceinture. Un grand sabre de
cavalerie était suspendu à son côté au moyen d'une corde,
et il tenait à la main un beau fusil à deux coups, de
fabrique anglaise. Ainsi équipé, le guerrier africain croyait
surpasser en élégance le petit-maître[3] le plus accompli de
Paris ou de Londres.

Le capitaine Ledoux le considéra quelque temps en
silence, tandis que Tamango, se redressant à la manière
d'un grenadier qui passe à la revue devant un général
étranger[4], jouissait de l'impression qu'il croyait produire
sur le Blanc. Ledoux, après l'avoir examiné en connaisseur,
se tourna vers son second, et lui dit :

« Voilà un gaillard que je vendrais au moins mille écus,
rendu sain et sans avaries à la Martinique. »

On s'assit, et un matelot qui savait un peu la langue
wolofe servit d'interprète[5]. Les premiers compliments de
politesse échangés, un mousse[6] apporta un panier de
bouteilles d'eau-de-vie ; on but, et le capitaine, pour mettre
Tamango en belle humeur, lui fit présent d'une jolie poire
à poudre en cuivre, ornée du portrait de Napoléon en
relief. Le présent accepté avec la reconnaissance convenable, on sortit de la case, on s'assit à l'ombre en face

---

1. Vêtu : il était *revêtu* (*RP*, 1833). L'accoutrement de Tamango n'est pas
sans évoquer celui du chef noir de *Bug-Jargal* (ch. XXVIII). 2. Les « gui-
nées », toiles de coton de qualité courante, fabriquées à Cholet ou à Nantes,
destinées au marché africain, servaient à être échangées lors de la traite.
3. Jeune homme d'une élégance très recherchée. 4. Passe à la revue : qui
passe *la revue* (*RP*, 1833). 5. Langue des Wolofs ou Ouolofs, principale
ethnie du Sénégal. Mungo Park écrit « yolof », et décrit le peuple comme
« une nation active, puissante et belliqueuse », ajoutant : « Les blancs qui
font le commerce des esclaves les regardent comme les plus beaux nègres
de cette partie du continent. » 6. Jeune garçon, apprenti marin.

des bouteilles d'eau-de-vie, et Tamango donna le signal de faire venir les esclaves qu'il avait à vendre.

Ils parurent sur une longue file, le corps courbé par la fatigue et la frayeur, chacun ayant le cou pris dans une fourche[1] longue de plus de six pieds[2], dont les deux pointes étaient réunies vers la nuque par une barre de bois. Quand il faut se mettre en marche, un des conducteurs prend sur son épaule le manche de la fourche du premier esclave ; celui-ci se charge de la fourche de l'homme qui le suit immédiatement ; le second porte la fourche du troisième esclave, et ainsi des autres. S'agit-il de faire halte, le chef de file enfonce en terre le bout pointu du manche de sa fourche, et toute la colonne s'arrête. On juge facilement qu'il ne faut pas penser à s'échapper à la course, quand on porte attaché au cou un gros bâton de six pieds de longueur.

À chaque esclave mâle ou femelle qui passait devant lui, le capitaine haussait les épaules, trouvait les hommes chétifs, les femmes trop vieilles ou trop jeunes et se plaignait de l'abâtardissement de la race noire.

« Tout dégénère, disait-il ; autrefois, c'était bien différent. Les femmes avaient cinq pieds six pouces de haut[3], et quatre hommes auraient tourné seuls le cabestan[4] d'une frégate[5], pour lever la maîtresse ancre. »

Cependant, tout en critiquant, il faisait un premier choix des Noirs les plus robustes et les plus beaux. Ceux-là, il pouvait les payer au prix ordinaire ; mais, pour le reste, il demandait une forte diminution. Tamango, de son côté, défendait ses intérêts, vantait sa marchandise, parlait de la rareté des hommes et des périls de la traite. Il conclut en demandant un prix, je ne sais lequel, pour les esclaves que le capitaine blanc voulait charger à son bord.

---

1. La description de la fourche de bois dite de *Mayombé*, prise dans *Kélédor* du baron Roger, provient de l'abbé Raynal, *Histoire des établissements et du commerce des Européens dans les deux Indes,* Genève, 1780, VI, p. 112 ; Mungo Park évoquait simplement l'utilisation de fers et de cordes pour entraver les esclaves en caravane. 2. 1,92 m. 3. 1,73 m. 4. Treuil vertical sur lequel on vire les amarres, et par lequel on remonte la chaîne d'ancre. 5. Bâtiment de guerre à trois mâts, pouvant porter jusqu'à soixante canons.

Aussitôt que l'interprète eut traduit en français la proposition de Tamango, Ledoux manqua tomber à la renverse
de surprise et d'indignation ; puis, murmurant quelques
juremens affreux, il se leva comme pour rompre tout
marché avec un homme aussi déraisonnable. Alors
Tamango le retint ; il parvint avec peine à le faire rasseoir.
Une nouvelle bouteille fut débouchée, et la discussion
recommença. Ce fut le tour du Noir à trouver folles et
extravagantes les propositions du Blanc. On cria, on disputa
longtemps, on but prodigieusement d'eau-de-vie ; mais
l'eau-de-vie produisait un effet bien différent sur les deux
parties contractantes. Plus le Français buvait, plus il
réduisait ses offres, plus l'Africain buvait, plus il cédait
de ses prétentions. De la sorte, à la fin du panier, on
tomba d'accord. De mauvaises cotonnades[1], de la poudre,
des pierres à feu, trois barriques d'eau-de-vie, cinquante
fusils mal raccommodés[2] furent donnés en échange de
cent soixante esclaves. Le capitaine, pour ratifier le traité,
frappa dans la main du Noir plus qu'à moitié ivre, et
aussitôt les esclaves furent remis aux matelots français,
qui se hâtèrent de leur ôter leurs fourches de bois pour
leur donner des carcans et des menottes en fer ; ce qui
montre bien la supériorité de la civilisation européenne.

Restait encore une trentaine d'esclaves : c'étaient des
enfants, des vieillards, des femmes infirmes. Le navire
était plein.

Tamango, qui ne savait que faire de ce rebut, offrit au
capitaine de les lui vendre pour une bouteille d'eau-de-vie
la pièce. L'offre était séduisante. Ledoux se souvint qu'à
la représentation des *Vêpres Siciliennes* à Nantes[3], il avait
vu bon nombre de gens gros et gras entrer dans un
parterre déjà plein, et parvenir cependant à s'y asseoir,

---

1. Etoffes de coton, à motifs imprimés, aussi appelées indiennes, article
usuel du troc. 2. Remis en état, réparé, terme d'usage courant à l'époque :
les armes à feu étaient des articles obligés de l'échange. 3. *Vêpres siciliennes,* tragédie de Casimir Delavigne, créée en 1819 ; relatant la révolte
des Siciliens contre les envahisseurs français, elle a, dans le contexte, la
force d'une annonce ironique.

en vertu de la compressibilité des corps humains. Il prit
les vingt plus sveltes des trente esclaves.

Alors Tamango ne demanda plus qu'un verre d'eau-
de-vie pour chacun des dix restants. Ledoux réfléchit que
les enfants ne paient et n'occupent que demi-place dans
les voitures publiques. Il prit donc trois enfants ; mais il
déclara qu'il ne voulait plus se charger d'un seul Noir.
Tamango, voyant qu'il lui restait encore sept esclaves sur
les bras, saisit son fusil et coucha en joue une femme
qui venait la première : c'était la mère des trois enfants.

« Achète, dit-il au Blanc, ou je la tue ; un petit verre
d'eau-de-vie ou je tire.

– Et que diable veux-tu que j'en fasse ? » répondit
Ledoux.

Tamango fit feu, et l'esclave tomba morte à terre[1].

« Allons à un autre ! s'écria Tamango en visant un
vieillard tout cassé : un verre d'eau-de-vie, ou bien... »

Une des femmes lui détourna le bras, et le coup partit
au hasard. Elle venait de reconnaître dans le vieillard que
son mari allait tuer un *guiriot*[2] ou magicien, qui lui avait
prédit qu'elle serait reine.

Tamango, que l'eau-de-vie avait rendu furieux, ne se
posséda plus en voyant qu'on s'opposait à ses volontés.
Il frappa rudement sa femme de la crosse de son fusil ;
puis se tournant vers Ledoux :

« Tiens, dit-il, je te donne cette femme. »

Elle était jolie. Ledoux la regarda en souriant, puis il
la prit par la main :

« Je trouverai bien où la mettre[3] », dit-il.

L'interprète était un homme humain[4]. Il donna une
tabatière de carton à Tamango, et lui demanda les six
esclaves restants. Il les délivra de leurs fourches, et leur

---

1. Morte à terre : tomba *par* terre (*RP*). 2. Dans son *Histoire générale des
voyages* (1747), l'abbé Prévost décrivait les *guiriots* ou *griots* comme des
musiciens, sorciers et bouffons. 3. L'équivoque de cette notation révèle un
autre trait de l'esprit mériméen. 4. Par ce pléonasme apparent, « homme
humain », et ici, sans valeur ironique, Mérimée rappelle que l'humanité, le
respect porté à l'homme, est une qualité assez exceptionnelle en l'homme
pour qu'il soit besoin de la souligner ; voir en revanche p. 96 l'humanité
relative du gouverneur.

permit de s'en aller où bon leur semblerait. Aussitôt ils se sauvèrent qui deçà, qui delà, fort embarrassés de retourner dans leur pays à deux cents lieues de la côte[1].

Cependant le capitaine dit adieu à Tamango et s'occupa de faire au plus vite embarquer sa cargaison. Il n'était pas prudent de rester longtemps en rivière ; les croiseurs pourraient reparaître, et il voulait appareiller le lendemain[2]. Pour Tamango, il se coucha sur l'herbe, à l'ombre, et dormit pour cuver son eau-de-vie.

Quand il se réveilla, le vaisseau était déjà sous voiles et descendait la rivière. Tamango, le tête encore embarrassée de la débauche de la veille, demanda sa femme Ayché. On lui répondit qu'elle avait eu le malheur de lui déplaire, et qu'il l'avait donnée en présent au capitaine blanc, lequel l'avait emmenée à son bord. À cette nouvelle, Tamango stupéfait se frappa la tête, puis il prit son fusil, et comme la rivière faisait plusieurs détours avant de se décharger dans la mer, il courut, par le chemin le plus direct, à une petite anse, éloignée de l'embouchure d'une demi-lieue. Là, il espérait trouver un canot avec lequel il pourrait joindre le brick, dont les sinuosités de la rivière devaient retarder la marche. Il ne se trompait pas : en effet, il eut le temps de se jeter dans un canot et de joindre le négrier.

Ledoux fut surpris de le voir, mais encore plus de l'entendre redemander sa femme.

« Bien donné ne se reprend plus », répondit-il.

Et il lui tourna le dos.

Le Noir insista, offrant[3] de rendre une partie des objets qu'il avait reçus en échange des esclaves. Le capitaine se mit à rire, dit qu'Ayché était une très bonne femme, et qu'il voulait la garder. Alors le pauvre Tamango versa un torrent de larmes, et poussa des cris de douleur aussi aigus que ceux d'un malheureux qui subit une opération chirurgicale. Tantôt il se roulait sur le pont en appelant sa chère Ayché ; tantôt il se frappait la tête contre les

---

1. 900 km. 2. Le lendemain : dans les faits, il fallait, au mieux, de un à deux mois pour que le négrier fût chargé de ses captifs, qui arrivaient par groupes successifs. Mérimée resserre l'action. 3. Offrant : *offrit* (*RP*, 1833).

planches, comme pour se tuer. Toujours impassible, le capitaine, en lui montrant le rivage, lui faisait signe qu'il était temps pour lui de s'en aller ; mais Tamango persistait. Il offrit jusqu'à ses épaulettes d'or, son fusil et son sabre. Tout fut inutile.

Pendant ce débat, le lieutenant de *L'Espérance* dit au capitaine :

« Il nous est mort cette nuit trois esclaves, nous avons de la place. Pourquoi ne prendrions-nous pas ce vigoureux coquin, qui vaut mieux à lui seul que les trois morts ? »
Ledoux fit réflexion que Tamango se vendrait bien mille écus[1], que ce voyage, qui s'annonçait comme très profitable pour lui, serait probablement son dernier ; qu'enfin sa fortune étant faite, et lui renonçant au commerce d'esclaves, peu lui importait de laisser à la côte de Guinée une bonne ou une mauvaise réputation. D'ailleurs, le rivage était désert, et le guerrier africain entièrement à sa merci. Il ne s'agissait plus que de lui enlever ses armes ; car il eût été dangereux de mettre la main sur lui pendant qu'il les avait encore en sa possession. Ledoux lui demanda donc son fusil, comme pour l'examiner et s'assurer s'il valait bien autant que la belle Ayché. En faisant jouer les ressorts, il eut soin de laisser tomber la poudre de l'amorce. Le lieutenant de son côté maniait le sabre ; et, Tamango se trouvant ainsi désarmé, deux vigoureux matelots se jetèrent sur lui, le renversèrent sur le dos, et se mirent en devoir de le garrotter. La résistance du Noir fut héroïque. Revenu de sa première surprise, et malgré le désavantage de sa position, il lutta longtemps contre les deux matelots. Grâce à sa force prodigieuse, il parvint à se relever. D'un coup de poing, il terrassa l'homme qui le tenait au collet ; il laissa un morceau de son habit entre les mains de l'autre matelot, et s'élança comme un furieux sur le lieutenant pour lui arracher son sabre. Celui-ci l'en frappa à la tête, et lui fit une blessure large, mais peu profonde. Tamango tomba une seconde fois. Aussitôt on lui lia fortement les pieds et les mains. Tandis

1. Vers 1820, un esclave se vend en moyenne à 2 000 F ; le capitaine peut espérer une commission de 50 000 F sur l'ensemble des captifs.

qu'il se défendait, il poussait des cris de rage et s'agitait comme un sanglier pris dans les toiles[1], mais, lorsqu'il vit que toute résistance était inutile, il ferma les yeux et ne fit plus aucun mouvement. Sa respiration forte et précipitée prouvait seule qu'il était encore vivant.

« Parbleu ! s'écria le capitaine Ledoux, les Noirs qu'il a vendus vont rire de bon cœur en le voyant esclave à son tour. C'est pour le coup qu'ils verront bien qu'il y a une Providence. »

Cependant le pauvre Tamango perdait tout son sang. Le charitable interprète qui, la veille, avait sauvé la vie à six esclaves, s'approcha de lui, banda sa blessure et lui adressa quelques paroles de consolation. Ce qu'il put lui dire, je l'ignore. Le Noir restait immobile, ainsi qu'un cadavre. Il fallut que deux matelots le portassent comme un paquet dans l'entrepont, à la place qui lui était destinée. Pendant deux jours, il ne voulut ni boire ni manger ; à peine lui vit-on ouvrir les yeux. Ses compagnons de captivité, autrefois ses prisonniers, le virent paraître au milieu d'eux avec un étonnement stupide. Telle était la crainte qu'il leur inspirait encore, que pas un seul n'osa insulter à la misère de celui qui avait causé la leur.

Favorisé par un bon vent de terre, le vaisseau s'éloignait rapidement de la côte d'Afrique. Déjà sans inquiétude au sujet de la croisière anglaise, le capitaine ne pensait plus qu'aux énormes bénéfices qui l'attendaient dans les colonies vers lesquelles il se dirigeait. Son bois d'ébène se maintenait sans avaries. Point de maladies contagieuses[2]. Douze Nègres seulement, et des plus faibles, étaient morts de chaleur : c'était bagatelle. Afin que sa cargaison humaine souffrît le moins possible des fatigues de la traversée, il avait l'attention de faire monter tous les jours ses esclaves sur le pont. Tour à tour un tiers de ces malheureux avait une heure pour faire sa provision d'air de toute la journée. Une partie de l'équipage les surveillait

---

1. Terme de chasse, grandes pièces de toiles bordées de cordes, qu'on tend pour prendre le gibier que l'on veut avoir vivant. 2. Principal fléau de la traite. On redoutait en particulier l'ophtalmie, la dysenterie et le scorbut : sur cinq captifs, un seul arrivait en bonne condition à destination.

armée jusqu'aux dents, de peur de révolte ; d'ailleurs, on avait soin de ne jamais ôter entièrement leurs fers. Quelquefois un matelot qui savait jouer du violon les régalait d'un concert. Il était alors curieux de voir toutes ces figures noires se tourner vers le musicien, perdre par degrés leur expression de désespoir stupide, rire d'un gros rire et battre des mains quand leurs chaînes le leur permettaient. L'exercice est nécessaire à la santé ; aussi l'une des salutaires pratiques du capitaine Ledoux, c'était de faire souvent danser ses esclaves, comme on fait piaffer des chevaux embarqués pour une longue traversée[1].

« Allons, mes enfants, dansez, amusez-vous », disait le capitaine d'une voix de tonnerre, en faisant claquer un énorme fouet de poste.

Et aussitôt les pauvres Noirs sautaient et dansaient.

Quelque temps la blessure de Tamango le retint sous les écoutilles[2]. Il parut enfin sur le pont ; et d'abord relevant la tête avec fierté au milieu de la foule craintive des esclaves, il jeta un coup d'œil triste, mais calme, sur l'immense étendue d'eau qui environnait le navire, puis il se coucha, ou plutôt se laissa tomber sur les planches du tillac[3], sans prendre même le soin d'arranger ses fers de manière qu'ils lui fussent moins incommodes. Ledoux, assis au gaillard d'arrière, fumait tranquillement sa pipe. Près de lui, Ayché, sans fers, vêtue d'une robe élégante de cotonnade bleue, les pieds chaussés de jolies pantoufles de maroquin[4], portant à la main un plateau chargé de liqueurs, se tenait prête à lui servir à boire. Il était évident qu'elle remplissait de hautes fonctions auprès du capitaine. Un Noir, qui détestait Tamango, lui fit signe de regarder de ce côté. Tamango tourna la tête, l'aperçut, poussa un cri ; et, se levant avec impétuosité, courut vers le gaillard

---

1. Détail repris par Mérimée de l'anonyme *Description d'un navire négrier* : « Le seul exercice que l'on fasse prendre aux hommes, c'est de les faire sauter, chargés de fer comme ils sont, et les fauteurs de ce commerce appellent cela les faire danser. » 2. Ouverture rectangulaire dans le pont d'un navire ; elles assurent la ventilation des entreponts. 3. Pont supérieur du navire. 4. Cuir de chèvre ou de bouc, à grain apparent, de belle qualité.

d'arrière avant que les matelots de garde eussent pu s'opposer à une infraction aussi énorme de toute discipline navale.

« Ayché ! cria-t-il d'une voix foudroyante, et Ayché poussa un cri de terreur ; crois-tu que dans le pays des Blancs il n'y ait point de MAMA-JUMBO[1] ? »

Déjà des matelots accouraient le bâton levé ; mais Tamango, les bras croisés, et comme insensible, retournait tranquillement à sa place, tandis qu'Ayché, fondant en larmes, semblait pétrifiée par ces mystérieuses paroles.

L'interprète expliqua ce qu'était ce terrible Mama-Jumbo, dont le nom seul produisait tant d'horreur.

« C'est le Croquemitaine des Nègres, dit-il. Quand un mari a peur que sa femme ne fasse ce que font bien des femmes en France comme en Afrique, il la menace du Mama-Jumbo. Moi, qui vous parle, j'ai vu le Mama-Jumbo, et j'ai compris la ruse ; mais les Noirs..., comme c'est simple, cela ne comprend rien. – Figurez-vous qu'un soir, pendant que les femmes s'amusaient à danser, à faire un

---

1. Mérimée a emprunté, en le transformant, l'histoire de ce « Croquemitaine des Nègres » à Mungo Park, dont le *Voyage à l'intérieur de l'Afrique* fut traduit en français par Castéra et publié en 1800. Park avait découvert ce culte à Kolor, chez les Mandingues : « Je remarquai qu'on avait appendu à un arbre une espèce d'habit de masque fait d'écorce d'arbre et qu'on me dit appartenir au *mombo-jombo*. Cet étrange épouvantail se trouve dans toutes les villes mandingues, et les nègres païens s'en servent pour tenir leurs femmes dans la sujétion [...] Cet étrange magistrat, qu'on suppose être le mari lui-même, ou quelqu'un instruit par lui, se déguise sous l'habit dont je viens de parler, et, armé d'une baguette, signe de son autorité, il annonce son autorité en faisant des cris épouvantables dans les bois qui sont auprès de la ville. C'est toujours le soir qu'il fait entendre ses cris, et dès qu'il est nuit, il entre dans la ville et se rend au *bentang*, où aussitôt tous les habitants ne manquent pas de s'assembler. On peut croire aisément que cette apparition ne fait pas grand plaisir aux femmes, parce que, comme celui qui joue le rôle de *mombo-jombo* leur est essentiellement inconnu, chacune d'elles peut soupçonner que sa visite les concerne. La cérémonie commence par des chansons et par des danses, qui durent jusqu'à minuit. Alors le *mombo* désigne la femme coupable. Cette infortunée est saisie à l'instant, mise toute nue, attachée à un poteau et cruellement frappée de la baguette du *mombo*, au milieu des cris et de la risée de tous les spectateurs. »

folgar[1], comme ils disent dans leur jargon, voilà que,
d'un petit bois bien touffu et bien sombre, on entend une
musique étrange, sans que l'on vît personne pour la faire;
tous les musiciens étaient cachés dans le bois. Il y avait
des flûtes de roseau, des tambourins de bois, des *balafos*,
et des guitares faites avec des moitiés de calebasses. Tout
cela jouait un air à porter le diable en terre. Les femmes
n'ont pas plus tôt entendu cet air-là, qu'elles se mettent
à trembler, elles veulent se sauver, mais les maris les
retiennent : elles savaient bien ce qui leur pendait à
l'oreille. Tout à coup sort du bois une grande figure
blanche, haute comme notre mât de perroquet[2], avec une
tête grosse comme un boisseau[3], des yeux larges comme
des écubiers[4], et une gueule comme celle du diable avec
du feu dedans. Cela marchait lentement, lentement; et
cela n'alla pas plus loin qu'à demi-encablure du bois[5].
Les femmes criaient : "Voilà Mama-Jumbo!" Elles brail-
laient comme des vendeuses d'huîtres. Alors les maris
leur disaient :

"Allons, coquines, dites-nous si vous avez été sages;
si vous mentez, Mama-Jumbo est là pour vous manger
toutes crues." Il y en avait qui étaient assez simples pour
avouer, et alors les maris les battaient comme plâtre.

– Et qu'était-ce donc que cette figure blanche, ce
Mama-Jumbo? demanda le capitaine.

– Eh bien, c'était un farceur affublé d'un grand drap
blanc, portant, au lieu de tête, une citrouille creusée et
garnie d'une chandelle allumée au bout d'un grand bâton.
Cela n'est pas plus malin, et il ne faut pas de grands

---

1. Le terme *folgar* ou *folagar*, d'origine portugaise, désigne une danse
collective; le *balafo* ou *balafou* est un instrument de musique, sorte de
grande guitare, composé de vingt morceaux de bois dur, au-dessous duquel
se trouvent des gourdes coupées qui en augmentent le son. Ces termes et
ces descriptions ont été empruntés par Mérimée à l'*Histoire générale des
voyages* de l'abbé Prévost, 1747, III, pp. 174-175, qui évoquait aussi
Mombo-Jombo, pp. 215-216; Mungo Park décrivait la musique mandingue,
mais il ne faisait pas mention du *folgar*. **2.** Petit mât ajouté à l'extrémité
du mât de hune, portant une petite voile carrée. **3.** Mesure à grains
d'environ dix litres. **4.** Ouverture circulaire, à l'avant du navire, qui permet
le passage de la chaîne d'ancre. **5.** Environ 100 m.

frais d'esprit pour attraper les Noirs. Avec tout cela, c'est une bonne invention que le Mama-Jumbo, et je voudrais que ma femme y crût.

– Pour la mienne, dit Ledoux, si elle n'a pas peur de Mama-Jumbo, elle a peur de Martin-Bâton ; et elle sait de reste comment je l'arrangerais si elle me jouait quelque tour. Nous ne sommes pas endurants dans la famille des Ledoux, et quoique je n'aie qu'un poignet, il manie encore assez bien une garcette[1]. Quant à votre drôle, là-bas, qui parle de Mama-Jumbo, dites-lui qu'il se tienne bien et qu'il ne fasse pas peur à la petite mère que voici, ou je lui ferai si bien ratisser l'échine, que son cuir, de noir, deviendra rouge comme un rosbif cru. »

À ces mots, le capitaine descendit dans sa chambre, fit venir Ayché et tâcha de la consoler ; mais ni les caresses, ni les coups même, car on perd patience à la fin, ne purent rendre traitable la belle Négresse ; des flots de larmes coulaient de ses yeux. Le capitaine remonta sur le pont, de mauvaise humeur, et querella l'officier de quart sur la manœuvre qu'il commandait dans le moment.

La nuit, lorsque presque tout l'équipage dormait d'un profond sommeil, les hommes de garde entendirent d'abord un chant grave, solennel, lugubre, qui partait de l'entrepont, puis un cri de femme horriblement aigu. Aussitôt après, la grosse voix de Ledoux jurant et menaçant, et le bruit de son terrible fouet, retentirent dans tout le bâtiment. Un instant après, tout rentra dans le silence. Le lendemain, Tamango parut sur le pont la figure meurtrie, mais l'air aussi fier, aussi résolu qu'auparavant.

À peine Ayché l'eut-elle aperçu, que quittant le gaillard d'arrière où elle était assise à côté du capitaine, elle courut avec rapidité vers Tamango, s'agenouilla devant lui, et lui dit avec un accent de désespoir concentré :

« Pardonne-moi, Tamango, pardonne-moi ! »

Tamango la regarda fixement pendant une minute ; puis, remarquant que l'interprète était éloigné :

---

1. Fouet court fait de cordages, servant de supplice dans la marine. On se rappelle d'autre part que le capitaine Ledoux avait subi une amputation du bras gauche après la bataille de Trafalgar.

«Une lime!» dit-il.

Et il se coucha sur le tillac en tournant le dos à Ayché. Le capitaine la réprimanda vertement, lui donna même quelques soufflets, et lui défendit de parler à son ex-mari; mais il était loin de soupçonner le sens des courtes paroles qu'ils avaient échangées, et il ne fit aucune question à ce sujet.

Cependant Tamango, renfermé avec les autres esclaves, les exhortait jour et nuit à tenter un effort généreux pour recouvrer leur liberté. Il leur parlait du petit nombre de Blancs, et leur faisait remarquer la négligence toujours croissante de leurs gardiens; puis, sans s'expliquer nettement, il disait qu'il saurait les ramener dans leur pays, vantait son savoir dans les sciences occultes, dont les Noirs sont fort entichés, et menaçait de la vengeance du diable ceux qui se refuseraient à l'aider dans son entreprise. Dans ses harangues, il ne se servait que du dialecte des Peuls[1], qu'entendaient la plupart des esclaves, mais que l'interprète ne comprenait pas. La réputation de l'orateur, l'habitude qu'avaient les esclaves de le craindre et de lui obéir, vinrent merveilleusement au secours de son éloquence, et les Noirs le pressèrent de fixer un jour pour leur délivrance, bien avant que lui-même se crût en état de l'effectuer. Il répondit vaguement aux conjurés que le temps n'était pas venu, et que le diable, qui lui apparaissait en songe, ne l'avait pas encore averti, mais qu'ils eussent à se tenir prêts au premier signal. Cependant, il ne négligeait aucune occasion de faire des expériences sur la vigilance de ses gardiens. Une fois, un matelot, laissant son fusil appuyé contre les plats-bords[2], s'amusait à regarder une troupe de poissons volants qui suivaient le vaisseau; Tamango prit le fusil et se mit à le manier, imitant avec des gestes grotesques les mouvements qu'il avait vu faire à des matelots qui faisaient l'exercice. On lui retira le fusil au bout d'un instant; mais il avait appris qu'il pourrait toucher une arme sans éveiller immédiate-

---

1. Les Peuls sont une ethnie du Sénégal et de Guinée, dont le dialecte est parlé dans toute l'Afrique occidentale. 2. Plats-bords: désigne ici le bastingage.

ment le soupçon ; et, quand le temps viendrait de s'en
servir, bien hardi celui qui voudrait la lui arracher des
mains.

Un jour, Ayché lui jeta un biscuit en lui faisant un
signe que lui seul comprit. Le biscuit contenait une petite
lime : c'était de cet instrument que dépendait la réussite
du complot. D'abord Tamango se garda bien de montrer
la lime à ses compagnons ; mais, lorsque la nuit fut venue,
il se mit à murmurer des paroles inintelligibles qu'il
accompagnait de gestes bizarres. Par degrés, il s'anima
jusqu'à pousser des cris. À entendre les intonations variées
de sa voix, on eût dit qu'il était engagé dans une
conversation animée avec une personne invisible. Tous
les esclaves tremblaient, ne doutant pas que le diable ne
fût en ce moment même au milieu d'eux[1]. Tamango mit
fin à cette scène en poussant un cri de joie.

« Camarades, s'écria-t-il, l'esprit que j'ai conjuré vient
enfin de m'accorder ce qu'il m'avait promis, et je tiens
dans mes mains l'instrument de notre délivrance. Maintenant il ne vous faut plus qu'un peu de courage pour
vous faire libres. »

Il fit toucher la lime à ses voisins, et la fourbe[2], toute
grossière qu'elle était, trouva créance auprès d'hommes
encore plus grossiers.

Après une longue attente vint le grand jour de vengeance
et de liberté. Les conjurés, liés entre eux par un serment
solennel, avaient arrêté leur plan après une mûre délibé-
ration. Les plus déterminés, ayant Tamango à leur tête,
lorsqu'ils monteraient à leur tour sur le pont, devaient
s'emparer des armes de leurs gardiens ; quelques autres
iraient à la chambre du capitaine pour y prendre les fusils
qui s'y trouvaient. Ceux qui seraient parvenus à limer
leurs fers devaient commencer l'attaque ; mais, malgré le
travail opiniâtre de plusieurs nuits, le plus grand nombre
des esclaves était encore incapable de prendre une part

---

1. D'eux : correction de 1850 ; les éditions antérieures portent : *auprès*
d'eux. 2. La supercherie : Tamango fait passer la lime pour un don de son
démon, et ses compagnons sont assez crédules, ou superstitieux, pour lui
donner « créance », pour y croire.

énergique à l'action. Aussi trois Noirs robustes avaient la charge de tuer l'homme qui portait dans sa poche la clef des fers, et d'aller aussitôt délivrer leurs compagnons enchaînés.

Ce jour-là, le capitaine Ledoux était d'une humeur charmante ; contre sa coutume, il fit grâce à un mousse qui avait mérité le fouet. Il complimenta l'officier de quart sur sa manœuvre, déclara à l'équipage qu'il était content, et lui annonça qu'à la Martinique, où ils arriveraient dans peu, chaque homme recevrait une gratification. Tous les matelots, entretenant de si agréables idées, faisaient déjà dans leur tête l'emploi de cette gratification. Ils pensaient à l'eau-de-vie et aux femmes de couleur de la Martinique, lorsqu'on fit monter sur le pont Tamango et les autres conjurés.

Ils avaient eu soin de limer leurs fers de manière qu'ils ne parussent pas être coupés, et que le moindre effort suffit cependant pour les rompre. D'ailleurs, ils les faisaient si bien résonner, qu'à les entendre on eût dit qu'ils en portaient un double poids. Après avoir humé l'air quelque temps, ils se prirent tous par la main et se mirent à danser pendant que Tamango entonnait le chant guerrier de sa famille*, qu'il chantait autrefois avant d'aller au combat. Quand la danse eut duré quelque temps, Tamango, comme épuisé de fatigue, se coucha tout de son long au pied d'un matelot qui s'appuyait nonchalamment contre les plats-bords du navire ; tous les conjurés en firent autant. De la sorte, chaque matelot était entouré de plusieurs Noirs.

Tout à coup Tamango, qui venait doucement de rompre ses fers, pousse un grand cri, qui devait servir de signal, tire violemment par les jambes le matelot qui se trouvait près de lui, le culbute, et, lui mettant le pied sur le ventre, lui arrache son fusil, et s'en sert pour tuer l'officier de quart. En même temps, chaque matelot de garde est assailli, désarmé et aussitôt égorgé. De toutes parts, un cri de guerre s'élève. Le contremaître, qui avait la clef

---

* Chaque capitaine nègre a le sien.

des fers, succombe un des premiers. Alors une foule de Noirs inondent le tillac. Ceux qui ne peuvent trouver d'armes saisissent les barres du cabestan ou les rames de la chaloupe. Dès ce moment, l'équipage européen fut perdu. Cependant quelques matelots firent tête sur le gaillard d'arrière ; mais ils manquaient d'armes et de résolution. Ledoux était encore vivant et n'avait rien perdu de son courage. S'apercevant que Tamango était l'âme de la conjuration, il espéra que, s'il pouvait le tuer, il aurait bon marché de ses complices. Il s'élança donc à sa rencontre, le sabre à la main, en l'appelant à grands cris. Aussitôt Tamango se précipita sur lui. Il tenait un fusil par le bout du canon et s'en servait comme d'une massue. Les deux chefs se joignirent sur un des passavants[1], ce passage étroit qui communique du gaillard d'avant à l'arrière. Tamango frappa le premier. Par un léger mouvement de corps, le Blanc évita le coup. La crosse, tombant avec force sur les planches, se brisa, et le contrecoup fut si violent, que le fusil échappa des mains de Tamango. Il était sans défense, et Ledoux, avec un sourire de joie diabolique, levait le bras et allait le percer ; mais Tamango était aussi agile que les panthères de son pays. Il s'élança dans les bras de son adversaire, et lui saisit la main dont il tenait son sabre. L'un s'efforce de retenir son arme, l'autre de l'arracher. Dans cette lutte furieuse, ils tombent tous les deux ; mais l'Africain avait le dessous. Alors, sans se décourager, Tamango, étreignant son adversaire de toute sa force, le mordit à la gorge avec tant de violence, que le sang jaillit comme sous la dent d'un lion. Le sabre échappa de la main défaillante du capitaine. Tamango s'en saisit ; puis, se relevant, la bouche sanglante, et poussant un cri de triomphe, il perça de coups redoublés son ennemi déjà demi-mort.

La victoire n'était plus douteuse. Le peu de matelots qui restaient essayèrent d'implorer la pitié des révoltés ;

_____

1. Partie du pont supérieur, ou passerelle légère, servant de passage entre l'avant et l'arrière d'un navire. Sur les négriers, les passavants étaient fortifiés, débordant largement de chaque côté, munis de lames tranchantes, et devaient empêcher le passage des captifs en cas de révolte.

mais tous, jusqu'à l'interprète qui ne leur avait jamais
fait de mal, furent impitoyablement massacrés. Le lieutenant mourut avec gloire. Il s'était retiré à l'arrière,
auprès d'un de ces petits canons qui tournent sur un
pivot, et que l'on charge de mitraille. De la main gauche,
il dirigea la pièce, et, de la droite, armé d'un sabre, il
se défendit si bien qu'il attira autour de lui une foule de
Noirs. Alors, pressant la détente du canon, il fit au milieu
de cette masse serrée une large rue pavée de morts et
de mourants. Un instant après il fut mis en pièces.

Lorsque le cadavre du dernier Blanc, déchiqueté et
coupé par morceaux, eut été jeté à la mer, les Noirs,
rassasiés de vengeance, levèrent les yeux vers les voiles
du navire, qui, toujours enflées par un vent frais, semblaient
obéir encore à leurs oppresseurs et mener les vainqueurs,
malgré leur triomphe, vers la terre de l'esclavage.

« Rien n'est donc fait, pensèrent-ils avec tristesse ; et
ce grand fétiche[1] des Blancs voudra-t-il nous ramener
dans notre pays, nous qui avons versé le sang de ses
maîtres ? »

Quelques-uns dirent que Tamango saurait le faire obéir.
Aussitôt on appelle Tamango à grands cris.

Il ne se pressait pas de se montrer. On le trouva dans
la chambre de poupe[2], debout, une main appuyée sur le
sabre sanglant du capitaine ; l'autre, il la tendait d'un air
distrait à sa femme Ayché, qui la baisait à genoux devant
lui. La joie d'avoir vaincu ne diminuait pas une sombre
inquiétude qui se trahissait dans toute sa contenance.
Moins grossier que les autres, il sentait mieux la difficulté
de sa position.

Il parut enfin sur le tillac, affectant un calme qu'il
n'éprouvait pas. Pressé par cent voix confuses de diriger
la course du vaisseau, il s'approcha du gouvernail à pas

---

1. Les différentes phases de la manœuvre, ponctuées de coups de sifflet,
la boussole sans cesse consultée et le service de la barre, semblent confirmer
aux yeux des Noirs que le bateau est de nature magique et qu'il est l'objet
d'un culte ; voir le discours de Tamango p. 93 à propos des « grandes
maisons ». 2. L'arrière d'un navire, dans l'appartement du capitaine, également chambre des cartes.

lents, comme pour retarder un peu le moment qui allait, pour lui-même et pour les autres, décider de l'étendue de son pouvoir.

Dans tout le vaisseau, il n'y avait pas un Noir, si stupide qu'il fût, qui n'eût remarqué l'influence qu'une certaine roue et la boîte placée en face exerçaient sur les mouvements du navire; mais, dans ce mécanisme, il y avait toujours pour eux un grand mystère. Tamango examina la boussole pendant longtemps en remuant les lèvres, comme s'il lisait les caractères qu'il y voyait tracés; puis il portait la main à son front, et prenait l'attitude pensive d'un homme qui fait un calcul de tête. Tous les Noirs l'entouraient, la bouche béante, les yeux démesurément ouverts, suivant avec anxiété le moindre de ses gestes. Enfin, avec ce mélange de crainte et de confiance que l'ignorance donne, il imprima un violent mouvement à la roue du gouvernail.

Comme un généreux coursier qui se cabre sous l'éperon du cavalier imprudent, le beau brick *L'Espérance* bondit sur la vague à cette manœuvre inouïe. On eût dit qu'indigné il voulait s'engloutir avec son pilote ignorant. Le rapport nécessaire entre la direction des voiles et celle du gouvernail étant brusquement rompu, le vaisseau s'inclina avec tant de violence qu'on eût dit qu'il allait s'abîmer[1]. Ses longues vergues[2] plongèrent dans la mer. Plusieurs hommes furent renversés; quelques-uns tombèrent par-dessus le bord. Bientôt le vaisseau se releva fièrement contre la lame, comme pour lutter encore une fois avec la destruction. Le vent redoubla d'efforts, et tout d'un coup, avec un bruit horrible, tombèrent les deux mâts, cassés à quelques pieds du pont, couvrant le tillac de débris et comme d'un lourd filet de cordages.

Les Nègres épouvantés fuyaient sous les écoutilles en poussant des cris de terreur; mais, comme le vent ne trouvait plus de prise, le vaisseau se releva et se laissa doucement ballotter par les flots. Alors les plus hardis des Noirs remontèrent sur le tillac et le débarrassèrent

---

1. S'abîmer : être englouti. 2. Supports de bois, fixés à l'avant du mât, servant à porter la voile, qui débordent de part et d'autre du navire.

des débris qui l'obstruaient. Tamango restait immobile, le coude appuyé sur l'habitacle et se cachant le visage sur son bras replié. Ayché était auprès de lui, mais n'osait lui adresser la parole. Peu à peu les Noirs s'approchèrent; un murmure s'éleva, qui bientôt se changea en un orage de reproches et d'injures.

«Perfide! imposteur! s'écriaient-ils, c'est toi qui as causé tous nos maux, c'est toi qui nous as vendus aux Blancs, c'est toi qui nous as contraints de nous révolter contre eux. Tu nous avais vanté ton savoir, tu nous avais promis de nous ramener dans notre pays. Nous t'avons cru, insensés que nous étions! et voilà que nous avons manqué de périr tous parce que tu as offensé le fétiche des Blancs.»

Tamango releva fièrement la tête, et les Noirs qui l'entouraient reculèrent intimidés. Il ramassa deux fusils, fit signe à sa femme de le suivre, traversa la foule, qui s'ouvrit devant lui, et se dirigea vers l'avant du vaisseau. Là, il se fit comme un rempart avec des tonneaux vides et des planches; puis il s'assit au milieu de cette espèce de retranchement, d'où sortaient menaçantes les baïonnettes de ses deux fusils. On le laissa tranquille. Parmi les révoltés, les uns pleuraient; d'autres, levant les mains au ciel, invoquaient leurs fétiches et ceux des Blancs; ceux-ci, à genoux devant la boussole, dont ils admiraient le mouvement continuel, la suppliaient de les ramener dans leur pays; ceux-là se couchaient sur le tillac dans un morne abattement. Au milieu de ces désespérés, qu'on se représente des femmes et des enfants hurlant d'effroi, et une vingtaine de blessés implorant des secours que personne ne pensait à leur donner.

Tout à coup un Nègre paraît sur le tillac : son visage est radieux. Il annonce qu'il vient de découvrir l'endroit où les Blancs gardent leur eau-de-vie; sa joie et sa contenance prouvent assez qu'il vient d'en faire l'essai. Cette nouvelle suspend un instant les cris de ces malheureux. Ils courent à la cambuse[1] et se gorgent de

---

1. Local où l'on garde les aliments.

liqueur. Une heure après, on les eût vus sauter et rire sur le pont, se livrant à toutes les extravagances de l'ivresse la plus brutale. Leurs danses et leurs chants étaient accompagnés des gémissements et des sanglots des blessés. Ainsi se passa le reste du jour et toute la nuit.

Le matin, au réveil, nouveau désespoir. Pendant la nuit, un grand nombre de blessés[1] étaient morts. Le vaisseau flottait entouré de cadavres. La mer était grosse et le ciel brumeux. On tint conseil. Quelques apprentis dans l'art magique, qui n'avaient point osé parler de leur savoir-faire devant Tamango, offrirent tour à tour leurs services. On essaya plusieurs conjurations puissantes. À chaque tentative inutile, le découragement augmentait. Enfin on reparla de Tamango, qui n'était pas encore sorti de son retranchement. Après tout, c'était le plus savant d'entre eux, et lui seul pouvait les tirer de la situation horrible où il les avait placés. Un vieillard s'approcha de lui, porteur de propositions de paix. Il le pria de venir donner son avis ; mais Tamango, inflexible comme Coriolan, fut sourd à ses prières[2]. La nuit, au milieu du désordre, il avait fait sa provision de biscuits et de chair salée. Il paraissait déterminé à vivre seul dans sa retraite.

L'eau-de-vie restait. Au moins elle fait oublier et la mer, et l'esclavage, et la mort prochaine. On dort, on rêve de l'Afrique, on voit des forêts de gommiers[3], des cases couvertes en paille, des baobabs dont l'ombre couvre tout un village. L'orgie de la veille recommença. De la sorte se passèrent plusieurs jours. Crier, pleurer, s'arracher les cheveux, puis s'enivrer et dormir, telle était leur vie. Plusieurs moururent à force de boire ; quelques-uns se jetèrent à la mer, ou se poignardèrent.

---

1. Blessés : une *quarantaine* de blessés *(RP)*. 2. C. Marius Coriolanus, général romain, victorieux des Volsques en 490 av. J.-C., s'allia avec ses anciens ennemis pour se venger de ses concitoyens qui l'avaient banni. Assiégeant Rome, il resta sourd à leurs supplications, avant de céder aux prières de sa femme et de sa mère et d'accomplir son devoir. Shakespeare lui a consacré un drame, et de nombreux peintres l'ont représenté dans sa retraite hautaine, en particulier Fr. X. Dupré, auteur d'un *Coriolan*, grand prix de Rome en 1827, que Mérimée a dû connaître. La comparaison de Tamango avec Coriolan est ironique. 3. Acacias des pays chauds.

Un matin, Tamango sortit de son fort et s'avança jusqu'auprès du tronçon du grand mât.

« Esclaves, dit-il, l'Esprit m'est apparu en songe et m'a révélé les moyens de vous tirer d'ici pour vous ramener dans votre pays. Votre ingratitude mériterait que je vous abandonnasse ; mais j'ai pitié de ces femmes et de ces enfants qui crient. Je vous pardonne : écoutez-moi. »

Tous les Noirs baissèrent la tête avec respect et se serrèrent autour de lui.

« Les Blancs, poursuivit Tamango, connaissent seuls les paroles puissantes qui font remuer ces grandes maisons de bois ; mais nous pouvons diriger à notre gré ces barques légères qui ressemblent à celles de notre pays. »

Il montrait la chaloupe et les autres embarcations du brick.

« Remplissons-les de vivres, montons dedans, et ramons dans la direction du vent ; mon maître et le vôtre le fera souffler vers notre pays. »

On le crut. Jamais projet ne fut plus insensé. Ignorant l'usage de la boussole, et sous un ciel inconnu, il ne pouvait qu'errer à l'aventure. D'après ses idées, il s'imaginait qu'en ramant tout droit devant lui, il trouverait à la fin quelque terre habitée par les Noirs, car les Noirs possèdent la terre, et les Blancs vivent sur leurs vaisseaux. C'est ce qu'il avait entendu dire à sa mère[1].

Tout fut bientôt prêt pour l'embarquement, mais la chaloupe avec un canot seulement se trouva[2] en état de servir. C'était trop peu pour contenir environ quatre-vingts Nègres encore vivants. Il fallut abandonner tous les blessés et les malades. La plupart demandèrent qu'on les tuât avant de se séparer d'eux.

Les deux embarcations, mises à flot avec des peines infinies et chargées outre mesure, quittèrent le vaisseau par une mer clapoteuse, qui menaçait à chaque instant de

---

1. Mérimée a emprunté ce trait à l'ouvrage de G. Mollien, *Voyage dans l'intérieur de l'Afrique* (1820) : « Ces nègres croyaient que les Européens ne vivent que sur l'eau, qu'ils n'ont ni terre ni maison, ni bestiaux », I, p. 238. 2. Se trouva : correction de 1850, les éditions antérieures portent : se *trouvèrent*.

les engloutir. Le canot s'éloigna le premier. Tamango avec Ayché avait pris place dans la chaloupe qui, beaucoup plus lourde et plus chargée, demeurait considérablement en arrière. On entendait encore les cris plaintifs de quelques malheureux abandonnés à bord du brick, quand une vague assez forte prit la chaloupe en travers et l'emplit d'eau. En moins d'une minute, elle coula. Le canot vit leur désastre, et ses rameurs doublèrent d'efforts de peur d'avoir à recueillir quelques naufragés. Presque tous ceux qui montaient la chaloupe furent noyés. Une douzaine seulement put regagner le vaisseau. De ce nombre étaient Tamango et Ayché. Quand le soleil se coucha, ils virent disparaître le canot derrière l'horizon, mais ce qu'il devint, on l'ignore.

Pourquoi fatiguerais-je le lecteur par la description dégoûtante des tortures de la faim[1]. Vingt personnes environ sur un espace étroit, tantôt ballottées par une mer orageuse, tantôt brûlées par un soleil ardent, se disputent tous les jours les faibles restes de leurs provisions. Chaque morceau de biscuit coûte un combat, et le faible meurt, non parce que le fort le tue, mais parce qu'il le laisse mourir. Au bout de quelques jours, il ne resta plus de vivant à bord du brick *L'Espérance* que Tamango et Ayché.

. . . .

Une nuit, la mer était agitée, le vent soufflait avec violence, et l'obscurité était si grande, que de la poupe on ne pouvait voir la proue du navire. Ayché était couchée sur un matelas dans la chambre du capitaine, et Tamango était assis à ses pieds. Tous les deux gardaient le silence depuis longtemps.

« Tamango, s'écria enfin Ayché, tout ce que tu souffres, tu le souffres à cause de moi...

– Je ne souffre pas », répondit-il brusquement. Et il

---

1. Mérimée renvoyait implicitement au fameux tableau de Géricault, *Le Radeau de la « Méduse »* qui, exposé au Salon de 1819 sous le titre laconique de « Scène d'un naufrage », fit scandale autant parce qu'il évoquait un drame honteux que pour sa « description dégoûtante ». Le tableau fut acquis par le Louvre en 1825.

jeta sur le matelas, à côté de sa femme, la moitié d'un biscuit qui lui restait.

« Garde-le pour toi, dit-elle en repoussant doucement le biscuit ; je n'ai plus faim. D'ailleurs, pourquoi manger ? Mon heure n'est-elle pas venue ? »

Tamango se leva sans répondre, monta en chancelant sur le tillac et s'assit au pied d'un mât rompu. La tête penchée sur sa poitrine, il sifflait l'air de sa famille. Tout à coup un grand cri se fit entendre au-dessus du bruit du vent et de la mer ; une lumière parut. Il entendit d'autres cris, et un gros vaisseau noir glissa rapidement auprès du sien ; si près, que les vergues passèrent au-dessus de sa tête. Il ne vit que deux figures éclairées par une lanterne suspendue à un mât. Ces gens poussèrent encore un cri, et aussitôt leur navire, emporté par le vent, disparut dans l'obscurité. Sans doute les hommes de garde avaient aperçu le vaisseau naufragé ; mais le gros temps les empêchait de virer de bord. Un instant après, Tamango vit la flamme d'un canon et entendit le bruit de l'explosion ; puis il vit la flamme d'un autre canon, mais il n'entendit aucun bruit ; puis il ne vit plus rien. Le lendemain, pas une voile ne paraissait à l'horizon. Tamango se recoucha sur son matelas et ferma les yeux. Sa femme Ayché était morte cette nuit-là.

. . . .
. . . .

Je ne sais combien de temps après, une frégate anglaise, la *Bellone*, aperçut un bâtiment démâté[1] et en apparence abandonné de son équipage. Une chaloupe, l'ayant abordé, y trouva une Négresse morte et un Nègre si décharné et si maigre, qu'il ressemblait à une momie. Il était sans connaissance, mais avait encore un souffle de vie. Le chirurgien s'en empara, lui donna des soins, et quand la *Bellone* aborda à Kingston[2], Tamango était en parfaite santé. On lui demanda son histoire. Il dit ce qu'il en savait. Les planteurs de l'île voulaient qu'on le pendît comme un Nègre rebelle ; mais le gouverneur, qui était

---

1. Bâtiment : aperçut *la carcasse* d'un bâtiment démâté (*RP*). 2. Capitale et port principal de la Jamaïque.

un homme humain[1], s'intéressa à lui, trouvant son cas justifiable, puisque, après tout, il n'avait fait qu'user du droit légitime de défense et puis ceux qu'il avait tués n'étaient que des Français[2]. On le traita comme on traite les Nègres pris à bord d'un vaisseau négrier que l'on confisque. On lui donna la liberté, c'est-à-dire qu'on le fit travailler pour le gouvernement ; mais il avait six sous par jour et la nourriture. C'était un fort bel homme. Le colonel du 75e le vit[3] et le prit pour en faire un cymbalier dans la musique de son régiment[4]. Il apprit un peu d'anglais ; mais il ne parlait guère. En revanche, il buvait avec excès du rhum et du tafia[5]. – Il mourut à l'hôpital d'une inflammation de poitrine.

1829.

---

1. Comme l'interprète au début du récit, le gouverneur manifeste son humanité en grâciant Tamango. Dans son contexte, toutefois, l'expression est ironique, et montre que cette humanité est toute relative. 2. Des Français : c'est aussi la remarque de l'adjudant corse dans *Mateo Falcone*. La xénophobie est universellement partagée. 3. Numéro d'un régiment. 4. Militaire chargé de frapper les cymbales ; ces disques de cuivre servant à marquer le pas conviennent, selon le colonel, à la prestance clinquante et primitive de Tamango. 5. Ou ratafia : alcool tiré des mélasses de canne à sucre ; le rhum, de qualité supérieure, est une eau-de-vie de canne.

V

FEDERIGO*
(1829)

Il y avait une fois un jeune seigneur nommé Federigo,
beau, bien fait, courtois et débonnaire[1], mais de mœurs
fort dissolues[2], car il aimait avec excès le jeu, le vin et
les femmes, surtout le jeu ; n'allait jamais à confesse, et
ne hantait les églises que pour y chercher des occasions
de péché. Or, il advint que Federigo, après avoir ruiné
au jeu douze fils de famille (qui se firent ensuite malan-
drins[3] et périrent sans confession[4] dans un combat acharné
avec les condottieri[5] du roi), perdit lui-même, en moins
de rien, tout ce qu'il avait gagné, et, de plus, tout son
patrimoine, sauf un petit manoir, où il alla cacher sa
misère derrière les collines de Cava[6].

Trois ans s'étaient écoulés depuis qu'il vivait dans la
solitude, chassant le jour et faisant, le soir, sa partie

* Ce conte est populaire dans le royaume de Naples. On y remarque, ainsi
que dans beaucoup d'autres nouvelles originaires de la même contrée, un
mélange bizarre de la mythologie grecque avec les croyances du christia-
nisme [*et une peinture de la vie prise à la fin du Moyen Âge* (RP)] ; il
paraît avoir été composé vers la fin du Moyen Âge.

1. Au sens ancien, de bonne race, généreux. 2. Libertin, débauché. 3. Brigands, bandits de grands chemins. 4. Morts sans confession, donc en état
de péché mortel, et voués à l'enfer. 5. Général levant des troupes merce-
naires ; Mérimée emploie ce terme dans le sens impropre de soldats, pour
sa couleur italienne. 6. Petite ville proche de Salerne dans le royaume de
Naples, siège d'une célèbre abbaye bénédictine.

d'hombre[1] avec le métayer. Un jour qu'il venait de rentrer
au logis après une chasse, la plus heureuse qu'il eût
encore faite, Jésus-Christ, suivi des saints apôtres, vint
frapper à sa porte et lui demander l'hospitalité. Federigo,
qui avait l'âme généreuse, fut charmé de voir arriver des
convives en un jour où il avait amplement de quoi les
régaler[2]. Il fit donc entrer les pèlerins dans sa case[3], leur
offrit de la meilleure grâce du monde la table et le
couvert, et les pria de l'excuser s'il ne les traitait pas
selon leur mérite, se trouvant pris au dépourvu. Notre-
Seigneur, qui savait à quoi s'en tenir sur l'opportunité de
sa visite, pardonna à Federigo ce petit trait de vanité en
faveur de ses dispositions hospitalières.

« Nous nous contenterons de ce que vous avez, lui
dit-il, mais faites apprêter votre souper le plus promptement
possible, vu qu'il est tard, et que celui-ci a grand-faim »,
ajouta-t-il en montrant saint Pierre.

Federigo ne se le fit pas répéter, et, voulant offrir à
ses hôtes quelque chose de plus que le produit de sa
chasse, il ordonna au métayer de faire main basse sur
son dernier chevreau, qui fut incontinent mis à la broche.

Lorsque le souper fut prêt et la compagnie à table,
Federigo n'avait qu'un regret, c'était que son vin ne fût
pas meilleur.

« Sire, dit-il à Jésus-Christ :

Sire, je voudrais bien que mon vin fût meilleur ;
Néanmoins, tel qu'il est, je l'offre de grand cœur[4]. »

Sur quoi, Notre-Seigneur ayant goûté le vin[5] :
« De quoi vous plaignez-vous ? dit-il à Federigo ; votre
vin est parfait ; je m'en rapporte à cet homme » (désignant
du doigt l'apôtre saint Pierre).

---

1. Jeu de cartes d'origine espagnole, qui se joue avec un jeu réduit à quarante cartes, en enlevant les 8, les 9 et les 10. **2.** Offrir un bon repas.
3. Italianisme : *casa*, maison. **4.** On a rapproché ces vers de ceux de Baour
Lormian : « Ce pain, ce lait, ces fruits sont peu de chose, / Mais ce que
j'ai, je l'offre de grand cœur. » *Légendes, Ballades et Fabliaux*, Paris, 1829,
I, p. 208. **5.** Le Christ répète pour Federigo le miracle des noces de Cana.

Saint Pierre, l'ayant savouré, le déclara excellent *(proprio stupendo[1])*, et pria son hôte de boire avec lui.

Federigo, qui prenait tout cela pour de la politesse, fit néanmoins raison à l'apôtre ; mais quelle fut sa surprise en trouvant ce vin plus délicieux qu'aucun de ceux qu'il eût jamais goûtés au temps de sa plus grande fortune ! Reconnaissant à ce miracle la présence du Sauveur, il se leva aussitôt comme indigne de manger en si sainte compagnie ; mais Notre-Seigneur lui ordonna de se rasseoir : ce qu'il fit sans trop de façons. Après le souper, durant lequel ils furent servis par le métayer et sa femme, Jésus-Christ se retira avec les apôtres dans l'appartement qui leur avait été préparé. Pour Federigo, demeuré seul avec le métayer, il fit sa partie d'hombre comme à l'ordinaire, en buvant ce qui restait du vin miraculeux.

Le jour suivant, les saints voyageurs étant réunis dans la salle basse avec le maître du logis, Jésus-Christ dit à Federigo :

« Nous sommes très contents de l'accueil que tu nous as fait, et voulons t'en récompenser. Demande-nous trois grâces à ton choix, et elles te seront accordées ; car toute puissance nous a été donnée au ciel, sur la terre et dans les enfers. »

Lors Federigo tirant de sa poche le jeu de cartes qu'il portait toujours sur lui :

« Maître, dit-il, faites que je gagne infailliblement toutes les fois que je jouerai avec ces cartes.

— Ainsi soit-il ! » dit Jésus-Christ *(Ti sia concesso[2])*.

Mais saint Pierre, qui était auprès de Federigo, lui disait à voix basse :

« À quoi penses-tu, malheureux pécheur ? tu devais demander au maître le salut de ton âme.

— Je m'en inquiète peu, répondit Federigo.

— Tu as encore deux grâces à obtenir, dit Jésus-Christ.

— Maître, poursuivit l'hôte, puisque vous avez tant de bonté, faites, s'il vous plaît, que quiconque montera dans

---

1. *Proprio stupendo* : vraiment admirable. **2.** *Ti sia concesso* : que te soit accordé.

l'oranger qui ombrage ma porte, n'en puisse descendre sans ma permission.

– Ainsi soit-il ! » dit Jésus-Christ.

À ces mots, l'apôtre saint Pierre, donnant un grand coup de coude à son voisin :

« Malheureux pécheur, lui dit-il, ne crains-tu pas l'enfer réservé à tes méfaits ? Demande donc au maître une place dans son saint paradis ; il en est encore temps...

– Rien ne presse », repartit Federigo en s'éloignant de l'apôtre ; et Notre-Seigneur ayant dit :

« Que souhaites-tu pour troisième grâce ?

– Je souhaite, répondit-il, que quiconque s'assiéra sur cet escabeau, au coin de ma cheminée, ne puisse s'en relever qu'avec mon congé. »

Notre-Seigneur, ayant exaucé ce vœu comme les deux premiers, partit avec ses disciples.

Le dernier apôtre ne fut pas plus tôt hors du logis, que Federigo, voulant éprouver la vertu de ses cartes, appela son métayer, et fit une partie d'hombre avec lui sans regarder son jeu. Il la gagna d'emblée, ainsi qu'une seconde et une troisième. Sûr alors de son fait, il partit pour la ville, et descendit dans la meilleure hôtellerie, dont il loua le plus bel appartement. Le bruit de son arrivée s'étant aussitôt répandu, ses anciens compagnons de débauche vinrent en foule lui rendre visite.

« Nous te croyions perdu pour jamais, s'écria don Giuseppe ; on assurait que tu t'étais fait ermite.

– Et l'on avait raison, répondit Federigo.

– À quoi diable as-tu passé ton temps depuis trois ans qu'on ne te voit plus ? demandèrent à la fois tous les autres.

– En prières, mes très chers frères, repartit Federigo d'un ton dévot ; et voici mes *Heures*[1] », ajouta-t-il en tirant de sa poche le paquet de cartes qu'il avait précieusement conservé.

Cette réponse excita un rire général, et chacun demeura convaincu que Federigo avait réparé sa fortune en pays

---

1. Livre d'Heures, recueil de dévotion renfermant les prières de l'office divin.

étranger aux dépens de joueurs moins habiles que ceux avec lesquels il se retrouvait alors, et qui brûlaient de le ruiner pour la seconde fois. Quelques-uns voulaient, sans plus attendre, l'entraîner à une table de jeu ; mais Federigo, les ayant priés de remettre la partie au soir, fit passer la compagnie dans une salle où l'on avait servi, par son ordre, un repas délicat, qui fut parfaitement accueilli.

Ce dîner fut plus gai que le souper des apôtres : il est vrai qu'on n'y but que du malvoisie[1] et du lacryma[2] ; mais les convives, excepté un, ne connaissaient pas de meilleur vin.

Avant l'arrivée de ses hôtes, Federigo s'était muni d'un jeu de cartes parfaitement semblable au premier, afin de pouvoir, au besoin, le substituer à l'autre, et, en perdant une partie sur trois ou quatre, écarter tout soupçon de l'esprit de ses adversaires. Il avait mis[3] l'un à sa droite et l'autre à sa gauche.

Lorsqu'on eut dîné, la noble bande étant assise autour d'un tapis vert, Federigo mit d'abord sur table les cartes profanes, et fixa les enjeux à une somme raisonnable pour toute la durée de la séance. Voulant alors se donner l'intérêt du jeu, et connaître la mesure de sa force, il joua de son mieux les deux premières parties, et les perdit l'une et l'autre, non sans un dépit secret. Il fit ensuite apporter du vin, et profita du moment où les gagnants buvaient à leurs succès passés et futurs, pour reprendre d'une main les cartes profanes et les remplacer de l'autre par les bénites.

Quand la troisième partie fut commencée, Federigo, ne donnant plus aucune attention à son jeu, eut le loisir d'observer celui des autres, et le trouva déloyal[4]. Cette découverte lui fit grand plaisir. Il pouvait dès lors vider en conscience les bourses de ses adversaires. Sa ruine avait été l'ouvrage de leur fraude, non de leur bien jouer ou de leur fortune[5]. Il pouvait donc concevoir une meilleure

---

1. Vin grec liquoreux. **2.** Ou *lacryma Christi* : littéralement « larme du Christ », vin muscat du sud de l'Italie ; le plus fameux provient des pentes du Vésuve. **3.** Avait mis : *il portait* l'un à droite *(RP)*. **4.** Euphémisme : les autres joueurs trichent. **5.** Fortune est pris ici au sens de hasard du jeu.

opinion de sa force relative, opinion justifiée par des succès antérieurs. L'estime de soi (car à quoi ne s'accroche-t-elle pas ?), la certitude de la vengeance et celle du gain, sont trois sentiments bien doux au cœur de l'homme. Federigo les éprouva tous à la fois ; mais songeant à sa fortune passée, il se rappela les douze fils de famille aux dépens desquels il s'était enrichi ; et, persuadé que ces jeunes gens étaient les seuls honnêtes joueurs auxquels il eût jamais eu affaire, il se repentit, pour la première fois, des victoires remportées sur eux. Un nuage sombre succéda sur son visage aux rayons de la joie qui perçait, et il poussa un profond soupir en gagnant la troisième partie.

Elle fut suivie de plusieurs autres, dont Federigo s'arrangea pour gagner le plus grand nombre, en sorte qu'il recueillit dans cette première soirée de quoi payer son dîner et un mois du loyer de son appartement. C'était tout ce qu'il voulait pour ce jour-là. Ses compagnons désappointés promirent, en le quittant, de revenir le lendemain.

Le lendemain et les jours suivants, Federigo sut gagner et perdre si à propos, qu'il acquit en peu de temps une fortune considérable, sans que personne en soupçonnât la véritable cause. Alors, il quitta son hôtel pour aller habiter un grand palais où il donnait de temps à autre des fêtes magnifiques. Les plus belles femmes se disputaient un de ses regards ; les vins les plus exquis couvraient tous les jours sa table, et le palais de Federigo était réputé le centre des plaisirs.

Au bout d'un an de jeu discret, il résolut de rendre sa vengeance complète, en mettant à sec les principaux seigneurs du pays. À cet effet, ayant converti en pierreries la plus grande partie de son or, il les invita huit jours d'avance à une fête extraordinaire pour laquelle il mit en réquisition les meilleurs musiciens, baladins, etc., et qui devait se terminer par un jeu des mieux nourris. Ceux qui manquaient d'argent en extorquèrent aux juifs[1] ; les

---

1. Qui exercent le métier de prêteurs sur gages.

autres apportèrent ce qu'ils avaient, et tout fut raflé. Federigo partit dans la nuit avec son or et ses diamants.

De ce moment, il se fit une règle de ne jouer à coup sûr qu'avec les joueurs de mauvaise foi, se trouvant assez fort pour se tirer d'affaire avec les autres. Il parcourut ainsi toutes les villes de la terre, jouant partout, gagnant toujours, et consommant en chaque lieu ce que le pays produisait de plus excellent.

Cependant, le souvenir de ses douze victimes se présentait sans cesse à son esprit et empoisonnait toutes ses joies. Enfin, il résolut un beau jour de les délivrer ou de se perdre avec elles.

Cette résolution prise, il partit pour les enfers un bâton à la main et un sac sur le dos, sans autre escorte que sa levrette favorite, qui s'appelait Marchesella[1]. Arrivé en Sicile, il gravit le mont Gibel[2], et descendit ensuite dans le volcan, autant au-dessous du pied de la montagne que la montagne elle-même s'élève au-dessus de Piamonte[3]. De là, pour aller chez Pluton, il faut traverser une cour gardée par Cerbère[4]. Federigo la franchit sans difficulté, pendant que Cerbère faisait fête à sa levrette[5], et vint frapper à la porte de Pluton[6].

Lorsqu'on l'eut conduit en sa présence :

«Qui es-tu? lui demanda le roi de l'abîme.

— Je suis le joueur Federigo.

— Que diable viens-tu faire ici?

— Pluton, répondit Federigo, si tu estimes que le premier joueur de la terre soit digne de faire ta partie d'hombre, voici ce que je te propose : nous jouerons autant de parties que tu voudras; que j'en perde une seule, et mon âme te sera légitimement acquise, avec toutes celles qui

---

1. *Marchesella*, petite marquise, nom de la levrette. 2. Ancien nom de l'Etna. 3. Piamonte : *Piemonte (RP)*. Les Enfers passent pour être à une profondeur (mesurée du pied du volcan) égale à la hauteur du volcan depuis Piamonte, soit environ trois mille mètres. On rapprochera ce passage des vers de Virgile : «Le gouffre du Tartare s'enfonce sous terre deux fois autant que s'élève le ciel quand on dirige son regard vers l'Olympe», *Énéide*, VI, v. 577-579. 4. Chien monstrueux à trois têtes, gardien des Enfers. 5. Faisait fête : *s'amusait avec sa levrette (RP)*. 6. Dieu de la mort dans la mythologie romaine.

peuplent tes états ; mais, si je gagne, j'aurai le droit d'en choisir une parmi tes sujettes, pour chaque partie que j'aurai gagnée, et de l'emporter avec moi.

— Soit, dit Pluton ; et il demanda un paquet de cartes.

— En voici un », dit aussitôt Federigo en tirant de sa poche le jeu miraculeux, et ils commencèrent à jouer.

Federigo gagna une première partie, et demanda à Pluton l'âme de Stefano Pagani, l'un des douze qu'il voulait sauver. Elle lui fut aussitôt livrée ; et, l'ayant reçue, il la mit dans son sac. Il gagna de même une seconde puis une troisième, et jusqu'à douze, se faisant livrer à chaque fois et mettant dans son sac une des âmes auxquelles il s'intéressait. Lorsqu'il eut complété la douzaine, il offrit à Pluton de continuer.

« Volontiers, dit Pluton (qui pourtant s'ennuyait de perdre) ; mais sortons un instant ; je ne sais quelle odeur fétide vient de se répandre ici. »

Or il cherchait un prétexte pour se débarrasser de Federigo ; car à peine celui-ci était-il dehors avec son sac et ses âmes, que Pluton cria de toutes ses forces qu'on fermât la porte sur lui.

Federigo, ayant de nouveau traversé la cour des enfers, sans que Cerbère y prît garde, tant il était charmé de sa levrette, regagna péniblement la cime du mont Gibel. Il appela ensuite Marchesella, qui ne tarda pas à le rejoindre, et redescendit vers Messine, plus joyeux de sa conquête spirituelle qu'il ne l'avait jamais été d'aucun succès mondain. Arrivé à Messine, il s'y embarqua pour retourner en terre ferme[1] et terminer sa carrière dans son antique manoir.

. . . .

(À quelques mois de là, Marchesella mit bas une portée de petits monstres, dont quelques-uns avaient jusqu'à trois têtes. On les jeta tous à l'eau.)

. . . .

Au bout de trente ans (Federigo en avait alors soixante-

---

1. Expression désignant le continent par rapport à l'île de Sicile.

dix), la Mort entra chez lui, et l'avertit de mettre sa conscience en règle, parce que son heure était venue.

« Je suis prêt, dit le moribond ; mais avant de m'enlever, ô Mort, donne-moi, je te prie, un fruit de l'arbre qui ombrage ma porte. Encore ce petit plaisir, et je mourrai content.

– S'il ne te faut que cela, dit la Mort, je veux bien te satisfaire » ; et elle monta dans l'oranger pour cueillir une orange. Mais, lorsqu'elle voulut descendre, elle ne le put pas : Federigo s'y opposait.

« Ah ! Federigo, tu m'as trompée, s'écria-t-elle ; je suis maintenant en ta puissance ; mais rends-moi la liberté, et je te promets dix ans de vie.

– Dix ans ! voilà grand-chose ! dit Federigo. Si tu veux descendre, ma mie, il faut être plus libérale.

– Je t'en donnerai vingt.

– Tu te moques !

– Je t'en donnerai trente.

– Tu n'es pas tout à fait au tiers.

– Tu veux donc vivre un siècle ?

– Tout autant, ma chère.

– Federigo, tu n'es pas raisonnable.

– Que veux-tu ! j'aime à vivre.

– Allons, va pour cent ans, dit la Mort, il faut bien en passer par là », et elle put aussitôt descendre.

Dès qu'elle fut partie, Federigo se leva dans un état de santé parfaite, et commença une nouvelle vie avec la force d'un jeune homme et l'expérience d'un vieillard. Tout ce que l'on sait de cette nouvelle existence est qu'il continua à satisfaire curieusement toutes ses passions, et particulièrement ses appétits charnels, faisant un peu de bien quand l'occasion s'en présentait, mais sans plus songer à son salut que pendant sa première vie.

Les cent ans révolus, la Mort vint de nouveau frapper à sa porte, et le trouva dans son lit.

« Es-tu prêt ? lui dit-elle.

– J'ai envoyé chercher mon confesseur, répondit Federigo ; assieds-toi près du feu jusqu'à ce qu'il vienne. Je n'attends que l'absolution pour m'élancer avec toi dans l'éternité. »

La Mort, qui était une bonne personne, alla s'asseoir sur l'escabeau, et attendit une heure entière sans voir arriver le prêtre. Commençant enfin à s'ennuyer, elle dit à son hôte :

« Vieillard, pour la seconde fois, n'as-tu pas eu le temps de te mettre en règle, depuis un siècle que nous ne nous sommes vus ?

— J'avais, par ma foi, bien autre chose à faire, dit le vieillard avec un sourire moqueur.

— Eh bien ! reprit la Mort indignée de son impiété, tu n'as plus une minute à vivre.

— Bah ! dit Federigo, tandis qu'elle cherchait en vain à se lever, je sais par expérience que tu es trop accommodante pour ne pas m'accorder encore quelques années de répit.

— Quelques années, misérable ! (et elle faisait d'inutiles efforts pour sortir de la cheminée[1].)

— Oui, sans doute ; mais, cette fois-ci, je ne serai point exigeant, et, comme je ne tiens plus à la vieillesse, je me contenterai de quarante ans pour ma troisième course. »

La Mort vit bien qu'elle était retenue sur l'escabeau, comme autrefois sur l'oranger, par une puissance surnaturelle ; mais, dans sa fureur, elle ne voulait rien accorder.

« Je sais un moyen de te rendre raisonnable », dit Federigo. Et il fit jeter trois fagots sur le feu. La flamme eut, en un moment, rempli la cheminée[2], en sorte que la Mort était au supplice.

« Grâce ! grâce ! s'écria-t-elle en sentant brûler ses vieux os ; je te promets quarante ans de santé. »

À ces mots, Federigo dénoua le charme, et la Mort s'enfuit, à demi rôtie.

Au bout du terme, elle revint chercher son hôte, qui l'attendait de pied ferme, un sac sur le dos.

« Pour le coup, ton heure est venue, lui dit-elle en

---

1. Sortir de la cheminée : la Mort est assise sous le manteau de la cheminée, à l'abri duquel se trouve l'escabeau. 2. Rempli la cheminée : rempli *toute* la cheminée *(RP)*.

entrant brusquement ; il n'y a plus à reculer. Mais que veux-tu faire de ce sac ?

— Il contient les âmes de douze joueurs de mes amis, que j'ai autrefois délivrés de l'enfer.

— Qu'ils y rentrent avec toi ! » dit la Mort ; et, saisissant Federigo par les cheveux, elle s'élança dans les airs, vola vers le Midi, et s'enfonça avec sa proie dans les gouffres du mont Gibel. Arrivée aux portes de l'enfer, elle frappa trois coups.

« Qui est là ? dit Pluton.

— Federigo le joueur, répondit la Mort.

— N'ouvrez pas, s'écria Pluton, qui se rappela aussitôt les douze parties qu'il avait perdues ; ce coquin-là dépeuplerait mon empire. »

Pluton refusant d'ouvrir, la Mort transporta son prisonnier aux portes du purgatoire ; mais l'ange de garde lui en interdit l'entrée, ayant reconnu qu'il se trouvait en état de péché mortel. Il fallut donc à toute force, et au grand regret de la Mort, qui en voulait à Federigo, diriger le convoi vers les régions célestes.

« Qui es-tu ? dit saint Pierre à Federigo, quand la Mort l'eut déposé à l'entrée du paradis.

— Votre ancien hôte, répondit-il, celui qui vous régala jadis du produit de sa chasse.

— Oses-tu bien te présenter ici dans l'état où je te vois ? s'écria saint Pierre. Ne sais-tu pas que le ciel est fermé à tes pareils ? Quoi ! tu n'es pas même digne du purgatoire, et tu veux une place dans le paradis !

— Saint Pierre, dit Federigo, est-ce ainsi que je vous reçus quand vous vîntes avec votre divin maître, il y a environ cent quatre-vingts ans, me demander l'hospitalité ?

— Tout cela est bel et bon, repartit saint Pierre d'un ton grondeur, quoique attendri ; mais je ne puis prendre sur moi de te laisser entrer. Je vais informer Jésus-Christ de ton arrivée ; nous verrons ce qu'il dira. »

Notre-Seigneur, étant averti, vint à la porte du paradis, où il trouva Federigo à genoux sur le seuil, avec ses douze âmes, six de chaque côté. Lors, se laissant toucher de compassion :

« Passe encore pour toi, dit-il à Federigo ; mais ces douze âmes que l'enfer réclame, je ne saurais en conscience les laisser entrer.

— Eh quoi ! Seigneur, dit Federigo, lorsque j'eus l'honneur de vous recevoir dans ma maison, n'étiez-vous pas accompagné de douze voyageurs que j'accueillis, ainsi que vous, du mieux qu'il me fut possible ?

— Il n'y a pas moyen de résister à cet homme, dit Jésus-Christ : entrez donc, puisque vous voilà ; mais ne vous vantez pas de la grâce que je vous fais ; elle serait de mauvais exemple. »

VI

LE VASE ÉTRUSQUE

Auguste Saint-Clair n'était point aimé dans ce qu'on appelle le monde[1] ; la principale raison, c'est qu'il ne cherchait à plaire qu'aux gens[2] qui lui plaisaient à lui-même[3]. Il recherchait les uns et fuyait les autres. D'ailleurs il était distrait et indolent. Un soir, comme il sortait du Théâtre-Italien, la marquise A*** lui demanda comment avait chanté Mlle Sontag[4]. « Oui, madame », répondit Saint-Clair en souriant agréablement, et pensant à tout autre chose. On ne pouvait attribuer cette réponse ridicule à la timidité ; car il parlait à un grand seigneur, à un grand homme, et même à une femme à la mode, avec autant d'aplomb que s'il eût entretenu son égal. – La marquise décida que Saint-Clair était un prodige d'impertinence et de fatuité.

Mme B*** l'invita à dîner un lundi. Elle lui parla souvent ; et, en sortant de chez elle, il déclara que jamais il n'avait rencontré de femme plus aimable. Mme B*** amassait de l'esprit chez les autres pendant un mois, et le dépensait chez elle en une soirée. Saint-Clair la revit le jeudi de la même semaine. Cette fois, il s'ennuya

---

1. La haute société, les salons aristocratiques du faubourg Saint-Germain ; Saint-Clair fréquente surtout ses amis *dandies* dans les lieux à la mode : les cafés des Boulevards. 2. Gens : aux *personnes* (RP, 1833). 3. *La société se divisait en aimables et en ennuyeux.* Il *(RP)*. 4. Henriette Sontag (1806-1854) : célèbre cantatrice d'origine allemande, elle chanta à Paris en 1826. Théophile Gautier lui consacra une biographie, *L'Ambassadrice, vie de la comtesse Rossi*, Paris, 1850.

quelque peu. Une autre visite le détermina à ne plus
reparaître dans son salon. Mme B*** publia que Saint-
Clair était un jeune homme sans manières et du plus
mauvais ton.

Il était né avec un cœur tendre et aimant ; mais, à un
âge où l'on prend trop facilement des impressions qui
durent toute la vie, sa sensibilité trop expansive[1] lui avait
attiré les railleries de ses camarades. Il était fier, ambitieux ;
il tenait à l'opinion comme y tiennent les enfants. Dès
lors, il se fit une étude de cacher[2] tous les dehors de ce
qu'il regardait comme une faiblesse déshonorante[3]. Il
atteignit son but ; mais sa victoire lui coûta cher. Il put
celer[4] aux autres les émotions de son âme trop tendre ;
mais, en les renfermant en lui-même, il se les rendit cent
fois plus cruelles. Dans le monde, il obtint la triste
réputation d'insensible et d'insouciant ; et, dans la solitude,
son imagination inquiète lui créait des tourments d'autant
plus affreux qu'il n'aurait voulu en confier le secret à
personne.

Il est vrai qu'il est difficile de trouver un ami !

« Difficile ! Est-ce possible ? Deux hommes ont-ils existé
qui n'eussent pas de secret l'un pour l'autre ? » Saint-Clair
ne croyait guère à l'amitié, et l'on s'en apercevait. On
le trouvait froid et réservé avec les jeunes gens de la
société. Jamais il ne les questionnait sur leurs secrets ;
mais toutes ses pensées et la plupart de ses actions étaient
des mystères pour eux. Les Français aiment à parler
d'eux-mêmes ; aussi Saint-Clair était-il, malgré lui, le
dépositaire de bien des confidences. Ses amis, et ce mot
désigne les personnes que nous voyons deux fois par
semaine, se plaignaient de sa méfiance à leur égard ; en
effet, celui qui, sans qu'on l'interroge, nous fait part de
son secret, s'offense ordinairement de ne pas apprendre

---

1. Saint-Clair est d'une sensibilité trop expansive, tout comme Roger, dans
La partie de trictrac, qui est d'une « sensibilité romanesque ». **2.** Cacher :
correction de 1850 ; les éditions antérieures portent : *de supprimer*. **3.** Déshonorante : de ce qu'il *se reprochait* comme *un vice (RP)*. **4.** Celer : correction de 1850 ; les éditions antérieures portent : *cacher*.

le nôtre. On s'imagine qu'il doit y avoir réciprocité dans l'indiscrétion.

« Il est boutonné jusqu'au menton[1], disait un jour le beau chef d'escadrons[2] Alphonse de Thémines ; jamais je ne pourrai avoir la moindre confiance dans ce diable de Saint-Clair.

– Je le crois un peu jésuite[3], reprit Jules Lambert ; quelqu'un m'a juré sa parole qu'il l'avait rencontré deux fois sortant de Saint-Sulpice[4]. Personne ne sait ce qu'il pense. Pour moi, je ne pourrai jamais être à mon aise avec lui. »

Ils se séparèrent. Alphonse rencontra Saint-Clair sur le boulevard Italien[5], marchant la tête baissée et sans voir personne. Alphonse l'arrêta, lui prit le bras, et, avant qu'ils fussent arrivés à la rue de la Paix[6], il lui avait raconté toute l'histoire de ses amours avec Mme ***, dont le mari est si jaloux et si brutal.

Le même soir[7], Jules Lambert perdit son argent à l'écarté[8]. Il se mit à danser. En dansant, il coudoya un homme qui, ayant aussi perdu tout son argent, était de fort mauvaise humeur. De là quelques mots piquants : rendez-vous fut pris[9]. Jules pria Saint-Clair de lui servir de second et, par la même occasion, lui emprunta de l'argent, qu'il a toujours oublié de lui rendre.

Après tout, Saint-Clair était un homme assez facile à vivre. Ses défauts ne nuisaient qu'à lui seul. Il était obligeant, souvent aimable, rarement ennuyeux. Il avait beaucoup voyagé, beaucoup lu, et ne parlait de ses voyages et de ses lectures que lorsqu'on l'exigeait. D'ailleurs, il était grand, bien fait ; sa physionomie était noble et

---

1. Boutonné : secret, qui ne laisse pas pénétrer sa pensée. 2. Officier de cavalerie. 3. Pris dans le sens d'hypocrite, habile à jouer de la restriction de conscience, que lui a donné Pascal. Mais la discrétion excessive de Saint-Clair fait qu'on le soupçonne aussi d'être un dévot et d'appartenir au parti ultra-catholique. 4. Église de Paris et important séminaire. 5. Boulevard Italien ou boulevard des Italiens : un des lieux à la mode vers 1830. 6. Rue élégante près des Boulevards. 7. Même soir : correction de 1850 ; les éditions antérieures portent : *Le soir.* 8. Jeu de cartes qui se joue à deux, où les joueurs ont la possibilité d'*écarter*, de rejeter les cartes qui ne leur conviennent pas. 9. Litote d'homme du monde : il s'agit d'un duel.

spirituelle, presque toujours trop grave ; mais son sourire était plein de grâce.

J'oubliais un point important. Saint-Clair était attentif auprès de toutes les femmes[1], et recherchait leur conversation plus que celle des hommes. Aimait-il ? C'est ce qu'il était difficile de décider. Seulement, si cet être si froid ressentait de l'amour, on savait que la jolie comtesse Mathilde[2] de Coursy devait être l'objet de sa préférence. C'était une jeune veuve chez laquelle on le voyait assidu. Pour conclure[3] leur intimité, on avait les présomptions suivantes : d'abord la politesse presque cérémonieuse de Saint-Clair pour la comtesse, et *vice versa* ; puis son affectation de ne jamais prononcer son nom dans le monde ; ou, s'il était obligé de parler d'elle, jamais le moindre éloge ; puis, avant que Saint-Clair lui fût présenté, il aimait passionnément la musique, et la comtesse avait autant de goût pour la peinture. Depuis qu'il s'étaient vus, leurs goûts avaient changé. Enfin, la comtesse ayant été aux eaux[4] l'année passée, Saint-Clair était parti six jours après elle.

. . . .
. . . .

Mon devoir d'historien m'oblige à déclarer qu'une nuit du mois de juillet, peu de moments avant le lever du soleil, la porte du parc d'une maison de campagne s'ouvrit, et qu'il en sortit un homme avec toutes les précautions d'un voleur qui craint d'être surpris. Cette maison de campagne appartenait à Mme de Coursy, et cet homme était Saint-Clair. Une femme, enveloppée dans une pelisse, l'accompagna jusqu'à la porte, et passa la tête en dehors pour le voir encore plus longtemps tandis qu'il s'éloignait en descendant le sentier qui longeait le mur du parc. Saint-Clair s'arrêta, jeta autour de lui un coup d'œil circonspect, et de la main fit signe à cette femme de rentrer. La clarté d'une nuit d'été lui permettait de dis-

---

1. Auprès de toutes : *avec* toutes (*RP*, 1833). 2. Mathilde : c'est aussi le prénom d'une des héroïnes, fort romanesque, du *Rouge et le Noir* de Stendhal, publié la même année 1830. 3. Conclure leur : construction transitive, au sens de déduire. 4. Villégiature dans une station thermale.

tinguer sa figure pâle, toujours immobile à la même place.
Il revint sur ses pas, s'approcha d'elle et la serra tendrement dans ses bras. Il voulait l'engager à rentrer ; mais
il avait encore cent choses à lui dire. Leur conversation
durait depuis dix minutes, quand on entendit la voix d'un
paysan qui sortait pour aller travailler aux champs. Un
baiser est pris et rendu, la porte est fermée, et Saint-Clair,
d'un saut, est au bout du sentier.

Il suivait un chemin qui lui semblait bien connu. Tantôt
il sautait presque de joie, et courait en frappant les
buissons de sa canne ; tantôt il s'arrêtait ou marchait
lentement, regardant le ciel qui se colorait de pourpre du
côté de l'orient. Bref, à le voir, on eût dit un fou enchanté
d'avoir brisé sa cage. Après une demi-heure de marche,
il était à la porte d'une petite maison isolée qu'il avait
louée pour la saison. Il avait une clef : il entra, puis il
se jeta sur un grand canapé, et là, les yeux fixes, la
bouche courbée par un doux sourire, il pensait, il rêvait
tout éveillé. Son imagination ne lui présentait alors que
des pensées de bonheur. « Que je suis heureux ! se disait-il
à chaque instant. Enfin je l'ai rencontré ce cœur qui
comprend le mien !... – Oui, c'est mon idéal que j'ai
trouvé... J'ai tout à la fois un *ami* et une maîtresse[1]...
Quel caractère !... quelle âme passionnée !... Non, elle n'a
jamais aimé avant moi[2]... » Bientôt, comme la vanité se
glisse toujours dans les affaires de ce monde : « C'est la
plus belle femme de Paris », pensait-il. Et son imagination
lui retraçait à la fois tous ses charmes. – « Elle m'a choisi
entre tous. Elle avait pour admirateurs l'élite de la société.
Ce colonel de hussards[3] si beau, si brave, – et pas trop
fat ; – ce jeune auteur qui fait de si jolies aquarelles et
qui joue si bien les proverbes[4] ; ce Lovelace russe[5] qui

---

1. Ami et maîtresse : Mérimée, auteur de maximes, se souvient ici de
La Bruyère : « Une belle femme qui a les qualités d'un honnête homme
est ce qu'il y a au monde d'un commerce plus délicieux : l'on trouve en
elle tout le mérite des deux sexes », *Les Caractères*, « Des femmes », 13.
2. Moi : et elle n'*aimera jamais que* moi (*RP*, 1833). 3. Officier de cavalerie à l'uniforme particulièrement élégant. 4. Petite comédie, jouée en
société, illustrant un proverbe. 5. Lovelace : séducteur sans scrupules, personnage de *Clarisse Harlowe* de Richardson.

a vu le Balkan[1] et qui a servi sous Diébitch[2] ; – surtout Camille T***, qui a de l'esprit certainement, de belles manières, un beau coup de sabre sur le front[3]... elle les a tous éconduits. Et moi !...» Alors venait son refrain : «Que je suis heureux ! que je suis heureux !» Et il se levait, ouvrait la fenêtre, car il ne pouvait respirer ; puis il se promenait, puis il se roulait sur son canapé.

Un amant heureux est presque aussi ennuyeux qu'un amant malheureux. Un de mes amis[4], qui se trouvait souvent dans l'une ou l'autre de ces deux positions, n'avait trouvé d'autre moyen de se faire écouter que de me donner un excellent déjeuner pendant lequel il avait la liberté de parler de ses amours ; le café pris, il fallait absolument changer de conversation.

Comme je ne puis donner à déjeuner à tous mes lecteurs, je leur ferai grâce des pensées d'amour de Saint-Clair. D'ailleurs, on ne peut pas toujours rester dans la région des nuages. Saint-Clair était fatigué, il bâilla, étendit les bras, vit qu'il était grand jour ; il fallait enfin penser à dormir. Lorsqu'il se réveilla, il vit à sa montre qu'il avait à peine le temps de s'habiller et de courir à Paris, où il était invité à un déjeuner-dîner[5] avec plusieurs jeunes gens de sa connaissance.

. . . .

On venait de déboucher une autre bouteille de vin de Champagne ; je laisse au lecteur à en déterminer le numéro. Qu'il lui suffise de savoir qu'on en était venu à un moment, qui arrive assez vite dans un déjeuner de garçons, où tout le monde veut parler à la fois, où les bonnes

---

1. Sans doute faut-il entendre la Stara Planina ou mont Balkan dans l'actuelle Bulgarie, alors dans l'empire turc. 2. Le maréchal russe Diébitch fit les campagnes des Balkans en 1828 et 1829 et assura l'indépendance de la Grèce. 3. Le personnage de Darcy dans *La Double Méprise* de Mérimée porte également «une cicatrice assez longue qu'il cachait mal avec une mèche de cheveux et qui paraissait avoir été faite par un coup de sabre». 4. On a voulu voir Stendhal dans cet ami. 5. Déjeuner qui commence tard et, en se prolongeant, atteint l'heure du dîner ; Mérimée décrit ici une joyeuse réunion des *dandies* des années 1825, dans un des grands cafés des Boulevards.

têtes commencent à concevoir des inquiétudes pour les mauvaises.

«Je voudrais, dit Alphonse de Thémines, qui ne perdait jamais une occasion de parler de l'Angleterre, je voudrais que ce fût la mode à Paris comme à Londres de porter chacun un toast[1] à sa maîtresse. De la sorte nous saurions au juste pour qui soupire notre ami Saint-Clair »; et, en parlant ainsi, il remplit son verre et ceux de ses voisins.

Saint-Clair, un peu embarrassé, se préparait à répondre; mais Jules Lambert le prévint :

«J'approuve fort cet usage, dit-il, et je l'adopte »; et, levant son verre : «À toutes les modistes de Paris[2]! J'en excepte celles qui ont trente ans, les borgnes et les boiteuses, etc.

– Hourra! hourra!» crièrent les jeunes anglomanes.

Saint-Clair se leva, son verre à la main :

«Messieurs, dit-il, je n'ai point un cœur aussi vaste que notre ami Jules, mais il est plus constant. Or ma constance est d'autant plus méritoire que, depuis longtemps, je suis séparé de la dame de mes pensées. Je suis sûr cependant que vous approuvez mon choix, si toutefois vous n'êtes pas déjà mes rivaux. À Judith Pasta, messieurs! Puissions-nous revoir bientôt la première tragédienne de l'Europe[3]! »

Thémines voulait critiquer le toast; mais les acclamations l'interrompirent. Saint-Clair ayant paré cette botte[4] se croyait hors d'affaire pour la journée.

La conversation tomba d'abord sur les théâtres. La censure dramatique[5] servit de transition pour parler de la

1. Salut porté avant de boire à la façon anglaise. L'anglomanie est un des traits distinctifs des élégants des années 1830. 2. Ouvrières fabriquant des chapeaux; elles avaient la réputation de n'être pas farouches. 3. Giuditta Pasta (1798-1865), célèbre cantatrice italienne, figure légendaire de l'opéra romantique; elle fut la créatrice de *Norma* de Bellini. À Paris, en 1821, elle avait fait sensation par l'étendue de sa voix et l'intensité dramatique de ses interprétations. 4. Terme d'escrime : esquivé cette attaque. 5. Censure des pièces de théâtre sous la Restauration.

politique[1]. De Lord Wellington[2], on passa aux chevaux anglais, et, des chevaux anglais, aux femmes par une liaison d'idées facile à saisir ; car, pour des jeunes gens, un beau cheval d'abord et une jolie maîtresse ensuite sont les deux objets les plus désirables.

Alors, on discuta les moyens d'acquérir ces objets si désirables. Les chevaux s'achètent, on achète aussi des femmes ; mais, de celles-là, n'en parlons point. Saint-Clair, après avoir modestement[3] allégué son peu d'expérience sur ce sujet délicat, conclut que la première condition pour plaire à une femme, c'est de se singulariser[4], d'être différent des autres. Mais y a-t-il une formule générale de singularité ? Il ne le croyait pas.

« Si bien qu'à votre sentiment, dit Jules, un boiteux ou un bossu sont plus en passe de plaire qu'un homme droit et fait comme tout le monde ?

— Vous poussez les choses bien loin, répondit Saint-Clair, mais j'accepte, s'il le faut, toutes les conséquences de ma proposition. Par exemple, si j'étais bossu, je ne me brûlerais pas la cervelle[5] et je voudrais faire des conquêtes. D'abord, je ne m'adresserais qu'à deux sortes de femmes, soit à celles qui ont une véritable sensibilité, soit aux femmes, et le nombre en est grand, qui ont la prétention d'avoir un caractère original, *eccentric*[6], comme on dit en Angleterre. Aux premières, je peindrais l'horreur de ma position, la cruauté de la nature à mon égard. Je tâcherais de les apitoyer sur mon sort, je saurais leur faire soupçonner que je suis capable d'un amour passionné. Je tuerais en duel un de mes rivaux, et je m'empoisonnerais avec une faible dose de laudanum[7]. Au bout de quelques

---

1. Politique : correction de 1850 ; les éditions antérieures portent : *pour passer à la politique.* 2. Général anglais (1769-1852), vainqueur à Waterloo, puis Premier ministre. 3. Cette modestie est un des traits qui font passer Saint-Clair pour « un peu jésuite ». 4. Se singulariser : se faire valoir pour les qualités uniques de sa personnalité, par opposition à tous les conformismes, qu'illustrent à la fois mondains et dandies. 5. Se suicider en se tirant une balle dans la tête. 6. *Eccentric.* Aux premières *(RP).* Le terme, un anglicisme vers 1830 encore, désigne un extravagant. 7. Opium purifié servant de somnifère ; Benjamin Constant raconte dans *Le Cahier*

mois, on ne verrait plus ma bosse[1], alors ce serait mon affaire d'épier le premier accès de sensibilité. Quant aux femmes qui prétendent à l'originalité, la conquête en est facile. Persuadez-leur seulement que c'est une règle bien et dûment établie qu'un bossu ne peut avoir de bonne fortune[2] ; elles voudront aussitôt donner le démenti à la règle générale.

— Quel don Juan ! s'écria Jules.

— Cassons-nous les jambes, messieurs, dit le colonel Beaujeu, puisque nous avons le malheur de n'être pas nés bossus.

— Je suis tout à fait de l'avis de Saint-Clair, dit Hector Roquantin, qui n'avait pas plus de trois pieds et demi de haut[3] ; on voit tous les jours les plus belles femmes et les plus à la mode se rendre à des gens dont vous autres beaux garçons vous ne vous méfierez jamais...

— Hector, levez-vous, je vous en prie, et sonnez pour qu'on nous apporte du vin », dit Thémines de l'air du monde le plus naturel.

Le nain se leva, et chacun se rappela en souriant la fable du renard qui a la queue coupée[4].

« Pour moi, dit Thémines reprenant la conversation, plus je vis, et plus je vois qu'une figure passable », et en même temps il jetait un coup d'œil complaisant sur la glace qui lui était opposée, « une figure passable et du goût dans la toilette sont la grande singularité qui séduit les plus cruelles » ; et, d'une chiquenaude, il fit sauter une petite miette de pain qui s'était attachée au revers de son habit.

« Bah ! s'écria le nain, avec une jolie figure et un habit de Staub[5], on a des femmes qu'on garde huit jours et

rouge une scène identique de feint empoisonnement au laudanum pour émouvoir une demoiselle. Mérimée a pu connaître cette anecdote. **1.** Non pas que le laudanum eût fait disparaître la bosse, mais parce que le sentiment amoureux naissant fait voir beaux les défauts de l'être aimé. **2.** Bonne fortune : aventure amoureuse. **3.** 1,12 m. **4.** La Fontaine, *Fables*, V, 5 ; le renard « écourté » souhaite que tous lui ressemblent. **5.** Tailleur à la mode, installé rue de Richelieu ; il est cité par Stendhal dans *Le Rouge et le Noir*, et Balzac en fait l'habilleur de Rastignac.

qui vous ennuient au second rendez-vous. Il faut autre
chose pour se faire aimer, ce qui s'appelle aimer... Il
faut...

— Tenez, interrompit Thémines, voulez-vous un exemple
concluant ? Vous avez tous connu Massigny, et vous savez
quel homme c'était. Des manières comme un groom
anglais[1], de la conversation comme son cheval... Mais il
était beau comme Adonis[2] et mettait sa cravate comme
Brummel[3]. Au total, c'était l'être le plus ennuyeux que
j'aie connu.

— Il a pensé me tuer d'ennui, dit le colonel Beaujeu.
Figurez-vous que j'ai été obligé de faire deux cents lieues
avec lui[4].

— Savez-vous, demanda Saint-Clair, qu'il a causé la
mort de ce pauvre Richard Thornton, que vous avez tous
connu ?

— Mais, répondit Jules, ne savez-vous donc pas qu'il
a été assassiné par les brigands auprès de Fondi[5] ?

— D'accord ; mais vous allez voir que Massigny a été
au moins complice du crime. Plusieurs voyageurs, parmi
lesquels se trouvaient Thornton, avaient arrangé d'aller à
Naples tous ensemble de peur des brigands. Massigny
voulut se joindre à la caravane. Aussitôt que Thornton
le sut, il prit les devants, d'effroi, je pense, d'avoir à
passer quelques jours avec lui. Il partit seul et vous savez
le reste.

— Thornton avait raison, dit Thémines ; et, de deux
morts, il choisit la plus douce. Chacun à sa place en eût
fait autant. »

Puis, après une pause :

« Vous m'accordez donc, reprit-il, que Massigny était
l'homme[6] le plus ennuyeux de la terre ?

---

1. *Groom*, jeune laquais d'écurie. **2.** Jeune homme d'une grande beauté,
aimé de Vénus ; il fut mortellement blessé par un sanglier et métamorphosé
en anémone. **3.** George Brummel (1778-1840), arbitre des élégances en
Angleterre, prototype du dandy. **4.** 900 km. **5.** Ville d'Italie, entre Rome
et Naples ; la région de Fondi était réputée pour ses brigands, qui constituaient, depuis le XVIe siècle, une des curiosités du voyage d'Italie. **6.** Massigny était : était, *de son vivant* (*RP*, 1833).

– Accordé ! s'écria-t-on par acclamation.

– Ne désespérons personne, dit Jules ; faisons une exception en faveur de ***, surtout quand il développe ses plans politiques.

– Vous m'accorderez présentement[1], poursuivit Thémines, que Mme de Coursy est une femme d'esprit s'il en fut. »

Il y eut un moment de silence. Saint-Clair baissait la tête et s'imaginait que tous les yeux étaient fixés sur lui.

« Qui en doute ? dit-il enfin, toujours penché sur son assiette et paraissant observer avec beaucoup de curiosité les fleurs peintes sur la porcelaine.

– Je maintiens, dit Jules élevant la voix, je maintiens que c'est une des trois plus aimables femmes de Paris.

– J'ai connu son mari, dit le colonel. Il m'a souvent montré des lettres charmantes de sa femme.

– Auguste, interrompit Hector Roquantin, présentez-moi donc à la comtesse. On dit que vous faites chez elle la pluie et le beau temps.

– À la fin de l'automne, murmura Saint-Clair, quand elle sera de retour à Paris... Je... je crois qu'elle ne reçoit pas à la campagne.

– Voulez-vous m'écouter ? » s'écria Thémines.

Le silence se rétablit. Saint-Clair s'agitait sur sa chaise comme un prévenu devant une cour d'assises.

« Vous n'avez pas vu la comtesse il y a trois ans, vous étiez alors en Allemagne, Saint-Clair, reprit Alphonse de Thémines avec un sang-froid désespérant. Vous ne pouvez vous faire une idée de ce qu'elle était alors : belle, fraîche comme une rose, vive surtout, et gaie comme un papillon. Eh bien, savez-vous, parmi ses nombreux adorateurs, lequel a été honoré de ses bontés ? Massigny ! Le plus bête des hommes et le plus sot a tourné la tête de la plus spirituelle des femmes. Croyez-vous qu'un bossu aurait pu en faire autant ? Allez, croyez-moi, ayez une jolie figure, un bon tailleur, et soyez hardi. »

---

1. Présentement : correction de 1850 ; les éditions antérieures portaient : *également*.

Saint-Clair était dans une position atroce. Il allait donner un démenti formel au narrateur ; mais la peur de compromettre la comtesse le retint. Il aurait voulu pouvoir dire quelque chose en sa faveur ; mais sa langue était glacée. Ses lèvres tremblaient de fureur, et il cherchait en vain dans son esprit quelque moyen détourné d'engager une querelle.

« Quoi ! s'écria Jules d'un air de surprise, Mme de Coursy s'est donnée à Massigny ! *Frailty, thy name is woman*[1] !

– C'est une chose si peu importante que la réputation d'une femme ! dit Saint-Clair d'un ton sec et méprisant. Il est bien permis de la mettre en pièces[2] pour faire un peu d'esprit, et... »

Comme il parlait il se rappela avec horreur un certain vase étrusque[3] qu'il avait vu cent fois sur la cheminée de la comtesse à Paris. Il savait que c'était un présent de Massigny à son retour d'Italie ; et, circonstance accablante ! ce vase avait été apporté de Paris à la campagne. Et tous les soirs, en ôtant son bouquet, Mathilde le posait dans le vase étrusque.

La parole expira sur ses lèvres ; il ne vit plus qu'une chose, il ne pensa plus qu'à une chose : le vase étrusque !

La belle preuve ! dira un critique : soupçonner sa maîtresse pour si peu de chose !

Avez-vous été amoureux, monsieur le critique ?

Thémines était en trop belle humeur pour s'offenser du ton que Saint-Clair avait pris en lui parlant. Il répondit d'un air de légèreté et de bonhomie :

« Je ne fais que répéter ce que l'on a dit dans le monde. La chose passait pour certaine quand vous étiez en Allemagne. Au reste, je connais assez peu Mme de Coursy ; il y a dix-huit mois que je ne suis allé chez

_____

1. « Fragilité, ton nom est femme », Shakespeare, *Hamlet*, I, 2, v. 173.
2. Pièces : mettre en *presse* (1833). 3. La redécouverte de l'art étrusque a donné naissance à une véritable étruscomanie au début du XIXᵉ siècle. Mérimée collectionnait ces curiosités ; il en acheta lors de son voyage en Toscane en 1839, *Correspondance générale*, II, p. 295.

elle. Il est possible qu'on se soit trompé et que Massigny m'ait fait un conte. Pour en revenir à ce qui nous occupe, quand l'exemple que je viens de citer serait faux, je n'en aurais pas moins raison. Vous savez tous que la femme de France la plus spirituelle, celle dont les ouvrages[1]... »

La porte s'ouvrit, et Théodore Néville entra. Il revenait d'Égypte.

Théodore ! sitôt de retour ! Il fut accablé de questions.

« As-tu rapporté un véritable costume turc ? demanda Thémines. As-tu un cheval arabe et un groom égyptien ?

— Quel homme est le pacha[2] ? dit Jules. Quand se rend-il indépendant ? As-tu vu couper une tête d'un seul coup de sabre ?

— Et les *almées*[3] ? dit Roquantin. Les femmes sont-elles belles au Caire ?

— Avez-vous vu le général L*** ? demanda le colonel Beaujeu. Comment a-t-il organisé l'armée du pacha ? — Le colonel C*** vous a-t-il donné un sabre pour moi ?

— Et les pyramides ? et les cataractes du Nil ? et la statue de Memnon[4] ? Ibrahim pacha[5] ? etc. » Tous parlaient à la fois ; Saint-Clair ne pensait qu'au vase étrusque.

Théodore s'étant assis les jambes croisées, car il avait pris cette habitude en Égypte et n'avait pu la perdre en France, attendit que les questionneurs se fussent lassés, et parla comme il suit, assez vite pour n'être pas facilement interrompu.

---

1. Allusion probable à Mme de Staël (décédée en 1817), et à sa liaison avec M. de Rocca, maladif et dénué d'esprit. 2. Vice-roi d'Égypte pour le compte du sultan. Dans sa préface à la *Chronique du règne de Charles IX*, Mérimée avait évoqué Mehemet-Ali et ses cruautés dignes du XVIe siècle. Celui-ci, quoiqu'il eût soutenu les Turcs contre les Grecs, bénéficiait d'une grande faveur en France, où il apparaissait comme un musulman progressiste. 3. *Almées* : danseuses orientales. 4. La statue colossale de Memnon, élevée près de Thèbes, rendait, disait-on, des sons harmonieux lorsque le soleil venait la toucher. Mérimée rappelle ici, avec les pyramides et les chutes du Nil, trois des lieux communs de l'« image » touristique et légendaire de l'Égypte. 5. Ibrahim pacha : fils de Mehemet-Ali.

« Les pyramides[1] ! d'honneur, c'est un *regular humbug*[2]. C'est bien moins haut qu'on ne croit. Le Munster à Strasbourg n'a que quatre mètres de moins[3]. Les antiquités me sortent par les yeux. Ne m'en parlez pas. La seule vue d'un hiéroglyphe me ferait évanouir. Il y a tant de voyageurs qui s'occupent de ces choses-là ! Moi, mon but a été d'étudier la physionomie et les mœurs de toute cette population bizarre qui se presse dans les rues d'Alexandrie et du Caire, comme des Turcs, des Bédouins, des Coptes, des Fellahs, des Môghrebins. J'ai rédigé quelques notes à la hâte pendant que j'étais au lazaret[4]. Quelle infamie que ce lazaret ! J'espère que vous ne croyez pas à la contagion, vous autres ! Moi, j'ai fumé tranquillement ma pipe au milieu de trois cents pestiférés[5]. Ah ! colonel, vous verriez là une belle cavalerie, bien montée. Je vous montrerai des armes superbes que j'ai rapportées. J'ai un djerid[6] qui a appartenu au fameux Mourad bey[7]. Colonel, j'ai un yatagan[8] pour vous et un khandjar[9] pour Auguste[10]. Vous verrez mon *metchlâ*[11],

---

1. Charles Lenormant, un ami de Mérimée, fut le modèle probable du personnage de Néville. Il avait accompagné Champollion en Égypte en 1828 et 1829, et à son retour, il écrivit des *Lettres d'Égypte* publiées dans *Le Globe*. Dans l'une d'elles, il précisa : « On est tenté (je blasphème) de ranger les pyramides parmi les grandes badauderies dévolues à l'amusement et à l'occupation éternels des sots qui composent la majorité du genre humain », repris dans *Beaux-Arts et Voyages*, 1861, II, p. 119. 2. *Regular humbug*, expression anglaise : « une mystification en règle ». 3. La flèche de la cathédrale, ou *Munster*, de Strasbourg culmine à 142 m. 4. Sorte d'hospice, où s'effectue le contrôle sanitaire et la mise en quarantaine des voyageurs dans un port. 5. Allusion, naturellement, au fameux tableau *Les Pestiférés de Jaffa* du baron Gros, exposé au Salon de 1804. 6. Ces termes, porteurs de toute la couleur locale dont s'enivrent les touristes romantiques, sont pris dans la bible de l'orientalisme, *Le Djaour* de Byron, traduit en français en 1819. Ils sont expliqués dans les notes de la traduction, pp. 50-51 ; le *djerid* est « un javelot à pointe émoussée que les cavaliers lancent avec une force et une précision admirables ». 7. Mourad bey : chef mamaluk, mort en 1801, vaincu par Napoléon dont il devint l'allié. 8. Yatagan, sabre recourbé ; il sera évoqué sous la forme *ataghan* dans *La Double Méprise*. 9. Khandjar, poignard sans garde, à lame longue et effilée à deux tranchants. 10. Auguste : *Auguste. J'ai aussi un costume superbe.* (RP). 11. *Metchlâ*, ce mot semble inventé, par dérision.

mon *burnous*[1], mon *hhaïck*[2]. Savez-vous qu'il n'aurait tenu qu'à moi de rapporter des femmes ? Ibrahim pacha en a tant envoyé de Grèce, qu'elles sont pour rien... Mais à cause de ma mère... J'ai beaucoup causé avec le pacha. C'est un homme d'esprit, parbleu! sans préjugés. Vous ne sauriez croire comme il entend bien nos affaires. D'honneur, il est informé des plus petits mystères de notre cabinet. J'ai puisé dans sa conversation des renseignements bien précieux sur l'état des partis en France. Il s'occupe beaucoup de statistique en ce moment. Il est abonné à tous nos journaux. Savez-vous qu'il est bonapartiste enragé! Il ne parle que de Napoléon. Ah! quel grand homme que *Bounabardo!*[3] me disait-il. Bounabardo, c'est ainsi qu'ils appellent Bonaparte.

— *Giourdina, c'est-à-dire Jourdain*, murmura tout bas Thémines[4].

— D'abord, continua Théodore, Mohamed Ali était fort réservé avec moi. Vous savez que tous les Turcs sont très méfiants. Il me prenait pour un espion, le diable m'emporte! ou pour un jésuite. — Il a les jésuites en horreur. Mais, au bout de quelques visites, il a reconnu que j'étais un voyageur sans préjugés, curieux de m'instruire à fond des coutumes, des mœurs et de la politique de l'Orient. Alors il s'est déboutonné[5] et m'a parlé à cœur ouvert. À ma dernière audience, c'était la troisième qu'il m'accordait, je pris la liberté de lui dire : "Je ne conçois pas pourquoi Ton Altesse ne se rend pas indépendante de la Porte. — Mon Dieu! me dit-il, je le voudrais bien; mais je crains que les journaux libéraux,

---

1. Manteau de laine à capuchon ; correspond au «pilone» dans *Matteo Falcone*. 2. Tunique de femme. Tous ces termes orientaux illustrent la «couleur locale» si recherchée par les voyageurs et les écrivains, qui n'est pourtant qu'un simple et dérisoire pittoresque de mots, dont se moque Mérimée. 3. Parodie d'un vers de la pièce XXXIX des *Orientales* de Victor Hugo (1829) : «Souvent Bounaberdi, sultan des francs d'Europe, / que comme un noir manteau le semoun enveloppe...» 4. *Giourdina*, c'est-à-dire Jourdain.» Mérimée évoque ici la cérémonie turque du *Bourgeois gentilhomme* de Molière, acte V, 1. 5. Jésuite, déboutonné : retour ironique sur des termes utilisés pour caractériser faussement Saint-Clair.

qui gouvernent tout dans ton pays, ne me soutiennent pas quand une fois j'aurai proclamé l'indépendance de l'Égypte." C'est un beau vieillard, belle barbe blanche, ne riant jamais. Il m'a donné des confitures[1] excellentes, mais de tout ce que je lui ai donné, ce qui lui a fait le plus de plaisir, c'est la collection des costumes de la garde impériale par Charlet[2].

– Le pacha est-il romantique ? demanda Thémines.

– Il s'occupe peu de littérature ; mais vous n'ignorez pas que la littérature arabe est toute romantique. Ils ont un poète nommé Melek Ayatalnefous-Ebn-Esraf[3], qui a publié dernièrement des *Méditations* auprès desquelles celles de Lamartine paraîtraient de la prose classique[4]. À mon arrivée au Caire, j'ai pris un maître d'arabe, avec lequel je me suis mis à lire le Coran. Bien que je n'aie pris que peu de leçons, j'en ai assez vu pour comprendre les sublimes beautés du style du prophète, et combien sont mauvaises toutes nos traductions. Tenez, voulez-vous voir de l'écriture arabe ? Ce mot en lettres d'or, c'est *Allah*, c'est-à-dire Dieu. »

En parlant ainsi, il montrait une lettre fort sale qu'il avait tirée d'une bourse de soie parfumée.

« Combien de temps es-tu resté en Égypte ? demanda Thémines.

– Six semaines[5]. »

Et le voyageur continua de tout décrire, depuis le cèdre jusqu'à l'hysope[6]. Saint-Clair sortit presque aussitôt après son arrivée, et reprit le chemin de sa maison de campagne.

---

1. Confitures : ici, des fruits confits. 2. Nicolas-Toussaint Charlet (1792-1845) : dessinateur, auteur de séries lithographiées représentant les uniformes des armées napoléoniennes. 3. Nom imaginaire, tout ce passage est une satire, non pas de la littérature arabe, mais du romantisme français. 4. Publiées en 1820, les *Méditations poétiques* de Lamartine ont constitué le premier grand chef-d'œuvre de la «jeune école» romantique. 5. Théodore Néville n'est resté que six semaines en Égypte, mais il en parle comme s'il y avait vécu des années ; c'est suffisant pour faire ici l'étalage, jusqu'à la satiété, de tous les lieux communs du voyage d'Orient. 6. Du cèdre jusqu'à l'hysope : expression biblique (Livre des Rois, I, IV, 33), passée en proverbe pour signifier du plus grand au plus petit ; l'hysope est un arbrisseau. Utilisée par Molière, *Impromptu de Versailles*, V, la formule est fréquente sous la plume de Mérimée.

Le galop impétueux de son cheval l'empêchait de suivre nettement ses idées. Mais il sentait vaguement que son bonheur en ce monde était détruit à jamais, et qu'il ne pouvait s'en prendre qu'à un mort et à un vase étrusque.

Arrivé chez lui, il se jeta sur le canapé où, la veille, il avait si longuement et si délicieusement analysé son bonheur. L'idée qu'il avait caressée le plus amoureusement, c'était que sa maîtresse n'était pas une femme comme une autre, qu'elle n'avait aimé et ne pourrait jamais aimer que lui. Maintenant ce beau rêve disparaissait dans la triste et cruelle réalité. «Je possède une belle femme, et voilà tout. Elle a de l'esprit : elle en est plus coupable, elle a pu aimer Massigny!... Il est vrai qu'elle m'aime maintenant... de toute son âme... comme elle peut aimer. Être aimé comme Massigny l'a été!... Elle s'est rendue à mes soins, à mes cajoleries, à mes importunités. Mais je me suis trompé. Il n'y avait pas de sympathie entre nos deux cœurs. Massigny ou moi, ce lui est tout un. Il est beau, elle l'aime pour sa beauté. J'amuse quelquefois madame. "Eh bien, aimons Saint-Clair, s'est-elle dit, puisque l'autre est mort! Et si Saint-Clair meurt ou m'ennuie, nous verrons."»

Je crois fermement que le diable est aux écoutes, invisible auprès d'un malheureux qui se torture ainsi lui-même. Le spectacle est amusant pour l'ennemi des hommes; et, quand la victime sent ses blessures se fermer, le diable est là pour les rouvrir.

Saint-Clair crut entendre une voix qui murmurait à ses oreilles :

L'honneur singulier
D'être le successeur...[1]

Il se leva sur son séant et jeta un coup d'œil farouche autour de lui. Qu'il eût été heureux de trouver quelqu'un dans sa chambre! Sans doute il l'eût déchiré.

La pendule sonna huit heures. À huit heures et demie,

---

1. La source de cette citation est inconnue.

la comtesse l'attend. – S'il manquait au rendez-vous !
« Au fait, pourquoi revoir la maîtresse de Massigny ? » Il
se recoucha sur son canapé et ferma les yeux. « Je veux
dormir », dit-il. Il resta immobile une demi-minute, puis
sauta sur ses pieds et courut à la pendule pour voir le
progrès du temps. « Que je voudrais qu'il fût huit heures
et demie ! pensa-t-il. Alors il serait trop tard pour me
mettre en route. » Dans son cœur, il ne se sentait pas le
courage de rester chez lui ; il voulait avoir un prétexte.
Il aurait voulu être bien malade. Il se promena dans la
chambre, puis s'assit, prit un livre, et ne put lire une
syllabe. Il se plaça devant son piano, et n'eut pas la force
de l'ouvrir. Il siffla, il regarda les nuages et voulut compter
les peupliers devant ses fenêtres. Enfin il retourna consulter
la pendule, et vit qu'il n'avait pu parvenir à passer trois
minutes. « Je ne puis m'empêcher de l'aimer, s'écria-t-il
en grinçant des dents et frappant du pied ; elle me domine,
et je suis son esclave, comme Massigny l'a été avant
moi ! Eh bien, misérable, obéis, puisque tu n'as pas assez
de cœur pour briser une chaîne que tu hais ! »

Il prit son chapeau et sortit précipitamment.

Quand une passion nous emporte, nous éprouvons
quelque consolation d'amour-propre à contempler notre
faiblesse du haut de notre orgueil. « Il est vrai que je
suis faible, se dit-on, mais si je voulais ! »

Il montait à pas lents le sentier qui conduisait à la
porte du parc, et de loin il voyait une figure blanche qui
se détachait sur la teinte foncée des arbres. De sa main,
elle agitait un mouchoir comme pour lui faire signe. Son
cœur battait avec violence, ses genoux tremblaient ; il
n'avait pas la force de parler, et il était devenu si timide,
qu'il craignait que le comtesse ne lût sa mauvaise humeur
sur sa physionomie.

Il prit la main qu'elle lui tendait, lui baisa le front,
parce qu'elle se jeta sur son sein, et il la suivit
jusque dans son appartement, muet, et étouffant avec
peine des soupirs qui semblaient devoir faire éclater sa
poitrine.

Une seule bougie éclairait le boudoir de la comtesse.

Tous deux s'assirent. Saint-Clair remarqua la coiffure de son amie ; une seule rose dans ses cheveux. La veille, il lui avait apporté une belle gravure anglaise, la duchesse de Portland d'après Lesly[1] (elle est coiffée de cette manière), et Saint-Clair n'avait que ces mots : « J'aime mieux cette rose toute simple que vos coiffures compliquées. » Il n'aimait pas les bijoux, et il pensait comme ce lord qui disait brutalement : « À femmes parées, à chevaux caparaçonnés[2], le diable ne connaîtrait rien. » La nuit dernière, en jouant avec un collier de perles de la comtesse (car, en parlant, il fallait toujours qu'il eût quelque chose entre les mains), il avait dit : « Les bijoux ne sont bons que pour cacher des défauts. Vous êtes trop jolie, Mathilde, pour en porter. » Ce soir, la comtesse, qui retenait jusqu'à ses paroles les plus indifférentes, avait ôté bagues, colliers, boucles d'oreilles et bracelets. – Dans la toilette d'une femme il remarquait, avant tout, la chaussure, et, comme bien d'autres, il avait ses manies sur ce chapitre. Une grosse averse était tombée avant le coucher du soleil. L'herbe était encore toute mouillée ; cependant la comtesse avait marché sur le gazon humide avec des bas de soie et des souliers de satin noir... Si elle allait être malade ?

« Elle m'aime », se dit Saint-Clair.

Et il soupira sur lui-même et sur sa folie, et il regardait Mathilde en souriant malgré lui, partagé entre sa mauvaise humeur et le plaisir de voir une jolie femme qui cherchait à lui plaire par tous ces petits riens qui ont tant de prix pour les amants.

Pour la comtesse, sa physionomie radieuse exprimait un mélange d'amour et de malice enjouée qui la rendait encore plus aimable[3]. Elle prit quelque chose dans un coffre en laque du Japon, et, présentant sa petite main fermée et cachant l'objet qu'elle tenait :

---

1. Charles Leslie (1794-1854) a fait un portrait de la duchesse de Portsmouth et non pas de Portland. **2.** Recouverts d'une housse épaisse, le caparaçon. **3.** Aimable : plus *piquante* (*RP*, 1833).

« L'autre soir, dit-elle, j'ai cassé votre montre. La voici raccommodée[1]. »

Elle lui remit sa montre, et le regardait d'un air à la fois tendre et espiègle, en se mordant la lèvre inférieure, comme pour s'empêcher de rire. Vive Dieu ! que ses dents étaient belles ! comme elles brillaient blanches sur le rose ardent de ses lèvres ! (Un homme a l'air bien sot quand il reçoit froidement les cajoleries d'une jolie femme.)

Saint-Clair la remercia, prit la montre et allait la mettre dans sa poche :

« Regardez donc, continua-t-elle, ouvrez-la, et voyez si elle est bien raccommodée. Vous qui êtes si savant, vous qui avez été à l'École polytechnique, vous devez voir cela.

– Oh ! je m'y connais fort peu », dit Saint-Clair.

Et il ouvrit la boîte de la montre d'un air distrait. Quelle fut sa surprise ! le portrait en miniature de Mme de Coursy était peint sur le fond de la boîte. Le moyen de bouder encore ? Son front s'éclaircit ; il ne pensa plus à Massigny ; il se souvint seulement qu'il était auprès d'une femme charmante, et que cette femme l'adorait.

. . . .

L'alouette, cette messagère de l'aurore[2], commençait à chanter, et de longues bandes de lumière pâle sillonnaient les nuages à l'orient. C'est alors que Roméo dit adieu à Juliette ; c'est l'heure classique où tous les amants doivent se séparer.

Saint-Clair était debout devant une cheminée, la clef du parc à la main, les yeux attentivement fixés sur le vase étrusque dont nous avons déjà parlé. Il lui gardait encore rancune au fond de son âme. Cependant il était en belle humeur, et l'idée bien simple que Thémines avait pu mentir commençait à se présenter à son esprit. Pendant que la comtesse, qui voulait le reconduire jusqu'à la porte du parc, s'enveloppait la tête d'un châle, il frappait

―――――――
1. Montre : L'autre soir, dit-elle, *vous avez cassé votre montre et vous m'avez priée de l'envoyer à mon horloger. La voici.* Elle lui remit la montre (*RP*, 1833). **2.** Allusion à un vers de Shakespeare, *Roméo et Juliette*, III, 5.

doucement de sa clef le vase odieux, augmentant progressivement la force de ses coups, de manière à faire croire qu'il allait bientôt le faire voler en éclats.

« Ah ! Dieu ! prenez garde ! s'écria Mathilde ; vous allez casser mon beau vase étrusque. »

Et elle lui arracha la clef des mains.

Saint-Clair était très mécontent, mais il était résigné. Il tourna le dos à la cheminée pour ne pas succomber à la tentation, et, ouvrant sa montre, il se mit à considérer le portrait qu'il venait de recevoir.

« Quel est le peintre ? demanda-t-il.

— M. R... Tenez, c'est Massigny qui me l'a fait connaître. (Massigny, depuis son voyage à Rome, avait découvert qu'il avait un goût exquis pour les beaux-arts, et s'était fait le Mécène de tous les jeunes artistes.) Vraiment, je trouve que ce portrait me ressemble, quoique un peu flatté. »

Saint-Clair avait envie de jeter la montre contre la muraille, ce qui l'aurait rendu bien difficile à racommoder. Il se contint pourtant et la remit dans sa poche ; puis, remarquant qu'il était déjà jour, il sortit de la maison, supplia Mathilde de ne pas l'accompagner, traversa le parc à grand pas, et, dans un moment, il fut seul[1] dans la campagne.

Massigny ! Massigny ! s'écria-t-il avec une rage concentrée, te trouverai-je donc toujours !... Sans doute, le peintre qui a fait ce portrait en a peint un autre pour Massigny !... Imbécile que j'étais ! J'ai pu croire un instant que j'étais aimé d'un amour égal au mien... et cela parce qu'elle se coiffe avec une rose et qu'elle ne porte pas de bijoux !... elle en a plein un secrétaire... Massigny, qui ne regardait que la toilette des femmes, aimait tant les bijoux !... Oui, elle a un bon caractère, il faut en convenir. Elle sait se conformer aux goûts de ses amants. Morbleu ! j'aimerais mieux cent fois qu'elle fût une courtisane et qu'elle se fût donnée pour de l'argent. Au moins pourrais-je croire

---

1. Seul ; il *se vit* seul (*RP*).

qu'elle m'aime, puisqu'elle est ma maîtresse et que je ne
la paie pas. »

Bientôt une autre idée encore plus affligeante vint
s'offrir à son esprit. Dans quelques semaines, le deuil de
la comtesse allait finir[1], Saint-Clair devait l'épouser aussitôt que l'année de son veuvage serait révolue. Il l'avait
promis. Promis ? Non. Jamais il n'en avait parlé. Mais
telle avait été son intention, et la comtesse l'avait comprise.
Pour lui, cela valait un serment. La veille, il aurait donné
un trône pour hâter le moment où il pourrait avouer
publiquement son amour ; maintenant il frémissait à la
seule idée de lier son sort à l'ancienne maîtresse de
Massigny.

« Et pourtant JE LE DOIS ! se disait-il, et cela sera. Elle
a cru sans doute, pauvre femme, que je connaissais son
intrigue passée. Ils disent que la chose a été publique.
Et puis, d'ailleurs, elle ne me connaît pas... Elle ne peut
me comprendre. Elle pense que je ne l'aime que comme
Massigny l'aimait. »

Alors il se dit non sans orgueil :

« Trois mois elle m'a rendu le plus heureux des hommes.
Ce bonheur vaut bien le sacrifice de ma vie entière. »

Il ne se coucha pas, et se promena à cheval dans les
bois pendant toute la matinée. Dans une allée du bois de
Verrières[2], il vit un homme monté sur un beau cheval
anglais qui de très loin l'appela par son nom et l'accosta
sur-le-champ. C'était Alphonse de Thémines. Dans la
situation d'esprit où se trouvait Saint-Clair, la solitude
est particulièrement agréable : aussi la rencontre de
Thémines changea-t-elle sa mauvaise humeur en une colère
étouffée. Thémines ne s'en apervait pas, ou bien se faisait
un malin plaisir de le contrarier. Il parlait, il riait, il
plaisantait sans s'apercevoir qu'on ne lui répondait pas.
Saint-Clair voyant une allée étroite y fit entrer son cheval
aussitôt, espérant que le fâcheux ne l'y suivrait pas ; mais
il se trompait ; un fâcheux ne lâche pas facilement sa
proie. Thémines tourna bride et doubla le pas pour se

---

1. Finir : dans peu, *les mois de* deuil de la comtesse allaient finir (*RP*,
1833). 2. Au nord de la vallée de la Bièvre, à 14 km de Versailles.

mettre en ligne avec Saint-Clair et continuer la conversation plus commodément.

J'ai dit que l'allée était étroite. À toute peine les deux chevaux pouvaient y marcher de front ; aussi n'est-il pas extraordinaire que Thémines, bien que très bon cavalier, effleurât le pied de Saint-Clair en passant à côté de lui. Celui-ci, dont la colère était arrivée à son dernier période, ne put se contraindre plus longtemps. Il se leva sur ses étriers et frappa fortement de sa badine le nez du cheval de Thémines.

«Que diable avez-vous, Auguste ? s'écria Thémines. Pourquoi battez-vous mon cheval ?

– Pourquoi me suivez-vous ? répondit Saint-Clair d'une voix terrible.

– Perdez-vous le sens, Saint-Clair ? Oubliez-vous que vous me parlez ?

– Je sais bien[1] que je parle à un fat.

– Saint-Clair !... vous êtes fou, je pense... Écoutez : demain, vous me ferez des excuses, ou bien vous me rendrez raison de votre impertinence.

– A demain donc, monsieur. »

Thémines arrêta son cheval ; Saint-Clair poussa le sien ; bientôt il disparut dans le bois.

Dans ce moment, il se sentit plus calme. Il avait la faiblesse de croire aux pressentiments. Il pensait qu'il serait tué le lendemain, et alors c'était un dénouement tout trouvé à sa position. Encore un jour à passer ; demain, plus d'inquiétudes, plus de tourments. Il rentra chez lui, envoya son domestique avec un billet au colonel Beaujeu, écrivit quelques lettres, puis il dîna de bon appétit, et fut exact à se trouver à huit heures et demie à la petite porte du parc.

. . . .

«Qu'avez-vous donc aujourd'hui, Auguste ? dit la comtesse. Vous êtes d'une gaieté étrange, et pourtant vous ne pouvez me faire rire avec toutes vos plaisanteries. Hier, vous étiez tant soit peu maussade, et, moi, j'étais

---

1. **Bien** : *fort* bien (éditions antérieures à 1850).

si gaie ! Aujourd'hui, nous avons changé de rôle. – Moi, j'ai un mal de tête affreux.

– Belle amie, je l'avoue, oui, j'étais bien ennuyeux hier. Mais, aujourd'hui, je me suis promené, j'ai fait de l'exercice ; je me porte à ravir.

– Pour moi, je me suis levée tard, j'ai dormi longtemps ce matin, et j'ai fait des rêves fatigants.

– Ah ! des rêves ? Croyez-vous aux rêves ?

– Quelle folie !

– Moi, j'y crois ; je parie que vous avez fait un rêve qui annonce quelque événement tragique.

– Mon Dieu, jamais je ne me souviens de mes rêves. Pourtant, je me rappelle... dans mon rêve j'ai vu Massigny ; ainsi vous voyez que ce n'était rien de bien amusant.

– Massigny ? J'aurais cru, au contraire, que vous auriez beaucoup de plaisir à le revoir ?

– Pauvre Massigny !

– Pauvre Massigny ?

– Auguste, dites-moi, je vous en prie, ce que vous avez ce soir. Il y a dans votre sourire[1] quelque chose de diabolique. Vous avez l'air de vous moquer de vous-même[2].

– Ah ! voilà que vous me traitez aussi mal que me traitent les vieilles douairières, vos amies.

– Oui, Auguste, vous avez aujourd'hui la figure que vous avez avec les gens que vous n'aimez pas.

– Méchante ! allons, donnez-moi votre main. »

Il lui baisa la main avec une galanterie ironique, et ils se regardèrent fixement pendant une minute. Saint-Clair baissa les yeux le premier et s'écria :

« Qu'il est difficile de vivre en ce monde sans passer pour méchant ! Il faudrait ne jamais parler d'autre chose que du temps ou de la chasse, ou bien discuter avec vos vieilles amies le budget de leurs comités de bienfaisance. »

Il prit un papier sur une table :

« Tenez, voici le mémoire[3] de votre blanchisseuse de

---

1. Sourire : *dans votre voix et* dans votre sourire *(RP)*. 2. Vous-même : vous moquer *de moi et* de vous-même. 3. Facture récapitulative des travaux effectués.

fin. Causons là-dessus, mon ange : comme cela, vous ne direz pas que je suis méchant.

— En vérité, Auguste, vous m'étonnez...

— Cette orthographe me fait penser à une lettre que j'ai trouvée ce matin. Il faut vous dire que j'ai rangé mes papiers, car j'ai de l'ordre de temps en temps. Or donc, j'ai retrouvé une lettre d'amour que m'écrivait une couturière dont j'étais amoureux quand j'avais seize ans[1]. Elle a une manière à elle d'écrire chaque mot, et toujours la plus compliquée. Son style est digne de son orthographe. Eh bien, comme j'étais alors tant soit peu fat, je trouvai indigne de moi d'avoir une maîtresse qui n'écrivît pas comme Sévigné. Je la quittai brusquement. Aujourd'hui, en relisant cette lettre, j'ai reconnu que cette couturière devait avoir un amour véritable pour moi.

— Bon ! une femme que vous entreteniez ?...

— Très magnifiquement : à cinquante francs par mois. Mais mon tuteur ne me faisait pas une pension trop forte, car il disait qu'un jeune homme qui a de l'argent se perd et perd les autres.

— Et cette femme, qu'est-elle devenue ?

— Que sais-je ?... Probablement est-elle morte à l'hôpital[2].

— Auguste... si cela était vrai, vous n'auriez pas cet air insouciant.

— S'il faut dire la vérité, elle s'est mariée à un *honnête homme* ; et, quand on m'a émancipé[3], je lui ai donné une petite dot.

— Que vous êtes bon !... Mais pourquoi voulez-vous paraître méchant[4] ?

— Oh ! je suis très bon !... Plus j'y songe, plus je me

---

1. Mérimée fait allusion à une semblable idylle de jeunesse dans une lettre à Jenny Dacquin, *Correspondance générale*, I, p. 179. **2.** Hospice où mouraient les pauvres : dans *Arsène Guillot*, Mérimée fait, par la bouche du docteur K***, une paradoxale apologie de la mort à l'hôpital. **3.** Orphelin de père, Saint-Clair était en tutelle, d'où il a été émancipé, affranchi par sa majorité ou par une décision de justice. **4.** Est-il bon : allusion à la dernière pièce de Diderot, *Est-il bon, est-il méchant ?* écrite en 1781, soumise à la Comédie-Française en 1830, pour être jouée en 1834.

persuade que cette femme m'aimait réellement... Mais alors je ne savais pas distinguer un sentiment vrai sous une forme ridicule.

— Vous auriez dû m'apporter votre lettre. je n'aurais pas été jalouse... Nous autres femmes, nous avons plus de tact que vous, et nous voyons tout de suite au style d'une lettre, si l'auteur est de bonne foi, ou s'il feint une passion qu'il n'éprouve pas.

— Et cependant combien de fois vous laissez-vous attraper par des sots ou des fats ! »

En parlant il regardait le vase étrusque, et il y avait dans ses yeux et dans sa voix une expression sinistre que Mathilde ne remarqua point.

« Allons donc ! vous autres hommes, vous voulez tous passer pour des don Juan. Vous vous imaginez que vous faites des dupes, tandis que souvent vous ne trouvez que des *doña Juana*, encore plus rouées que vous.

— Je conçois qu'avec votre esprit supérieur, mesdames, vous sentez un sot d'une lieue. Aussi je ne doute pas que votre ami Massigny, qui était sot et fat, ne soit mort vierge et martyr...

— Massigny ? Mais il n'était pas trop sot ; et puis il y a des femmes sottes. Il faut que je vous conte une histoire sur Massigny... Mais ne vous l'ai-je pas déjà contée, dites-moi ?

— Jamais, répondit Saint-Clair d'une voix tremblante.

— Massigny, à son retour d'Italie, devint amoureux de moi. Mon mari le connaissait ; il me le présenta comme un homme d'esprit et de goût. Ils étaient faits l'un pour l'autre. Massigny fut d'abord très assidu ; il me donnait comme de lui des aquarelles qu'il achetait chez Schroth[1], et me parlait musique et peinture avec un ton de supériorité tout à fait divertissant. Un jour, il m'envoya une lettre incroyable. Il me disait, entre autres choses, que j'étais la plus honnête femme de Paris ; c'est pourquoi il voulait être mon amant. Je montrai la lettre à ma cousine Julie. Nous étions deux folles alors, et nous résolûmes de lui

---

1. Marchand de tableaux, établi rue Saint-Honoré.

jouer un tour. Un soir, nous avions quelques visites, entre autres Massigny. Ma cousine me dit : "Je vais vous lire une déclaration d'amour que j'ai reçue ce matin." Elle prend la lettre et la lit au milieu des éclats de rire... Le pauvre Massigny. »

Saint-Clair tomba à genoux en poussant un cri de joie. Il saisit la main de la comtesse, et la couvrit de baisers et de larmes. Mathilde était dans la dernière surprise, et crut d'abord qu'il se trouvait mal. Saint-Clair ne pouvait dire que ces mots : « Pardonnez-moi ! pardonnez-moi ! » Enfin il se releva. Il était radieux. Dans ce moment, il était plus heureux que le jour où Mathilde lui dit pour la première fois : « Je vous aime. »

« Je suis le plus fou et le plus coupable des hommes, s'écria-t-il ; depuis deux jours, je te soupçonnais... et je n'ai pas cherché une explication avec toi...

— Tu me soupçonnais !... Et de quoi ?

— Oh ! je suis un misérable !... On m'a dit que tu avais aimé Massigny, et...

— Massigny ! » et elle se mit à rire ; puis, reprenant aussitôt son sérieux : « Auguste, dit-elle, pouvez-vous être assez fou pour avoir de pareils soupçons, et assez hypocrite pour me les cacher ! »

Une larme roulait dans ses yeux.

« Je t'en supplie, pardonne-moi.

— Comment ne te pardonnerai-je pas, cher ami ?... Mais d'abord laisse-moi te jurer...

— Oh ! je te crois, je te crois, ne me dis rien.

— Mais au nom du Ciel, quel motif a pu te faire soupçonner une chose aussi improbable ?

— Rien, rien au monde que ma mauvaise tête... et... vois-tu, ce vase étrusque, je savais qu'il t'avait été donné par Massigny... »

La comtesse joignit les mains d'un air d'étonnement ; puis elle s'écria, en riant aux éclats :

« Mon vase étrusque ! mon vase étrusque ! »

Saint-Clair ne pût s'empêcher de rire lui-même, et cependant de grosses larmes coulaient le long de ses joues. Il saisit Mathilde dans ses bras, et lui dit :

«Je ne te lâche pas que tu ne m'aies pardonné.

– Oui, je te pardonne, fou que tu es ! dit-elle en l'embrassant tendrement. Tu me rends bien heureuse aujourd'hui ; voici la première fois que je te vois pleurer, et je croyais que tu ne pleurais pas. »

Puis, se dégageant de ses bras, elle saisit le vase étrusque et le brisa en mille pièces sur le plancher. (C'était une pièce rare et inédite[1]. On y voyait peint, avec trois couleurs, le combat d'un Lapithe contre un Centaure[2].)

Saint-Clair fut, pendant quelques heures, le plus honteux et le plus heureux des hommes.

. . . .

«Eh bien, dit Roquantin, au colonel Beaujeu qu'il rencontra le soir chez Tortoni[3], la nouvelle est-elle vraie ?

– Trop vraie, mon cher, répondit le colonel d'un air triste.

– Contez-moi donc comme cela s'est passé.

– Oh ! fort bien, Saint-Clair a commencé par me dire qu'il avait tort, mais qu'il voulait essuyer le feu de Thémines avant de lui faire des excuses. Je ne pouvais que l'approuver. Thémines voulait que le sort décidât lequel tirerait le premier. Saint-Clair a exigé que ce fût Thémines. Thémines a tiré : j'ai vu Saint-Clair tourner une fois sur lui-même, et il est tombé raide mort. J'ai déjà remarqué, dans bien des soldats frappés de coups de feu, ce tournoiement étrange qui précède la mort.

– C'est fort extraordinaire, dit Roquantin. Et Thémines, qu'a-t-il fait ?

– Oh ! ce qu'il faut faire en pareille occasion. Il a jeté son pistolet à terre d'un air de regret. Il l'a jeté si fort, qu'il en a cassé le chien. C'est un pistolet anglais de

_____

1. Se dit d'un objet dont la description n'a pas été publiée. 2. Scène mytho-logique, représentant le combat de monstres mi-hommes mi-chevaux avec les Lapithes, sujets du roi Pirithoüs. La parenthèse descriptive a une portée ironique, au moment où le vase vient d'être brisé. 3. Tortoni était un café-glacier à la mode, installé boulevard des Italiens.

Manton[1]; je ne sais s'il pourra trouver à Paris un arque-
busier[2] qui soit capable de lui en refaire un[3]. »

. . . .

La comtesse fut trois ans entiers sans voir personne ;
hiver comme été, elle demeurait dans sa maison de
campagne, sortant à peine de sa chambre, et servie par
une mulâtresse[4] qui connaissait sa liaison avec Saint-Clair,
et à laquelle elle ne disait pas deux mots par jour. Au
bout de trois ans, sa cousine Julie revint d'un long voyage ;
elle força la porte et trouva la pauvre Mathilde si maigre
et si pâle, qu'elle crut voir le cadavre de cette femme
qu'elle avait laissée belle et pleine de vie. Elle parvint
avec peine à la tirer de sa retraite, et à l'emmener à
Hyères[5]. La comtesse y languit encore trois ou quatre
mois, puis elle mourut d'une maladie de poitrine[6] causée
par des chagrins domestiques, comme dit le docteur M...[7]
qui lui donna des soins.

1830[8].

---

1. Armurier anglais célèbre pour ses armes de grande qualité ; un « excellent manton de gros calibre » permet au héros de *Colomba* d'accomplir son
coup double. 2. Fabricant d'armes à feu (vieilli). 3. Un : correction de
1850 ; les éditions antérieures portent : de lui en refaire un *aussi bon*.
4. Jeune domestique, de sang mêlé, originaire des îles. 5. Petite ville du
Var, station climatique d'hiver. 6. La comtesse meurt du même mal que
Tamango. 7. M... ; docteur *Mésentère (RP)*. Les éditions suivantes ont sup-
primé cette plaisanterie de carabin, qui achevait le récit en farce. 8. 1830 :
cette date et les indications chronologiques du dernier paragraphe condui-
raient à situer à 1827 au plus tôt l'action du *Vase étrusque*, en contradiction
avec l'allusion aux campagnes de Diébitch de 1828 ; cette « invraisem-
blance », que les critiques ont cru devoir noter, devrait rappeler que nous
sommes dans un temps romanesque et non pas historique.

VII

LA PARTIE DE TRICTRAC[1]

Les voiles sans mouvement pendaient collées contre les mâts; la mer était unie comme une glace, la chaleur était étouffante, le calme désespérant.

Dans un voyage sur mer, les ressources d'amusement que peuvent offrir les hôtes[2] d'un vaisseau sont bientôt épuisées. On se connaît trop bien, hélas! lorsqu'on a passé quatre mois ensemble dans une maison de bois longue de cent vingt pieds[3]. Quand vous voyez venir le premier lieutenant, vous savez d'abord qu'il vous parlera de Rio-Janeiro[4] d'où il vient; puis du fameux pont d'Essling[5] qu'il a vu faire par les marins de la garde, dont il faisait partie. Au bout de quinze jours, vous connaissez jusqu'aux expressions qu'il affectionne, jusqu'à la ponctuation de ses phrases, aux différentes intonations de sa voix. Quand jamais a-t-il manqué de s'arrêter tristement après avoir prononcé pour la première fois dans son récit ce mot, *l'empereur*... «Si vous l'aviez vu alors!!!» (trois points d'admiration) ajoute-t-il invariablement. Et l'épisode du cheval du trompette, et le boulet qui ricoche et qui emporte une giberne où il y avait pour sept mille cinq cents francs en or et en bijoux, etc., etc.!

_____

1. Trictrac : jeu de société combinant les cartes et les dés. 2. Hôtes : les *habitants (RP*, 1833). 3. Environ 39 m. 4. Rio-Janeiro : Rio-*de-*Janeiro *dont* il vient *(RP*, 1833). 5. Essling : bataille célèbre (21-22 mai 1809), épisode de la campagne d'Autriche préludant à Wagram ; les marins de la Garde impériale construisirent, sous le feu de l'ennemi, un pont qui permit à l'armée de franchir le Danube.

– Le second lieutenant est un grand politique ; il commence tous les jours le dernier numéro du *Constitutionnel*[1] qu'il a emporté de Brest ; ou, s'il quitte les sublimités de la politique pour descendre à la littérature, il vous régalera de l'analyse du dernier vaudeville[2] qu'il a vu jouer. Grand Dieu !... Le commissaire de marine possédait une histoire bien intéressante. Comme il nous enchanta la première fois qu'il nous raconta son évasion du ponton de Cadix[3] ! mais, à la vingtième répétition, ma foi, l'on n'y pouvait plus tenir... – Et les enseignes, et les aspirants[4] !... Le souvenir de leurs conversations me fait dresser les cheveux à la tête. Quant au capitaine, généralement, c'est le moins ennuyeux du bord. En sa qualité de commandant despotique, il se trouve en état d'hostilité secrète contre tout l'état-major ; il vexe, il opprime quelquefois, mais il y a un certain plaisir à pester contre lui. S'il a quelque manie fâcheuse pour ses subordonnés, on a le plaisir de voir son supérieur ridicule, et cela console un peu.

À bord du vaisseau sur lequel j'étais embarqué, les officiers étaient les meilleures gens du monde, tous bons diables, s'aimant comme des frères, mais s'ennuyant à qui mieux mieux. Le capitaine était le plus doux des hommes, point tracassier (ce qui est une rareté). C'était toujours à regret qu'il faisait sentir son autorité dictatoriale. Pourtant, que le voyage me parut long ! surtout ce calme qui nous prit quelques jours seulement avant de voir la terre !...

Un jour, après le dîner, que le désœuvrement nous avait fait prolonger aussi longtemps qu'il était humainement possible, nous étions tous rassemblés sur le pont, attendant le spectacle monotone mais toujours majestueux d'un coucher de soleil en mer. Les uns fumaient, d'autres relisaient pour la vingtième fois un des trente volumes

---

1. Journal fondé en 1815, *Le Constitutionnel* fut le principal organe de l'opposition sous la Restauration. **2.** Pièce de théâtre légère, mêlée de chansons. **3.** Les Français, prisonniers en Espagne à la suite de la capitulation de Baylen en 1808, furent détenus, dans des conditions épouvantables, sur de vieux navires désaffectés, transformés en prisons flottantes, les pontons, dans la rade de Cadix. **4.** Officiers subalternes.

de notre triste bibliothèque ; tous bâillaient à pleurer. Un enseigne assis à côté de moi s'amusait, avec toute la gravité digne d'une occupation sérieuse, à laisser tomber, la pointe en bas, sur les planches du tillac, le poignard que les officiers de marine portent ordinairement en petite tenue[1]. C'est un amusement comme un autre, et qui exige de l'adresse pour que la pointe se pique bien perpendiculairement dans le bois. Désirant faire comme l'enseigne, et n'ayant point de poignard à moi, je voulus emprunter celui du capitaine, mais il me refusa. Il tenait singulièrement à cette arme, et même il aurait été fâché de là voir servir à un amusement aussi futile. Autrefois ce poignard avait appartenu à un brave officier mort malheureusement dans la dernière guerre[2]... Je devinai qu'une histoire allait suivre, je ne me trompais pas. Le capitaine commença sans se faire prier ; quant aux officiers qui nous entouraient, comme chacun d'eux connaissait par cœur les infortunes du lieutenant Roger, ils firent aussitôt une retraite prudente. Voici à peu près quel fut le récit du capitaine :

Roger, quand je le connus, était plus âgé que moi de trois ans ; il était lieutenant ; moi, j'étais enseigne. Je vous assure que c'était un des meilleurs officiers de notre corps ; d'ailleurs, un cœur excellent, de l'esprit, de l'instruction, des talents, en un mot un jeune homme charmant. Il était malheureusement un peu fier et susceptible ; ce qui tenait, je crois, à ce qu'il était enfant naturel[3] et qu'il craignait que sa naissance ne lui fît perdre de la considération dans le monde ; mais, pour dire la vérité, de tous ses défauts, le plus grand, c'était un désir violent et continuel de primer partout où il se trouvait. Son père, qu'il n'avait jamais vu, lui faisait une pension qui aurait été bien plus que suffisante pour ses besoins, si Roger

---

1. Uniforme de service à bord, par opposition à la « grande tenue », de sortie. 2. Guerre contre l'Angleterre, sous l'Empire. 3. Enfant naturel : ce fait détermine comme une fatalité le caractère du héros, son amour-propre, sa susceptibilité et son rapport à l'argent.

n'eût pas été[1] la générosité même. Tout ce qu'il avait
était à ses amis. Quand il venait de toucher son trimestre[2],
c'était à qui irait le voir avec une figure triste et soucieuse :

« Eh bien, camarade, qu'as-tu ? demandait-il ; tu m'as
l'air de ne pouvoir pas faire grand bruit en frappant sur
tes poches : allons, voici ma bourse, prends ce qu'il te
faut, et viens-t'en dîner avec moi. »

Il vint à Brest une jeune actrice fort jolie, nommée
Gabrielle, qui ne tarda pas à faire des conquêtes parmi
les marins et les officiers de la garnison. Ce n'était pas
une beauté régulière, mais elle avait de la taille[3], de beaux
yeux, le pied petit, l'air passablement effronté ; tout cela
plaît fort quand on est dans les parages de vingt à
vingt-cinq ans. On la disait par-dessus le marché la plus
capricieuse créature de son sexe, et sa manière de jouer
ne démentait pas cette réputation. Tantôt elle jouait à
ravir, on eût dit une comédienne du premier ordre ; le
lendemain, dans la même pièce elle était froide, insensible ;
elle débitait son rôle comme un enfant récite son caté-
chisme. Ce qui intéressa surtout nos jeunes gens, ce fut
l'histoire suivante que l'on racontait d'elle. Il paraît qu'elle
avait été entretenue très richement à Paris par un sénateur
qui faisait, comme l'on dit, des folies pour elle. Un jour,
cet homme, se trouvant chez elle, mit son chapeau sur
sa tête ; elle le pria de l'ôter, et se plaignit même qu'il
lui manquât[4] de respect. Le sénateur se mit à rire, leva
les épaules, et dit en se carrant dans un fauteuil : « C'est
bien le moins que je me mette à mon aise chez une fille[5]
que je paie. » Un bon soufflet de crocheteur[6], détaché par
la main blanche de la Gabrielle, le paya aussitôt de sa
réponse et jeta son chapeau à l'autre bout de la chambre.
De là rupture complète. Des banquiers, des généraux
avaient fait des offres considérables à la dame ; mais elle

---

1. N'eût pas été : correction de 1850, les éditions antérieures portent :
n'*avait* pas. 2. Le lieutenant reçoit une pension par trimestre. 3. Jolie tournure, svelte mais avec des formes. 4. Manquât : correction de 1850, les
éditions antérieures portent : *manquait*. 5. Fille : terme péjoratif, ici, femme
entretenue ; voir plus bas, fille de joie. 6. Porteur, homme de peine ; la
gifle est donnée avec une force de crocheteur.

les avait toutes refusées, et s'était faite actrice, afin, disait-elle, de vivre indépendante.

Lorsque Roger la vit et qu'il apprit cette histoire, il jugea que cette personne était son fait, et, avec la franchise un peu brutale qu'on nous reproche, à nous autres marins, voici comment il s'y prit pour lui montrer combien il était touché de ses charmes. Il acheta les plus belles fleurs et les plus rares qu'il put trouver à Brest, et, dans le nœud, arrangea très proprement un rouleau de vingt-cinq napoléons[1]; c'était tout ce qu'il possédait pour le moment. Je me souviens que je l'accompagnai dans les coulisses pendant un entracte. Il fit à Gabrielle un compliment fort court sur la grâce qu'elle avait à porter son costume, lui offrit le bouquet et lui demanda la permission d'aller la voir chez elle. Tout cela fut dit en trois mots.

Tant que Gabrielle ne vit que les fleurs et le beau jeune homme qui les lui présentait, elle lui souriait, accompagnant son sourire d'une révérence des plus gracieuses; mais quand elle eut le bouquet entre les mains et qu'elle sentit le poids de l'or, sa physionomie changea plus rapidement que la surface de la mer soulevée par un ouragan[2] des tropiques; et certes elle ne fut guère moins méchante, car elle lança de toute sa force le bouquet et les napoléons à la tête de mon pauvre ami qui en porta les marques sur la figure pendant plus de huit jours. La sonnette du régisseur[3] se fit entendre, Gabrielle entra en scène et joua tout de travers.

Roger, ayant ramassé son bouquet et son rouleau d'or d'un air bien confus, s'en alla au café offrir le bouquet (sans l'argent) à la demoiselle du comptoir, et essaya, en buvant du punch[4], d'oublier la cruelle. Il n'y réussit pas; et, malgré le dépit qu'il éprouvait de ne pouvoir se montrer avec son œil poché, il devint amoureux fou de la colérique Gabrielle. Il lui écrivait vingt lettres par jour, et quelles

---

1. Vingt-cinq napoléons, 1 000 francs-or, soit deux mois de solde.
2. Ouragan : correction de 1850, les éditions antérieures portent : que *soulève* un ouragan. 3. Le régisseur dirige le spectacle. 4. Boisson forte des marins avant d'être celle des écrivains romantiques, composée de rhum, de liqueur, sucrée et parfumée aux épices, parfois flambée.

lettres ! soumises, tendres, respectueuses, telles qu'on pourrait les adresser à une princesse. Les premières lui furent
renvoyées sans être décachetées ; les autres n'obtinrent
pas de réponse. Roger cependant conservait quelque espoir,
quand nous découvrîmes[1] que la marchande d'oranges du
théâtre enveloppait ses oranges avec les lettres d'amour
de Roger, que Gabrielle lui donnait par un raffinement
de méchanceté[2]. Ce fut un coup terrible pour la fierté de
notre ami. Pourtant sa passion ne diminua pas. Il parlait
de demander l'actrice en mariage ; et, comme on lui disait
que le ministre de la Marine n'y donnerait jamais son
consentement[3], il s'écriait qu'il se brûlerait la cervelle.

Sur ces entrefaites, il arriva que les officiers d'un
régiment de ligne en garnison à Brest voulurent faire
répéter un couplet de vaudeville[4] à Gabrielle, qui s'y
refusa par pur caprice. Les officiers et l'actrice s'opiniâ-
trèrent si bien que les uns firent baisser la toile par leurs
sifflets, et que l'autre s'évanouit. Vous savez ce que c'est
que le parterre d'une ville de garnison. Il fut convenu
entre les officiers que, le lendemain et les jours suivants,
la coupable serait sifflée sans rémission, qu'on ne lui
permettrait pas de jouer un seul rôle avant qu'elle eût
fait amende honorable avec l'humilité nécessaire pour
expier son crime. Roger n'avait point assisté à cette
représentation ; mais il apprit, le soir même, le scandale
qui avait mis tout le théâtre en confusion, ainsi que les
projets de vengeance qui se tramaient pour le lendemain.
Sur-le-champ son parti fut pris.

Le lendemain, lorsque Gabrielle parut, du banc des
officiers partirent des huées et des sifflets à fendre les
oreilles. Roger, qui s'était placé à dessein tout auprès des
tapageurs, se leva et interpella les plus bruyants en termes

---

1. Découvrîmes : correction de 1850, les éditions antérieures portent : lui
montrâmes. 2. Méchanceté : que Gabrielle lui avait *sans doute* données
par méchanceté *(RP)*. 3. Les officiers, pour se marier, devaient obtenir,
après enquête sur la fortune et les mœurs de la fiancée, le consentement
de leur hiérarchie. 4. Un morceau de circonstance demandé à l'actrice ; les
deux premières éditions portent : à *la* Gabrielle.

si outrageux[1], que toute leur fureur se tourna aussitôt
contre lui. Alors, avec un grand sang-froid, il tira son
carnet de sa poche, et inscrivit les noms qu'on lui criait
de toutes parts ; il aurait pris rendez-vous pour se battre
avec tout le régiment, si, par esprit de corps, un grand
nombre d'officiers de marine ne fussent survenus, et
n'eussent provoqué la plupart de ses adversaires. La
bagarre fut vraiment effroyable.

Toute la garnison fut consignée pour plusieurs jours ;
mais, quand on nous rendit la liberté, il y eut un terrible
compte à régler. Nous nous trouvâmes une soixantaine
sur le terrain. Roger, seul, se battit successivement contre
trois officiers ; il en tua un, et blessa grièvement les deux
autres sans recevoir une égratignure. Je fus moins heureux
pour ma part : un maudit lieutenant, qui avait été maître
d'armes, me donna dans la poitrine un grand coup d'épée,
dont je manquai mourir. Ce fut, je vous assure, un beau
spectacle que ce duel, ou plutôt cette bataille. La marine
eut tout l'avantage, et le régiment fut obligé de quitter
Brest.

Vous pensez bien que nos officiers supérieurs n'oubliè-
rent pas l'auteur de la querelle. Il eut pendant quinze
jours une sentinelle à sa porte[2].

Quand ses arrêts furent levés, je sortis de l'hôpital, et
j'allai le voir. Quelle fut ma surprise, en entrant chez
lui, de le voir assis à déjeuner, tête à tête avec Gabrielle !
Ils avaient l'air d'être depuis longtemps en parfaite intelligence. Déjà ils se tutoyaient et se servaient du même
verre. Roger me présenta à sa maîtresse comme son
meilleur ami, et lui dit que j'avais été blessé dans l'espèce
d'escarmouche dont elle avait été la première cause. Cela
me valut un baiser de cette belle personne. Cette fille
avait les inclinations toutes martiales[3].

Ils passèrent trois mois ensemble parfaitement heureux,
ne se quittant pas d'un instant. Gabrielle paraissait l'aimer

---

1. Outrageux : *outrageants* (RP, 1833). 2. Le lieutenant est aux arrêts,
sous la garde d'une sentinelle. 3. Qui a du goût pour la guerre, mais ici,
ironiquement, qui a du goût pour les militaires.

jusqu'à la fureur, et Roger avouait qu'avant de connaître Gabrielle, il n'avait pas connu l'amour.

Une frégate hollandaise[1] entra dans le port. Les officiers nous donnèrent à dîner. On but largement de toutes sortes de vins ; et, la nappe ôtée, ne sachant que faire, car ces messieurs parlaient très mal français, on se mit à jouer. Les Hollandais paraissaient avoir beaucoup d'argent ; et leur premier lieutenant surtout voulait jouer si gros jeu, que pas un de nous ne se souciait de faire sa partie. Roger, qui ne jouait pas d'ordinaire, crut qu'il s'agissait dans cette occasion de soutenir l'honneur de son pays. Il joua donc, et tint tout ce que voulut le lieutenant hollandais. Il gagna d'abord, puis perdit. Après quelques alternatives de gain et de perte, ils se séparèrent sans avoir rien fait. Nous rendîmes le dîner aux officiers hollandais. On joua encore. Roger et le lieutenant furent remis aux prises. Bref, pendant plusieurs jours, ils se donnèrent rendez-vous, soit au café, soit à bord, essayant toutes sortes de jeu, surtout le trictrac, et augmentant toujours leurs paris, si bien qu'ils en vinrent à jouer vingt-cinq napoléons la partie. C'était une somme énorme pour de pauvres officiers comme nous : plus de deux mois de solde ! Au bout d'une semaine Roger avait perdu tout l'argent qu'il possédait, plus trois ou quatre mille francs[2] empruntés à droite et à gauche.

Vous vous doutez bien que Roger et Gabrielle avaient fini par faire ménage commun et bourse commune : c'est-à-dire que Roger, qui venait de toucher une forte part de prises[3], avait mis à la masse[4] dix ou vingt fois plus que l'actrice. Cependant il considérait toujours que cette masse appartenait principalement à sa maîtresse, et il n'avait gardé pour ses dépenses particulières qu'une cinquantaine de napoléons. Il avait été cependant obligé

---

1. Le royaume de Hollande, confié à Louis Bonaparte, faisait partie, alors, de l'Empire français. 2. Quatre mille francs-or, soit cent napoléons, soit huit mois de solde. 3. Les officiers de marine étaient intéressés à la valeur de leurs prises de guerre. 4. Masse : il considérait toujours que la *somme totale* appartenait *(RP)*.

de recourir à cette réserve pour continuer à jouer. Gabrielle ne lui fit pas la moindre observation.

L'argent du ménage prit le même chemin que son argent de poche. Bientôt Roger fut réduit à jouer ses derniers vingt-cinq napoléons. Il s'appliquait horriblement ; aussi la partie fut-elle longue et disputée. Il vint un moment, où Roger, tenant le cornet, n'avait plus qu'une chance pour gagner : je crois qu'il lui fallait six quatre[1]. La nuit était avancée. Un officier qui les avait longtemps regardés jouer avait fini par s'endormir dans un fauteuil. Le Hollandais était fatigué et assoupi ; en outre, il avait bu beaucoup de punch. Roger seul était bien éveillé, et en proie au plus violent désespoir. Ce fut en frémissant qu'il jeta les dés. Il les jeta si rudement sur le damier, que de la secousse une bougie tomba sur le plancher. Le Hollandais tourna la tête d'abord vers la bougie, qui venait de couvrir de cire son pantalon neuf, puis il regarda les dés. – Ils marquaient six et quatre. Roger, pâle comme la mort, reçut les vingt-cinq napoléons. Ils continuèrent à jouer. La chance devint favorable à mon malheureux ami, qui pourtant faisait écoles sur écoles[2], et qui casait[3] comme s'il avait voulu perdre. Le lieutenant hollandais s'entêta, doubla, décupla les enjeux : il perdit toujours. Je crois le voir encore : c'était un grand blond, flegmatique[4], dont la figure semblait être de cire. Il se leva enfin, ayant perdu quarante mille francs[5], qu'il paya sans que sa physionomie[6] décelât la moindre émotion.

Roger lui dit :

« Ce que nous avons fait ce soir ne signifie rien, vous dormiez à moitié ; je ne veux pas de votre argent.

– Vous plaisantez, répondit le flegmatique Hollandais ; j'ai très bien joué, mais les dés ont été contre moi. Je

---

1. Six quatre : points que doivent marquer les dés. 2. Toute faute au tric-trac donne lieu à une pénalité, elle expédie le joueur à l'« école ». 3. Casait : terme de jeu ; mettre deux dames sur une flèche, triangle dessiné dans les compartiments de la boîte qui constitue la table de jeu. 4. Qui est de caractère impassible ; le flegme est une des humeurs de l'ancienne médecine. 5. Quarante mille francs : *quatre-vingt* mille francs (*RP*, 1833). 6. L'expression du visage.

suis sûr de pouvoir toujours vous gagner en vous rendant quatre trous[1]. Bonsoir ! »

Et il le quitta.

Le lendemain, nous apprîmes que, désespéré de sa perte, il s'était brûlé la cervelle dans sa chambre après avoir bu un bol de punch.

Les quarante mille francs gagnés par Roger étaient étalés sur une table, et Gabrielle les contemplait avec un sourire de satisfaction.

« Nous voilà bien riches, dit-elle ; que ferons-nous de tout cet argent ? »

Roger ne répondit rien ; il paraissait comme hébété depuis la mort du Hollandais.

« Il faut faire mille folies, continua Gabrielle : argent gagné aussi facilement doit se dépenser de même. Achetons une calèche et narguons le préfet maritime et sa femme. Je veux avoir des diamants, des cachemires[2]. Demande un congé et allons à Paris ; ici, nous ne viendrons jamais à bout de tant d'argent ! »

Elle s'arrêta pour observer Roger, qui les yeux fixés sur le plancher, la tête appuyée sur sa main, ne l'avait pas entendue, et semblait rouler dans sa tête les plus sinistres pensées.

« Que diable as-tu, Roger ? s'écria-t-elle en appuyant une main sur son épaule. Tu me fais la moue, je crois ; je ne puis t'arracher une parole.

— Je suis bien malheureux, dit-il enfin avec un soupir étouffé.

— Malheureux ! Dieu me pardonne, n'aurais-tu pas des remords pour avoir plumé ce gros *mynheer*[3] ? »

Il releva la tête et la regarda d'un œil hagard.

« Qu'importe !... poursuivit-elle, qu'importe qu'il ait pris la chose au tragique et qu'il se soit brûlé ce qu'il avait

---

1. Quatre trous : ouvertures sur le bord du damier, où l'on place des fiches marquant les points ; ici, donner à l'adversaire un avantage de quatre trous, chaque trou valant douze points. 2. Cachemires : châles en laine fine à motifs de palmettes, originaires des Indes ou de Perse, très à la mode sous l'Empire. Après 1806, sous l'effet du blocus, on se mit à les fabriquer en France. 3. *Mynheer* : monsieur, en hollandais.

de cervelle ! Je ne plains pas les joueurs qui perdent ; et
certes son argent est mieux entre nos mains que dans les
siennes ; il l'aurait dépensé à boire et à fumer, au lieu
que, nous, nous allons faire mille extravagances toutes
plus élégantes les unes que les autres. »

Roger se promenait par la chambre, la tête penchée
sur sa poitrine, les yeux à demi fermés et remplis de
larmes. Il vous aurait fait pitié si vous l'aviez vu.

« Sais-tu, lui dit Gabrielle, que des gens qui ne connaî-
traient pas ta sensibilité romanesque pourraient bien croire
que tu as triché ?

— Et si cela était vrai ? s'écria-t-il d'une voix sourde
en s'arrêtant devant elle.

— Bah ! répondit-elle en souriant, tu n'as pas assez
d'esprit pour tricher au jeu.

— Oui, j'ai triché, Gabrielle ; j'ai triché comme un
misérable que je suis. »

Elle comprit à son émotion qu'il ne disait que trop
vrai : elle s'assit sur un canapé et demeura quelque temps
sans parler.

« J'aimerais mieux, dit-elle enfin d'une voix très émue,
j'aimerais mieux que tu eusses tué dix hommes que d'avoir
triché au jeu. »

Il y eut un mortel silence d'une demi-heure. Ils étaient
assis tous les deux sur le même sofa, et ne se regardèrent
pas une seule fois. Roger se leva le premier, et lui dit
bonsoir d'une voix assez calme.

« Bonsoir ! » lui répondit-elle d'un ton sec et froid.

Roger m'a dit depuis qu'il se serait tué ce jour-là
même s'il n'avait craint que nos camarades ne devinassent
la cause de son suicide. Il ne voulait pas que sa mémoire
fût infâme[1].

Le lendemain, Gabrielle fut aussi gaie qu'à l'ordinaire :
on eût dit qu'elle avait déjà oublié la confidence de la
veille. Pour Roger, il était devenu sombre, fantasque,
bourru ; il sortait à peine de sa chambre, évitant ses amis,
et passait souvent des journées entières sans adresser une

---

1. Roger est perdu de réputation parce qu'il a triché.

parole à sa maîtresse. J'attribuais sa tristesse à une sensibilité honorable, mais excessive, et j'essayai plusieurs fois de le consoler ; mais il me renvoyait bien loin en affectant une grande indifférence pour son partner[1] malheureux. Un jour même, il fit une sortie violente contre la nation hollandaise, et voulut me soutenir qu'il ne pouvait pas y avoir en Hollande un seul honnête homme. Cependant il s'informait en secret de la famille du lieutenant hollandais ; mais personne ne pouvait lui en donner des nouvelles.

Six semaines après cette malheureuse partie de trictrac, Roger trouva chez Gabrielle un billet écrit par un aspirant qui paraissait la remercier de bontés[2] qu'elle avait eues pour lui, Gabrielle était le désordre en personne, et le billet en question avait été laissé par elle sur sa cheminée. Je ne sais si elle avait été infidèle, mais Roger le crut, et sa colère fut épouvantable. Son amour et un reste d'orgueil étaient les seuls sentiments qui pussent encore l'attacher à la vie, et le plus fort de ses sentiments allait être ainsi soudainement détruit. Il accabla d'injures l'orgueilleuse comédienne ; et, violent comme il était, je ne sais comment il se fit qu'il ne la battît pas.

«Sans doute, lui dit-il, ce freluquet vous a donné beaucoup d'argent ? C'est la seule chose que vous aimiez, et vous accorderiez vos faveurs au plus sale de nos matelots s'il avait de quoi les payer.

– Pourquoi pas ? répondit froidement l'actrice. Oui, je me ferais payer par un matelot, mais... *je ne le volerais pas.*»

Roger poussa un cri de rage. Il tira en tremblant son poignard, et un instant regarda Gabrielle avec des yeux égarés ; puis, rassemblant toutes ses forces, il jeta l'arme à ses pieds et s'échappa de l'appartement pour ne pas céder à la tentation[3] qui l'obsédait.

Ce soir-là même, je passai fort tard devant son logement, et, voyant de la lumière chez lui, j'entrai pour lui emprunter

---

1. *Partner* : compagnon de jeu ; la forme partenaire ne s'imposa qu'après 1835. 2. Bontés : euphémisme, faveurs amoureuses. 3. Tentation : correction de 1850 ; les éditions antérieures portent : à l'*horrible* tentation.

un livre. Je le trouvai fort occupé à écrire. Il ne se dérangea point, et parut à peine s'apercevoir de ma présence dans sa chambre. Je m'assis près de son bureau, et je contemplai ses traits ; ils étaient tellement altérés, qu'un autre que moi aurait eu de la peine à le reconnaître. Tout d'un coup j'aperçus sur le bureau une lettre déjà cachetée, et qui m'était adressée. Je l'ouvris aussitôt. Roger m'annonçait qu'il allait mettre fin à ses jours, et me chargeait de différentes commissions. Pendant que je lisais, il écrivait toujours sans prendre garde à moi : c'était à Gabrielle qu'il faisait ses adieux... Vous pensez quel fut mon étonnement, et ce que je dus lui dire, confondu comme je l'étais de sa résolution.

« Comment, tu veux te tuer, toi qui es si heureux ?

– Mon ami, me dit-il en cachetant sa lettre, tu ne sais rien ; tu ne me connais pas, je suis un fripon ; je suis si méprisable, qu'une fille de joie m'insulte ; et je sens si bien ma bassesse, que je n'ai pas la force de la battre. »

Alors il me raconta l'histoire de la partie de trictrac, et tout ce que vous savez déjà. En l'écoutant, j'étais pour le moins aussi ému que lui ; je ne savais que lui dire ; je lui serrais les mains, j'avais les larmes aux yeux, mais je ne pouvais parler. Enfin l'idée me vint de lui représenter qu'il n'avait pas à se reprocher d'avoir causé volontairement la ruine du Hollandais, et que, après tout, il ne lui avait fait perdre par sa... tricherie... que vingt-cinq napoléons.

« Donc ! s'écria-t-il avec une ironie amère, je suis un petit voleur et non pas un grand. Moi qui avais tant d'ambition ! N'être qu'un friponneau !... »

Et il éclata de rire.

Je fondis en larmes.

Tout à coup la porte s'ouvrit ; une femme entra et se précipita dans ses bras : c'était Gabrielle.

« Pardonne-moi, s'écria-t-elle en l'étreignant avec force, pardonne-moi. Je le sens bien, je n'aime que toi. Je t'aime mieux maintenant que si tu n'avais pas fait ce que tu te reproches. Si tu veux, je volerai, j'ai déjà volé... Oui, j'ai volé, j'ai volé une montre d'or... Que peut-on faire de pis ? »

Roger secoua la tête d'un air d'incrédulité ; mais son front parut s'éclaircir.

« Non, ma pauvre enfant, dit-il en la repoussant avec douceur, il faut absolument que je me tue. Je souffre trop, je ne puis résister à la douleur que je sens là.

– Eh bien, si tu veux mourir, Roger, je mourrai avec toi ! Sans toi, que m'importe la vie ! J'ai du courage, j'ai tiré des fusils[1], je me tuerai tout comme un autre. D'abord, moi qui ai joué la tragédie, j'en ai l'habitude. »

Elle avait les larmes aux yeux en commençant, cette dernière idée la fit rire, et Roger lui-même laissa échapper un sourire.

« Tu ris, mon officier, s'écria-t-elle en battant des mains et en l'embrassant ; tu ne te tueras pas ! »

Et elle l'embrassait toujours, tantôt pleurant, tantôt riant, tantôt jurant comme un matelot ; car elle n'était pas de ces femmes qu'un gros mot effraie.

Cependant je m'étais emparé des pistolets et du poignard de Roger, et je lui dis :

« Mon cher Roger, tu as une maîtresse et un ami qui t'aiment. Crois-moi, tu peux encore avoir quelque bonheur en ce monde. » Je sortis après l'avoir embrassé, et je le laissai seul avec Gabrielle.

Je crois que nous ne serions parvenus qu'à retarder seulement son funeste dessein, s'il n'avait reçu du ministre l'ordre de partir, comme premier lieutenant, à bord d'une frégate qui devait aller croiser dans les mers de l'Inde, après avoir passé au travers de l'escadre anglaise qui bloquait le port. L'affaire était hasardeuse. Je lui fis entendre qu'il valait mieux mourir noblement d'un boulet anglais que de mettre fin lui-même à ses jours, sans gloire et sans utilité pour son pays. Il promit de vivre. Des quarante mille francs, il en distribua la moitié à des matelots estropiés ou à des veuves et des enfants de marins. Il donna le reste à Gabrielle, qui d'abord jura de

---

1. Tirer est parfois construit transitivement au début du XIXe siècle : tirer *le* fusil.

n'employer cet argent qu'en bonnes œuvres. Elle avait bien l'intention de tenir parole, la pauvre fille ; mais l'enthousiasme était chez elle de courte durée. J'ai su depuis qu'elle donna quelques milliers de francs aux pauvres. Elle s'acheta des chiffons avec le reste.

Nous montâmes, Roger et moi, sur une belle frégate, la *Galatée*[1]. Nos hommes étaient braves, bien exercés, bien disciplinés ; mais notre commandant était un ignorant, qui se croyait un Jean Bart[2] parce qu'il jurait mieux qu'un capitaine d'armes[3], parce qu'il écorchait le français et qu'il n'avait jamais étudié la théorie de sa profession, dont il entendait assez médiocrement la pratique[4]. Pourtant le sort le favorisa d'abord. Nous sortîmes heureusement de la rade, grâce à un coup de vent qui força l'escadre de blocus[5] de gagner le large, et nous commençâmes notre croisière par brûler une corvette[6] anglaise et un vaisseau de la compagnie[7] sur les côtes du Portugal.

Nous voguions lentement vers les mers de l'Inde, contrariés par les vents et par les fausses manœuvres de notre capitaine, dont la maladresse augmentait le danger de notre croisière. Tantôt chassés par des forces supérieures, tantôt poursuivant des vaisseaux marchands, nous ne passions pas un seul jour sans quelque aventure nouvelle. Mais ni la vie hasardeuse que nous menions, ni les fatigues que lui donnait le détail[8] de la frégate dont il était chargé, ne pouvaient distraire Roger des tristes pensées qui le poursuivaient sans relâche. Lui qui passait autrefois pour l'officier le plus actif et le plus brillant de notre port, maintenant il se bornait à faire seulement son devoir. Aussitôt que son service était fini,

---

1. *Galatée* : une frégate de ce nom a bien été en service dans la flotte française de l'époque. **2.** Jean Bart (1650-1702), célèbre marin de Louis XIV. **3.** Capitaine d'armes : officier des troupes d'infanterie embarquée, dont les officiers de marine, par esprit de corps, veulent se distinguer. **4.** Dans *Tamango*, en revanche, le capitaine Ledoux avait pris soin d'« étudier la théorie de la navigation dont il connaissait déjà parfaitement la pratique », p. 69. **5.** Forte unité de navires de guerre ennemis chargés de bloquer le port de Brest. **6.** Navire de guerre, entre le brick et la frégate. **7.** Compagnie : Compagnie anglaise des Indes. **8.** Détail : service du bord, concernant le matériel et le personnel.

il se renfermait dans sa chambre, sans livres, sans papier ;
il passait des heures entières couché dans son cadre[1], et
le malheureux ne pouvait dormir.

Un jour, voyant son abattement, je m'avisai de lui
dire :

« Parbleu ! mon cher, tu t'affliges pour peu de chose.
Tu as escamoté vingt-cinq napoléons à un gros Hollandais,
bien ! – et tu as des remords pour plus d'un million. Or,
dis-moi, quand tu étais l'amant de la femme du préfet
de..., n'en avais-tu point ? Pourtant elle valait mieux que
vingt-cinq napoléons. »

Il se retourna sur son matelas sans me répondre.

Je poursuivis :

« Après tout, ton crime, puisque tu dis que c'est un
crime, avait un motif honorable, et venait d'une âme
élevée. »

Il tourna la tête et me regarda d'un air furieux.

« Oui, car enfin, si tu avais perdu, que devenait
Gabrielle ? Pauvre fille, elle aurait vendu sa dernière
chemise pour toi... Si tu perdais, elle était réduite à la
misère... C'est pour elle, c'est par amour pour elle que
tu as triché. Il y a des gens qui tuent par amour... qui
se tuent... Toi, mon cher Roger, tu as fait plus. Pour un
homme comme nous, il y a plus de courage à... voler,
pour parler net, qu'à se tuer. »

Peut-être maintenant, me dit le capitaine interrompant
son récit, vous semblé-je ridicule. Je vous assure que
mon amitié pour Roger me donnait, dans ce moment, une
éloquence que je ne retrouve plus aujourd'hui ; et, le
diable m'emporte, en lui parlant de la sorte, j'étais de
bonne foi, et je croyais tout ce que je disais. Ah ! j'étais
jeune alors !

Roger fut quelque temps sans répondre ; il me tendit
la main.

« Mon ami, dit-il en paraissant faire un grand effort

---

1. Cadre : terme de marine, couchette de l'officier, fixe, par opposition au
hamac du matelot.

sur lui-même, tu me crois meilleur que je ne suis. Je
suis un lâche coquin. Quand j'ai triché ce Hollandais, je
ne pensais qu'à gagner vingt-cinq napoléons, voilà tout.
Je ne pensais pas à Grabrielle, et voilà pourquoi je me
méprise... Moi, estimer mon honneur moins que vingt-cinq
napoléons !... Quelle bassesse ! Oui, je serais heureux de
pouvoir me dire : "J'ai volé pour tirer Gabrielle de la
misère..." Non !... non ! je ne pensais pas à elle... Je
n'étais pas amoureux dans ce moment... J'étais un joueur...
j'étais un voleur... J'ai volé de l'argent pour l'avoir à
moi... et cette action m'a tellement abruti, avili, que je
n'ai plus aujourd'hui de courage ni d'amour... je vis, et
je ne pense plus à Gabrielle... je suis un homme fini. »

Il paraissait si malheureux que, s'il m'avait demandé
mes pistolets pour se tuer, je crois que je les lui aurais
donnés.

Un certain vendredi, jour de mauvais augure[1], nous
découvrîmes une grosse frégate anglaise, l'*Alceste*, qui
prit chasse[2] sur nous. Elle portait cinquante-huit canons,
nous n'en avions que trente-huit. Nous fîmes force de
voiles pour lui échapper ; mais sa marche était supérieure ;
elle gagnait sur nous à chaque instant, il était évident
qu'avant la nuit, nous serions contraints de livrer un
combat inégal. Notre capitaine appela Roger dans sa
chambre, où ils furent un grand quart d'heure à consulter
ensemble. Roger remonta sur le tillac, me prit par le
bras, et me tira à l'écart.

« D'ici à deux heures, me dit-il, l'affaire va s'engager ;
ce brave homme là-bas qui se démène sur le gaillard[3]
d'arrière a perdu la tête. Il y avait deux partis à prendre :
le premier, le plus honorable, était de laisser l'ennemi
arriver sur nous, puis de l'aborder vigoureusement en
jetant à son bord une centaine de gaillards déterminés ;

---

1. Le vendredi est un jour néfaste, selon les marins ; dans *Tamango*,
« *L'Espérance* partit de Nantes un vendredi, comme le remarquèrent depuis
des gens superstitieux », p. 73. 2. Mérimée semble confondre « prendre
chasse », qui signifie « fuir à toutes voiles », et « donner chasse ». 3. Gaillard : partie surélevée de la poupe d'un navire, d'où le commandant donne
ses ordres.

l'autre parti, qui n'est pas mauvais, mais qui est assez lâche, serait de nous alléger en jetant à la mer une partie de nos canons. Alors nous pourrions serrer de très près la côte d'Afrique que nous découvrons là-bas à bâbord[1]. L'Anglais, de peur de s'échouer, serait bien obligé de nous laisser échapper ; mais notre... capitaine[2] n'est ni un lâche ni un héros ; il va se laisser démolir de loin à coups de canon, et après quelques[3] heures de combat, il amènera honorablement son pavillon. Tant pis pour vous : les pontons de Portsmouth[4] vous attendent. Quant à moi, je ne veux pas les voir.

— Peut-être, lui dis-je, nos premiers coups de canon feront-ils à l'ennemi des avaries assez fortes pour l'obliger à cesser la chasse.

— Écoute, je ne veux pas être prisonnier, je veux me faire tuer ; il est temps que j'en finisse. Si par malheur je ne suis que blessé, donne-moi ta parole que tu me jetteras à la mer. C'est le lit où doit mourir un bon marin comme moi.

— Quelle folie ! m'écriai-je, et quelle commission me donnes-tu là !

— Tu rempliras le devoir d'un bon ami. Tu sais qu'il faut que je meure. Je n'ai consenti à ne pas me tuer que dans l'espoir d'être tué, tu dois t'en souvenir. Allons, fais-moi cette promesse ; si tu me refuses, je fais demander ce service à ce contremaître, qui ne me refusera pas. »

Après avoir réfléchi quelque temps, je lui dis :

« Je te donne ma parole de faire ce que tu désires, pourvu que tu sois blessé à mort, sans espérance de guérison. Dans ce cas, je consens à t'épargner des souffrances.

— Je serai blessé à mort ou bien je serai tué. »

Il me tendit la main, je la serrai fortement. Dès lors, il fut plus calme, et même une certaine gaieté martiale brilla sur son visage.

1. Côté gauche du navire, par opposition à tribord, le côté droit. 2. Capitaine : correction de 1850 ; les éditions antérieures portent : notre *brave* capitaine. 3. Quelques heures : *une heure (RP,* 1833). 4. Port de guerre sur la côte sud de l'Angleterre.

Vers trois heures de l'après-midi les canons de chasse de l'ennemi commencèrent à porter dans nos agrès[1]. Nous carguâmes[2] alors une partie de nos voiles : nous présentâmes le travers à l'*Alceste*, et nous fîmes un feu roulant[3] auquel les Anglais répondirent avec vigueur. Après environ une heure de combat, notre capitaine, qui ne faisait rien à propos, voulut essayer l'abordage. Mais nous avions déjà beaucoup de morts et de blessés, et le reste de notre équipage avait perdu de son ardeur ; enfin nous avions beaucoup souffert dans nos agrès, et nos mâts étaient fort endommagés. Au moment où nous déployâmes nos voiles pour nous rapprocher de l'Anglais, notre grand mât, qui ne tenait plus à rien, tomba avec un fracas horrible. L'*Alceste* profita de la confusion où nous jeta d'abord cet accident. Elle vint passer à notre poupe en nous lâchant à demi-portée de pistolet[4] toute sa bordée[5] ; elle traversa de l'avant à l'arrière notre malheureuse frégate, qui ne pouvait lui opposer sur ce point que deux petits canons. Dans ce moment, j'étais auprès de Roger, qui s'occupait à faire couper les haubans qui retenaient encore le mât abattu. Je le sens qui me serrait le bras avec force ; je me retourne, et je le vois renversé sur le tillac et tout couvert de sang. Il venait de recevoir un coup de mitraille[6] dans le ventre.

Le capitaine courut à lui :

« Que faire, lieutenant ? s'écria-t-il.

— Il faut clouer notre pavillon à ce tronçon de mât et nous faire couler[7]. »

Le capitaine le quitta aussitôt, goûtant fort peu ce conseil.

« Allons, me dit Roger, souviens-toi de ta promesse.

— Ce n'est rien, lui dis-je, tu peux en revenir.

— Jette-moi par-dessus le bord, s'écria-t-il en jurant

---

1. Agrès : gréement, tout ce qui tient la voilure. 2. Action de serrer, de replier les voiles. 3. Feu roulant : tir continu d'une batterie de canons. 4. À bout portant, environ 20 m. 5. Décharge simultanée de tous les canons d'un même bord. 6. Mitraille : projectile fait d'éclats de métal. 7. Le navire étant démâté, le pavillon ne flotte plus ; Roger le fait clouer au tronçon du mât pour couler « pavillon haut », sans l'« amener », sans se rendre.

horriblement et me saisissant par la basque de mon habit ;
tu vois bien que je n'en puis réchapper : jette-moi à la
mer, je ne veux pas voir amener notre pavillon. »

Deux matelots s'approchèrent de lui pour le porter à
fond de cale.

« À vos canons, coquins, s'écria-t-il avec force : tirez
à mitraille et pointez au tillac. Et toi, si tu manques à
ta parole, je te maudis, et je te tiens pour le plus lâche
et le plus vil de tous les hommes ! »

Sa blessure était certainement mortelle. Je vis le capitaine appeler son aspirant et lui donner l'ordre d'amener
notre pavillon.

« Donne-moi une poignée de main », dis-je à Roger.

Au moment même où notre pavillon fut amené...

« Capitaine, une baleine à bâbord ! interrompit un
enseigne accourant à nous.

— Une baleine ? s'écria le capitaine transporté de joie
et laissant là son récit. Vite, la chaloupe à la mer ! la
vole[1] à la mer, toutes les chaloupes à la mer ! — Des
harpons, des cordes ! etc. »

Je ne pus savoir comment mourut le pauvre lieutenant
Roger.

1830.

---

1. Canot étroit à six ou huit rameurs.

VIII

LETTRES D'ESPAGNE
(1833)[1]

1
Les Combats de taureaux

Madrid, 25 octobre 1830.

Monsieur,

Les courses de taureaux sont encore très en vogue en Espagne ; mais parmi les Espagnols de la classe élevée il en est peu qui n'éprouvent une espèce de honte à avouer leur goût pour un genre de spectacle certainement fort cruel ; aussi cherchent-ils plusieurs graves raisons pour le justifier. D'abord c'est un amusement national. Ce mot *national* suffirait seul, car le patriotisme d'anti-chambre[2] est aussi fort en Espagne qu'en France. Ensuite, disent-ils, les Romains étaient encore plus barbares que nous, puisqu'ils faisaient combattre des hommes contre des hommes. Enfin, ajoutent les économistes, l'agriculture profite de cet usage, car le haut prix des taureaux de combat engage les propriétaires à élever de nombreux troupeaux. Il faut savoir que tous les taureaux n'ont point le mérite de courir sus[3] aux hommes et aux chevaux, et

---

1. (1833) : millésime ajouté dans l'édition de 1842. 2. Formule désignant un chauvinisme excessif, qui se paie de mots, à l'usage des solliciteurs et du peuple qui se pressent dans l'antichambre des grands. 3. Courir sus : attaquer.

que sur vingt il s'en trouve à peine un assez brave pour
figurer dans un cirque[1] ; les dix-neuf autres servent à
l'agriculture. Le seul argument que l'on n'ose présenter,
et qui serait pourtant sans réplique, c'est que cruel ou
non, ce spectacle est si intéressant, si attachant, produit
des émotions si puissantes, qu'on ne peut y renoncer
lorsqu'on a résisté à l'effet de la première séance. Les
étrangers, qui n'entrent dans le cirque la première fois
qu'avec une certaine horreur, et seulement afin de
s'acquitter en conscience des devoirs de voyageur[2], les
étrangers, dis-je, se passionnent bientôt pour les courses
de taureaux autant que les Espagnols eux-mêmes. Il faut
en convenir à la honte de l'humanité, la guerre avec
toutes ses horreurs a des charmes extraordinaires, surtout
pour ceux qui la contemplent à l'abri[3].

Saint Augustin raconte[4] que dans sa jeunesse il avait
une répugnance extrême pour les combats de gladiateurs,
qu'il n'avait jamais vus. Forcés par un de ses amis de
l'accompagner à une de ces pompeuses boucheries[5], il
s'était juré à lui-même de fermer les yeux pendant tout
le temps de la représentation. D'abord il tint assez bien
sa promesse et s'efforça de penser à autre chose ; mais
à un cri que poussa tout le peuple en voyant tomber un

1. Cirque : il s'agit de l'arène, ou *plaza*. 2. Dans une lettre du 4 septembre 1830 adressée à son ami Stapfer, Mérimée écrivait : « Il est certain qu'il n'y a rien de plus cruel, de plus féroce, que les courses de taureaux. Moi qui vous parle, qui ne puis voir saigner un malade sans éprouver une émotion désagréable, j'ai été voir les taureaux seulement pour l'acquit de ma conscience, afin de voir tout ce qu'il y a d'étrange à voir. Eh bien ! maintenant j'éprouve un indicible plaisir à voir piquer un taureau, éventrer un cheval, culbuter un homme », *Correspondance générale*, I, p. 72. 3. Allusion aux vers de Lucrèce : *Suave mari magno turbantibus aequora ventis/Et terra magnum alterius spectare laborem*, « Il est doux lorsque l'on est sur la terre ferme, de voir la mer agitée par les vents, exercer sa fureur sur des malheureux », *De natura rerum*, II, 1-2. 4. Saint Augustin raconte dans ses *Confessions* (VI, VIII), comment son ami Alypius se laissa prendre à la fascination des jeux du cirque : « Les yeux fixes, il épuisait cette coupe de démence, sans le savoir, il trouvait du plaisir en ces combats criminels, ils s'enivrait de cette volupté sanglante. » 5. Pompeuses boucheries : même ironie que Voltaire : « Candide, qui tremblait comme un philosophe, se cacha du mieux qu'il put pendant cette boucherie héroïque », *Candide*, III.

gladiateur célèbre, il ouvrit les yeux ; il les ouvrit et ne
put les refermer. Depuis lors, et jusqu'à sa conversion,
il fut un des amateurs les plus passionnés des jeux du
cirque.

Après un aussi grand saint, j'ai honte de me citer ;
pourtant vous savez que je n'ai pas les goûts d'un
anthropophage[1]. La première fois que j'entrai dans le
cirque de Madrid[2], je craignis de ne pouvoir supporter la
vue du sang que l'on y fait libéralement couler ; je
craignais surtout que ma sensibilité, dont je me défiais,
ne me rendît ridicule devant les amateurs endurcis qui
m'avaient donné une place dans leur loge. Il n'en fut
rien. Le premier taureau qui parut fut tué ; je ne pensais
plus à sortir. Deux heures s'écoulèrent sans le moindre
entracte, et je n'étais pas encore fatigué. Aucune tragédie
au monde ne m'avait intéressé à ce point. Pendant mon
séjour en Espagne je n'ai pas manqué un seul combat,
et, je l'avoue en rougissant, je préfère les combats à mort
à ceux où l'on se contente de harceler des taureaux qui
portent des boules à l'extrémité de leurs cornes. Il y a à
la même différence qu'entre les combats à outrance et
les tournois à lances mornées[3]. Pourtant les deux espèces
de courses se ressemblent beaucoup ; mais seulement dans
la seconde le danger pour les hommes est presque nul.

La veille d'une course est déjà une fête. Pour éviter
les accidents, on ne conduit les taureaux dans l'écurie du
cirque (*encierro*[4]) que la nuit ; et, la veille du jour fixé
pour le combat, ils paissent dans un pâturage à peu de
distance de Madrid (*el arroyo*). C'est un but de promenade
que d'aller voir ces taureaux qui viennent souvent de très
loin. Un grand nombre de voitures, de cavaliers et de
piétons se rendent à l'arroyo. Beaucoup de jeunes gens
portent dans cette occasion l'élégant costume de *majo*

---

1. Cannibale : désigne ici un homme aux mœurs sanguinaires. **2.** Mérimée
assista pour la première fois à une corrida au cours de l'été 1830. **3.** Dans
les tournois, les lances étaient rendues moins dangereuses, grâce à un
anneau, la morne, qui entourait la pointe et en limitait la saillie.
4. *Encierro* : le mot désigne l'accompagnement des taureaux de leur *corral*,
la basse-cour servant d'enclos, jusqu'au cirque.

andalou* ; et déploient une magnificence et un luxe que ne permet point la simplicité de nos habillements ordinaires. Au reste, cette promenade n'est point sans danger : les taureaux sont en liberté, leurs conducteurs ne s'en font pas facilement obéir, c'est l'affaire des curieux d'éviter les coups de corne.

Il y a des cirques (*plazas*) dans presque toutes les grandes villes d'Espagne. Ces édifices sont très simplement, pour ne pas dire très grossièrement, construits. Ce ne sont en général que de grandes baraques en planches, et on cite comme une merveille l'amphithéâtre de Ronda[1], parce qu'il est entièrement bâti en pierre. C'est le plus beau de l'Espagne, comme le château de Thunderten-Tronkh était le plus beau de la Westphalie, parce qu'il avait une porte et des fenêtres[2]. Mais qu'importe la décoration d'un théâtre, quand le spectacle est excellent ?

Le cirque de Madrid peut contenir environ sept mille spectateurs, qui entrent et sortent sans confusion par un grand nombre de portes. On s'assied sur des bancs de bois ou de pierre ; quelques loges ont des chaises. Celle

---

* Fashionable des basses classes. [*Élégant : anglicisme répondant au dandysme des années 1830. Dans la lettre suivante, Mérimée définira précisément le* majo *comme « un dandy de la classe inférieure, et un homme excessivement délicat sur le point d'honneur » ;* Figaro *porte le costume du* majo *andalou, que Beaumarchais décrit dans la liste des personnages du* Barbier de Séville *: « La tête couverte d'une rescille, ou filet ; chapeau blanc, ruban de couleur, autour de la forme ; un fichu de soie, attaché fort lâche à son cou ; gilet et haut-de-chausse de satin, avec des boutons et boutonnières frangés d'argent ; une grande ceinture de soie ; les jarretières nouées avec des glands qui pendent sur chaque jambe ; veste de couleur tranchante à grands revers de la couleur du gilet ; bas blancs et souliers gris. »*]

---

1. Petite ville située à 65 kilomètres au nord-ouest de Malaga ; son arène a été édifiée au XVIIIe siècle. Mérimée visita la ville en septembre 1830 alors qu'il se rendait à Grenade ; dans une lettre à Mme de La Rochejaquelein du 9 août 1859, il rappela avec humour son entrée « sur un cheval efflanqué, qui me déposa mollement sur les cailloux qui pavent le pont qui traverse un ravin. Mais je n'en ai gardé nulle rancune », *Correspondance générale*, IX, pp. 205-209. 2. Autre allusion à *Candide* de Voltaire. Le premier chapitre du roman se situe dans le château de Thunderten-Tronkh, en Westphalie, qui « avait une porte et des fenêtres ».

de Sa Majesté Catholique[1] est la seule qui soit assez élégamment décorée.

L'arène est entourée d'une forte palissade, haute d'environ cinq pieds et demi[2]. À deux pieds de terre règne tout alentour[3], et des deux côtés de la palissade, une saillie en bois, une espèce de marchepied ou d'étrier qui sert au toréador poursuivi à passer plus facilement par-dessus la barrière. Un corridor étroit la sépare des gradins des spectateurs, aussi élevés que la barrière, et garantis en outre par une double corde retenue par de forts piquets. C'est une précaution qui ne date que de quelques années. Un taureau avait non seulement sauté la barrière, ce qui arrive fréquemment, mais encore s'était élancé jusque sur les gradins, où il avait tué ou estropié nombre de curieux. La corde tendue est censée suffisante pour prévenir le retour d'un semblable accident.

Quatre portes débouchent dans l'arène. L'une communique à l'écurie des taureaux (*toril*); l'autre mène à la boucherie (*matadero*), où l'on écorche et dissèque les taureaux[4]. Les deux autres servent aux acteurs humains de cette tragédie.

Un peu avant la course, les toréadors se réunissent dans une salle attenante au cirque. Tout auprès sont les écuries des chevaux. Plus loin on trouve une infirmerie. Un chirurgien et un prêtre se tiennent dans le voisinage, tout prêts à donner leurs soins aux blessés.

La salle qui sert de foyer est ornée d'une madone peinte, devant laquelle brûlent quelques bougies ; au-dessous, on voit une table avec un petit réchaud contenant des charbons allumés. En entrant, chaque torero ôte d'abord son chapeau à l'image, marmotte[5] à la hâte un bout de prière, puis tire un cigare de sa poche, l'allume au réchaud, et fume en causant avec ses camarades et les amateurs

---

1. Le roi d'Espagne porte traditionnellement le titre de Majesté Catholique qui le distingue du Roi très-chrétien, le roi de France. 2. Cinq pieds et demi : *six pieds (RP*, 1833) : 1,78 m. 3. Tout alentour : tout *autour (RP,* 1833). 4. Taureaux : taureaux *morts (RP)*. 5. Murmurer.

qui viennent discuter avec eux le mérite des taureaux qu'ils vont combattre.

Cependant dans une cour intérieure les cavaliers qui doivent jouter à cheval se préparent au combat en essayant leurs chevaux. À cet effet, ils les lancent au galop contre un mur qu'ils choquent d'une longue perche en guise de pique ; sans quitter ce point d'appui, ils exercent leurs montures à tourner rapidement et le plus près possible du mur. Vous verrez tout à l'heure que cet exercice n'est pas inutile. Les cheveaux dont on se sert sont des rosses de réforme[1] que l'on achète à bas prix. Avant d'entrer dans l'arène, de peur que les cris de la multitude et que la vue des taureaux ne les effarouchent, on leur bande les yeux et l'on emplit leurs oreilles d'étoupes mouillées[2].

L'aspect du cirque est très animé. L'arène, dès avant le combat, est remplie de monde, et les gradins et les loges offrent une masse confuse de têtes. Il y a deux sortes de places : du côté de l'ombre sont les plus chères et les plus commodes, mais le côté du soleil est toujours garni d'intrépides amateurs. On voit beaucoup moins de femmes que d'hommes, et la plupart sont de la classe des *manolas* (grisettes[3]). Dans les loges on remarque pourtant quelques toilettes élégantes, mais peu de jeunes femmes*. Les romans français et anglais ont perverti depuis peu les Espagnoles[4], et leur ôtent le respect pour leurs vieilles coutumes. Je ne crois pas qu'il soit défendu aux ecclésiastiques d'assister à ces spectacles ; cependant je n'en ai jamais vu qu'un seul en costume (à Séville). On m'a dit que plusieurs s'y rendaient déguisés.

À un signal donné par le président de la course, un alguazil mayor, accompagné de deux alguazils en costume

---

* C'est le contraire qui est vrai aujourd'hui. [*Note ajoutée en 1850.*]

---

1. Cheval âgé ou malade, qui n'est plus bon pour le service des armées.
2. Tampons de chanvre. 3. Filles du peuple, de condition modeste, à qui l'on attribuait des mœurs faciles. 4. Les Espagnoles : les *Espagnols* (1833).

de Crispin[1], tous les trois à cheval, et suivis d'une compagnie de cavalerie, font évacuer l'arène et le corridor étroit qui la sépare des jardins. Quand ils se sont retirés avec leur suite, un héraut, escorté d'un notaire et d'autres alguazils à pied, vient lire au milieu de la place un ban[2] qui défend de rien jeter dans l'arène, de troubler les combattants par des cris ou des signes, etc. À peine a-t-il paru que, malgré la formule respectable : «*Au nom du roi, notre seigneur, que Dieu garde longtemps...*» des huées et des sifflets s'élèvent de toutes parts, et durent autant que la lecture de la défense, qui d'ailleurs n'est jamais observée. Dans le cirque, et là seulement, le peuple commande en souverain, et peut dire et faire tout ce qu'il veut*.

Il y a deux classes principales de toreros : les *picadors*, qui combattent à cheval, armés d'une lance ; et les *chulos*, à pied, qui harcèlent le taureau en agitant des draperies de couleurs brillantes. Parmi ces derniers sont les *banderilleros* et les *matadors*, dont je vous parlerai bientôt. Tous portent le costume andalou, à peu près celui de Figaro dans *Le Barbier de Séville* ; mais, au lieu de culottes et de bas de soie, les picadors ont des pantalons de cuir épais, garnis de bois et de fer, afin de préserver leurs jambes et leurs cuisses des coups de corne. À pied, ils marchent écarquillés[3] comme des compas ; et s'ils sont renversés, ils ne peuvent guère se relever qu'à l'aide des chulos. Leurs selles sont très hautes, de forme turque[4],

---

* Depuis le rétablissement de la constitution, on ne lit plus le ban du roi, notre seigneur. [*Note ajoutée en 1842 ; la régente Marie-Christine, pour lutter contre les partisans du prétendant don Carlo, dut s'appuyer sur les libéraux. Ceux-ci réclamaient le rétablissement de la Constitution de 1812, promulguée seulement en 1820 par le roi Ferdinand VII, qui l'abolit dès 1823. Le 10 juillet 1834, un Statut royal, inspiré de la Charte française, établissait la monarchie constitutionnelle en Espagne.*]

1. Crispin est le personnage traditionnel du valet de comédie ; son costume noir est composé d'un pantalon collant, d'un manteau court, de bottines et d'une épée. 2. Proclamation d'une décision du souverain. 3. Écarquillés : écarter les jambes (ce terme était déjà vieilli en 1830). 4. Selle à arçons, imposant une monte très droite.

avec des étriers en fer, semblables à des sabots, et qui couvrent entièrement le pied. Pour se faire obéir de leurs rosses, ils ont des éperons armés de pointes de deux pouces[1] de longueur. Leur lance est grosse, très forte, terminée par une pointe de fer très aiguë ; mais, comme il faut faire durer le plaisir, cette pointe est garnie d'un bourrelet de corde qui ne laisse pénétrer dans le corps du taureau qu'un pouce de fer environ.

Un des alguazils à cheval reçoit dans son chapeau une clef que lui jette le président des jeux. Cette clef n'ouvre rien ; mais il la porte cependant à l'homme chargé d'ouvrir le toril, et s'échappe aussitôt au grand galop, accompagné des huées de la multitude, qui lui crie que le taureau est déjà dehors et qu'il le poursuit. Cette plaisanterie se renouvelle à toutes les courses.

Cependant les picadors ont pris leurs places. Il y en a d'ordinaire deux à cheval dans l'arène ; deux ou trois autres se tiennent en dehors, prêts à les remplacer en cas d'accidents, tels que mort, fractures graves, etc. Une douzaine de chulos à pied sont distribués dans la place, à portée de s'entraider mutuellement.

Le taureau, préalablement irrité à dessein dans sa cage, sort furieux[2]. Ordinairement il arrive d'un élan jusqu'au milieu de la place, et là s'arrête tout court, étonné du bruit qu'il entend et du spectacle qui l'entoure. Il porte sur la nuque un nœud de rubans fixé par un petit crochet qui entre dans la peau. La couleur de ces rubans indique de quel troupeau (*vacada*) il sort ; mais un amateur exercé reconnaît, à la seule vue de l'animal, à quelle province et à quelle race il appartient.

Les chulos s'approchent, agitent leurs capes éclatantes, et tâchent d'attirer le taureau vers l'un des picadors. Si la bête est brave, elle l'attaque sans hésiter. Le picador, tenant son cheval bien rassemblé[3], s'est placé, la lance sous le bras, précisément en face du taureau ; il saisit le

---

1. Deux pouces : 5 cm. 2. Sort furieux : dans sa cage *(par des piqûres et des frictions d'acide nitrique)*, sort *(RP, 1833)*. 3. Tenir un cheval attentif, de manière à le préparer aux mouvements qu'on veut lui faire exécuter.

moment où il baisse la tête, prêt à le frapper de ses cornes, pour lui porter un coup de lance sur la nuque, et *non ailleurs**, il appuie sur le coup de toute la force de son corps, et en même temps il fait partir le cheval par la gauche, de manière à laisser le taureau à sa droite. Si tous ces mouvements sont bien exécutés, si le picador est robuste et son cheval maniable, le taureau, emporté par sa propre impétuosité, le dépasse sans le toucher. Alors le devoir des chulos est d'occuper le taureau, de manière à laisser au picador le temps de s'éloigner ; mais souvent l'animal reconnaît trop bien celui qui l'a blessé : il se retourne brusquement, gagne le cheval de vitesse, lui enfonce ses cornes dans le ventre, et le renverse avec son cavalier. Celui-ci est aussitôt secouru par les chulos ; les uns le relèvent, les autres en lançant leurs capes à la tête du taureau le détournent, l'attirent sur eux, et lui échappent en gagnant à la course la barrière qu'ils escaladent avec une légèreté surprenante. Les taureaux espagnols courent aussi vite qu'un cheval : et si le chulo était fort éloigné de la barrière, il échapperait difficilement. Aussi est-il rare que les cavaliers, dont la vie dépend toujours de l'adresse des chulos, se hasardent vers le milieu de la place ; quand il le font, cela passe pour un trait d'audace extraordinaire.

Une fois remis sur pieds, le picador remonte aussitôt son cheval, s'il peut le relever aussi. Peu importe que la pauvre bête perde des flots de sang, que ses entrailles traînent à terre et s'entortillent dans ses jambes ; tant qu'un cheval peut marcher, il doit se présenter au taureau. Reste-t-il abattu, le picador sort de la place, et y rentre à l'instant monté sur un cheval frais.

J'ai dit que les coups de lance ne peuvent faire qu'une légère blessure au taureau, et ils n'ont d'autre effet que de l'irriter. Pourtant les chocs du cheval et du cavalier,

---

* Je vis un jour un picador renversé qui allait être tué si son camarade ne l'eût dégagé et n'eût fait reculer le taureau en lui donnant un coup de lance sur le nez. La circonstance servait d'excuse. Cependant j'entendis de vieux amateurs s'écrier : « C'est une honte ! un coup de lance sur le nez ! on devrait chasser cet homme de la place. »

le mouvement qu'il donne, surtout les réactions qu'il reçoit en s'arrêtant brusquement sur ses jarrets, le fatiguent assez promptement. Souvent aussi la douleur des coups de lance le décourage, et alors il n'ose plus attaquer les chevaux, ou, pour parler le jargon tauromachique, il refuse d'*entrer*. Cependant, s'il est vigoureux, il a déjà tué quatre ou cinq chevaux. Les picadors se reposent alors, et l'on donne le signal de planter[1] les *banderillas*.

Ce sont des bâtons d'environ deux pieds et demi[2], enveloppés de papier découpés, et terminés par une pointe aiguë, barbelée pour qu'elle reste dans la plaie. Les chulos tiennent un de ces dards de chaque main. La manière la plus sûre de s'en servir, c'est de s'avancer doucement derrière le taureau, puis de l'exciter tout à coup en frappant avec bruit les banderilles l'une contre l'autre. Le taureau étonné se retourne, et charge son ennemi sans hésiter. Au moment où il le touche presque, lorsqu'il baisse la tête pour frapper, le chulo lui enfonce à la fois les deux banderilles de chaque côté du cou, ce qu'il ne peut faire qu'en se tenant pour un instant tout près et vis-à-vis du taureau et presque entre ses cornes ; puis il s'efface, le laisse passer, et gagne la barrière pour se mettre en sûreté. Une distraction, un mouvement d'hésitation ou de frayeur suffiraient pour le perdre. Les connaisseurs regardent pourtant les fonctions de banderillero comme les moins dangereuses de toutes. Si par malheur il tombe en plantant les banderilles, il ne faut pas qu'il essaye de se relever ; il se tient immobile à la place où il est tombé. Le taureau ne frappe à terre que rarement, non point par générosité, mais parce qu'en chargeant il ferme les yeux et passe sur l'homme sans l'apercevoir. Quelquefois pourtant il s'arrête, le flaire comme pour s'assurer qu'il est bien mort ; puis, reculant de quelques pas, il baisse la tête pour l'enlever sur ses cornes ; mais alors les camarades du banderillero l'entourent et l'occupent si bien, qu'il est forcé d'abandonner le cadavre prétendu.

Lorsque le taureau a montré de la lâcheté, c'est-à-dire

---

1. Planter : *lancer (RP*, 1833). 2. Environ 70 cm.

quand il n'a pas reçu gaillardement quatre coups de lance,
c'est le nombre de rigueur, les spectateurs, juges souverains, le condamnent par acclamation à une espèce de
supplice qui est à la fois un châtiment et un moyen de
réveiller sa colère. De tous côtés s'élève le cri de *fuego !
fuego !* (du feu ! du feu !). On distribue alors aux chulos,
au lieu de leurs armes ordinaires, des banderilles dont le
manche est entouré de pièces d'artifice. La pointe est
garnie d'un morceau d'amadou allumé. Aussitôt qu'elle
pénètre dans la peu, l'amadou est repoussé sur la mèche
des fusées ; elles prennent feu, et la flamme, qui est
dirigée vers le taureau, le brûle jusqu'au vif et lui fait
faire des sauts et des bonds qui amusent extrêmement le
public. C'est en effet un spectacle admirable que de voir
cet animal énorme écumant de rage, secouant les banderilles ardentes et s'agitant au milieu du feu et de la
fumée. En dépit de messieurs les poètes[1], je dois dire
que de tous les animaux que j'ai observés aucun n'a
moins d'expression dans les yeux que le taureau. Il faudrait
dire ne *change* moins d'expression ; car la sienne est
presque toujours celle de la stupidité brutale et farouche.
Rarement il exprime sa douleur par des gémissements :
les blessures l'irritent ou l'effrayent ; mais jamais,
passez-moi l'expression, il n'a l'air de réfléchir sur son
sort ; jamais il ne pleure comme le cerf. Aussi n'inspire-t-il
de pitié que lorsqu'il s'est fait remarquer par son courage*.

Quand le taureau porte au cou trois ou quatre paires

---

* Quelquefois, et dans des occasions solennelles, la hampe de la banderille
est enveloppée d'un long filet de soie dans lequel sont renfermés de petits
oiseaux en vie. La pointe de la banderille, en s'enfonçant dans le cou du
taureau, coupe le nœud qui ferme le filet, et les oiseaux s'échappent après
s'être longtemps débattus aux oreilles de l'animal.

---

1. Dans *Le Pèlerinage de Childe Harold*, Byron avait évoqué les yeux du
taureau furieux au cours d'une corrida : « Excité par un coup de fouet,
l'animal terrible s'élance, et portant autour de lui des regards sauvages, il
frappe l'arène sablonneuse d'un pied dédaigneux ; il ne fond pas aveuglé-
ment sur son ennemi, il le menace d'abord de ses cornes pour mesurer les
coups qu'il doit lui porter et se bat les flancs de sa queue mobile ; ses yeux
rouges paraissent en feu », I, LXXV, trad. Chastopalli, Paris, 1820, p. 43.

de banderilles, il est temps d'en finir avec lui. Un roulement de tambours se fait entendre ; aussitôt un des chulos désigné d'avance, c'est le *matador*, sort du groupe de ses camarades. Richement vêtu, couvert d'or et de soie, il tient une longue épée et un manteau écarlate[1], attaché à un bâton, pour qu'on puisse le manier plus commodément. Cela s'appelle la *muleta*. Il s'avance sous la loge du président et lui demande avec une révérence profonde la permission de tuer le taureau. C'est une formalité qui le plus souvent n'a lieu qu'une seule fois pour toute la course. Le président, bien entendu, répond affirmativement d'un signe de tête. Alors le matador pousse un *viva*, fait une pirouette, jette son chapeau à terre et marche à la rencontre du taureau.

Dans ces courses, il y a des lois aussi bien que dans un duel ; les enfreindre serait aussi infâme que de tuer son adversaire en traître. Par exemple, le matador ne peut frapper le taureau qu'à l'endroit de la réunion de la nuque avec le dos[2], ce que les Espagnols appelle la *croix*. Le coup doit être porté de haut en bas, comme on dirait *en seconde*[3] ; jamais en dessous. Mieux vaudrait mille fois perdre la vie que de frapper un taureau en dessous, de côté ou par-derrière. L'épée dont se servent les matadors est longue, forte, tranchante des deux côtés ; la poignée, très courte, est terminée par une boule que l'on appuie contre la paume de la main. Il faut une grande habitude et une adresse particulière pour se servir de cette arme.

Pour bien tuer un taureau, il faut connaître à fond son caractère. De cette connaissance dépend non seulement la gloire, mais la vie du matador. On le conçoit, il y a autant de caractères différents parmi les taureaux que parmi les hommes ; pourtant ils se distinguent en deux divisions bien tranchées : les *clairs* et les *obscurs*[4]. Je parle ici la langue du cirque. Les clairs attaquent franchement ; les obscurs, au contraire, sont rusés et cherchent

---

1. Pièce de tissu de couleur rouge, arrondie et fixée sur une hampe, la *muleta*. 2. Au croisement de la ligne des omoplates et de la colonne vertébrale. 3. Terme d'escrime, l'épée pointe basse, dans la ligne du dehors. 4. *Clairs et obscurs* : Mérimée francise deux termes espagnols.

à prendre leur homme en traître. Ces derniers sont extrêmement dangereux.

Avant d'essayer de donner le coup d'épée à un taureau,
le matador lui présente la muleta, l'excite, et observe
avec attention s'il se précipite dessus franchement aussitôt
qu'il l'aperçoit, ou s'il s'en approche doucement pour
gagner du terrain, et ne charger son adversaire qu'au
moment où il paraît être trop près pour éviter le choc.
Souvent on voit un taureau secouer la tête d'un air de
menace, gratter la terre du pied sans vouloir avancer, ou
même reculer à pas lents, tâchant d'attirer l'homme vers
le milieu de la place, où celui-ci ne pourra lui échapper.
D'autres, au lieu d'attaquer en ligne droite, s'approchent
par une marche oblique, lentement et feignant d'être
fatigués ; mais, dès qu'ils ont jugé leur distance, ils partent
comme un trait.

Pour quelqu'un qui entend un peu la tauromachie, c'est
un spectacle intéressant que d'observer les approches du
matador et du taureau qui, comme deux généraux habiles,
semblent deviner les intentions l'un de l'autre et varient
leurs manœuvres à chaque instant. Un mouvement de tête,
un regard de côté, une oreille qui s'abaisse, sont pour un
matador exercé autant de signes non équivoques des
projets de son ennemi. Enfin le taureau impatient s'élance
contre le drapeau rouge dont le matador se couvre à
dessein. Sa vigueur est telle qu'il abattrait une muraille
en la choquant de ses cornes ; mais l'homme l'esquive
par un léger mouvement de corps ; il disparaît comme
par enchantement et ne lui laisse qu'une draperie légère
qu'il élève au-dessus de ses cornes en défiant sa fureur.
L'impétuosité du taureau lui fait dépasser de beaucoup
son adversaire ; il s'arrête alors brusquement en raidissant
ses jambes, et ces réactions brusques et violentes le
fatiguent tellement que, si ce manège était prolongé, il
suffirait seul pour le tuer. Aussi, Romero[1], le fameux

---

1. Pedro Romero (1754-1839), issu d'une longue lignée de *toreros* andalous, dirigea l'école de Séville à partir de 1830 et y enseigna l'art de *lidiar*.
Goya fit plusieurs portraits de lui et de son frère, et le poète Nicolas de
Moratin lui dédia une ode dithyrambique.

professeur, dit-il qu'un bon matador doit tuer huit taureaux en sept coups d'épée. Un des huit meurt de fatigue et de rage.

Après plusieurs passes, quand le matador croit bien connaître son antagoniste, il se prépare à lui donner le dernier coup. Affermi sur ses jambes, il se place bien en face de lui et l'attend, immobile, à la distance convenable. Le bras droit, armé de l'épée, est replié à la hauteur de la tête ; le gauche, étendu en avant, tient la muleta qui, touchant presque à terre, excite le taureau à baisser la tête. C'est dans ce moment que le matador lui porte le coup mortel, de toute la force de son bras, augmentée du poids de son corps et de l'impétuosité même du taureau. L'épée, longue de trois pieds[1], entre souvent jusqu'à la garde ; et si le coup est bien dirigé, l'homme n'a plus rien à craindre : le taureau s'arrête tout court ; le sang coule à peine ; il relève la tête ; ses jambes tremblent, et tout d'un coup il tombe comme une lourde masse. Aussitôt de tous les gradins partent des *viva* assourdissants ; les mouchoirs s'agitent ; les chapeaux des majos volent dans l'arène, et le héros vainqueur envoie modestement des baisemains de tous les côtés.

Autrefois, dit-on, jamais il ne se donnait plus d'une estocade[2] ; mais tout dégénère, et maintenant il est rare qu'un taureau tombe du premier coup. Si cependant il paraît mortellement blessé, le matador ne redouble pas ; aidé des chulos, il le fait tourner en cercle en l'excitant avec les manteaux de manière à l'étourdir en peu de temps. Dès qu'il tombe, un chulo l'achève d'un coup de poignard asséné sur la nuque, l'animal expire à l'instant.

On a remarqué que presque tous les taureaux ont un endroit dans le cirque auquel ils reviennent toujours. On le nomme la *querencia*. D'ordinaire, c'est la porte par où ils sont entrés dans l'arène.

Souvent on voit le taureau, emportant dans le cou l'épée fatale dont la garde seule sort de son épaule, traverser

---

1. Environ 96 cm. 2. Grand coup d'estoc, de pointe, pour mettre le taureau à mort ; *estocada de volapié*, estocade portée par le matador en marchant, alors que le taureau est immobile.

la place à pas lents, dédaignant les chulos et leurs draperies dont ils le poursuivent. Il ne pense plus qu'à mourir commodément. Il cherche l'endroit qu'il affectionne, s'agenouille, se couche, étend la tête et meurt tranquillement si un coup de poignard ne vient pas hâter sa fin.

Si le taureau refuse d'attaquer, le matador court à lui et, toujours au moment où l'animal baisse la tête, il le perce de son épée (*estocada de volapié*); mais s'il ne baisse pas la tête, ou s'il s'enfuit toujours, il faut, pour le tuer, employer un moyen bien cruel. Un homme, armé d'une longue perche terminée par un fer tranchant en forme de croissant (*media luna*), lui coupe traîtreusement les jarrets par derrière, et dès qu'il est abattu on l'achève d'un coup de poignard. C'est le seul épisode de ces combats qui répugne à tout le monde. C'est une espèce d'assassinat. Heureusement il est rare qu'il soit nécessaire d'en venir là pour tuer un taureau.

Des fanfares annoncent sa mort. Aussitôt trois mules attelées entrent au grand trot dans le cirque; un nœud de cordes est fixé entre les cornes du taureau, on y passe un crochet, et les mules l'entraînent au galop. En deux minutes les cadavres de chevaux et celui du taureau disparaissent de l'arène.

Chaque combat dure à peu près vingt minutes, et, d'ordinaire, on tue huit taureaux dans une après-midi. Si le divertissement a été médiocre, à la demande du public, le président des courses accorde un ou deux combats de supplément.

Vous voyez que le métier de torero est assez dangereux. Il en meurt, année moyenne, deux ou trois dans toute l'Espagne. Peu d'entre eux parviennent à un âge avancé. S'ils ne meurent pas dans le cirque, ils sont obligés d'y renoncer de bonne heure par suite de leurs blessures. Le fameux Pepe Illo[1] reçut dans sa vie vingt-six coups de corne; le dernier le tua. Le salaire assez élevé de ces gens n'est pas le seul mobile qui leur fasse embrasser leur dangereux métier. La gloire, les applaudissements

---

1. Pepe Illo (1754-1801) : Goya a représenté sa mort dans sa célèbre suite de la *Tauromachie* (1816).

leur font braver la mort. Il est si doux de triompher devant cinq ou six mille personnes ! Aussi n'est-il pas rare de voir des amateurs d'une naissance distinguée partager les dangers et la gloire des toreros de profession. J'ai vu à Séville un marquis et un comte remplir dans une course publique les fonctions de picador[1].

Bien est-il vrai que le public n'est guère indulgent pour les toreros. La moindre marque de timidité est punie de huées et de sifflets. Les injures les plus atroces pleuvent de toutes parts ; quelquefois même par l'ordre du peuple, et c'est la plus terrible marque de son indignation, un alguazil s'approche du toréador et lui enjoint, sous peine de la prison, d'attaquer au plus vite le taureau.

Un jour l'acteur Maïquez[2], indigné de voir un matador hésiter en présence du plus obscur de tous les taureaux, l'accablait d'injures. – «Monsieur Maïquez, lui fit le matador, voyez-vous, ce ne sont pas ici des menteries comme sur vos planches.»

Les applaudissements et l'envie de se faire une renommée ou de conserver celle qu'ils ont acquise obligent les toréadors à renchérir sur les dangers auxquels ils sont naturellement exposés. Pepe Illo, et Romero après lui, se présentaient au taureau avec des fers aux pieds[3]. Le sang-froid de ces hommes dans les dangers les plus pressants a quelque chose de miraculeux. Dernièrement un picador, nommé Francisco Sevilla[4], fut renversé et son cheval éventré par un taureau andalou, d'une force et d'une agilité prodigieuses. Ce taureau, au lieu de se laisser

---

1. Picador : de *matador (RP*, 1833). La tauromachie, plaisir royal et aristocratique, était devenue un divertissement populaire au XVIIIe siècle, mais l'intérêt de la noblesse pour ce spectacle continuait de donner aux *toreros* une place privilégiée dans la société espagnole de l'époque. 2. Maïquez fut un célèbre acteur espagnol du début du XIXe siècle ; il avait entrepris de réformer les traditions surannées et la déclamation grandiloquente du théâtre de son pays ; à cette fin, il vint en France et se forma sous Talma et Mlle Mars. De retour en Espagne, il s'imposa rapidement. Mérimée consacra au théâtre espagnol, dès 1824, une série d'articles, publiés dans *Le Globe*. Il célébrait en Maïquez un «tragédien supérieur». 3. Les pieds entravés de chaînes. 4. Francisco Sevilla : *Juan* Sevilla *(RP*, 1833) ; Sévilla, célèbre torero (1809-1841).

distraire par les chulos, s'acharna sur l'homme, le piétina et lui donna un grand nombre de coups de corne dans les jambes ; mais, s'apercevant qu'elles étaient trop bien défendues par le pantalon de cuir garni de fer, il se retourna et baissa la tête pour lui enfoncer sa corne dans la poitrine. Alors Sevilla, se soulevant d'un effort désespéré, saisit d'une main le taureau par l'oreille, de l'autre lui enfonça les doigts dans les naseau, pendant qu'il tenait sa tête collée sous celle de cette bête furieuse. En vain le taureau le secoua, le foula aux pieds, le heurta contre terre ; jamais il ne put lui faire lâcher prise. Nous regardions avec un serrement de cœur cette lutte inégale. C'était l'agonie d'un brave ; on regrettait presque qu'elle se prolongeât ; on ne pouvait ni crier, ni respirer, ni détourner les yeux de cette scène horrible : elle dura près de *deux minutes*. Enfin le taureau, vaincu par l'homme dans ce combat corps à corps, l'abandonna pour poursuivre des chulos. Tout le monde s'attendait à voir Sevilla emporté à bras hors de l'enceinte. On le relève ; à peine est-il sur ses pieds qu'il saisit une cape et veut attirer le taureau, malgré ses grosses bottes et son incommode armure de jambes. Il fallut lui arracher la cape, autrement il se faisait tuer à cette fois. On lui amène un cheval ; il s'élance dessus, bouillant de colère, et attaque le taureau au milieu de la place. Le choc de ces deux vaillants adversaires fut si terrible que cheval et taureau tombèrent sur les genoux. Oh ! si vous aviez entendu les *viva*, si vous aviez vu la joie frénétique, l'espèce d'enivrement de la foule en voyant tant de courage et tant de bonheur, vous eussiez envié comme moi le sort de Sevilla ! Cet homme est devenu immortel à Madrid...

Juin 1842[1].

P.-S. Hélas ! que vient-on de m'apprendre ! Francisco Sevilla est mort l'année dernière. Il est mort, non dans le cirque, où il devait finir, mais emporté par une maladie

---

1. 1842 : ce passage est ajouté dans l'édition de 1842, après le second voyage de Mérimée en Espagne, en septembre et octobre 1840.

de foie. C'est à Caravanchel[1], près de ces beaux arbres que j'aime tant, qu'il est mort loin d'un public pour lequel il avait tant de fois risqué sa vie.

Je le revis en 1840, à Madrid, aussi brave, aussi téméraire qu'à l'époque où j'écrivais la lettre qu'on vient de lire. Je l'ai vu encore plus de vingt fois rouler dans la poussière sous son cheval éventré ; je lui ai vu casser maintes lances, et faire assaut de force avec les terribles taureaux de Gaviria[2]. « Si Francisco Sevilla avait des cornes, disait-on dans le cirque, il n'y aurait pas un toréador qui osât se mettre devant lui. » L'habitude de la victoire lui avait inspiré une audace inouïe. Quand il se présentait devant un taureau, il s'indignait que la bête n'eût pas peur de lui. « Tu ne me connais donc pas ? » lui criait-il avec fureur. Certes, il leur montrait bien vite à qui ils avaient affaire.

Mes amis me procurèrent le plaisir de dîner avec Sevilla ; il mangeait et buvait comme un héros d'Homère, et c'était le plus gai compagnon qui se pût rencontrer. Ses façons andalouses, son humeur joviale et son patois rempli de métaphores pittoresques avaient un agrément tout particulier dans ce colosse qui semblait n'avoir été créé par la nature que pour tout exterminer.

Une dame espagnole[3], fuyant de Madrid au moment où le choléra y exerçait ses ravages, se rendait à Barcelone dans une diligence où se trouvait Sevilla, qui allait dans la même ville pour une course annoncée longtemps à l'avance. Pendant la route la politesse, la galanterie, les petits soins de Sevilla ne se démentirent pas un instant. Arrivés devant Barcelone, la junte de santé, bête comme elles le sont toutes, annonça aux voyageurs qu'ils feraient une quarantaine de dix jours, excepté Sevilla, dont la présence était trop désirée pour que les lois sanitaires lui fussent applicables ; mais le généreux picador rejeta bien loin cette exception si avantageuse pour lui. « Si madame

---

1. Le château des Montijo, qui accueillirent Mérimée, à Caravanchel, non loin de Madrid. 2. Gaviria : localité du Guipuzcoa, dans le Pays basque espagnol, fameuse pour ses élevages de taureaux de combat. 3. Il s'agit probablement de la comtesse de Montijo.

et mes compagnons n'ont pas libre pratique[1], dit-il résolument, *je ne piquerai pas !* »

Entre la crainte de la contagion et celle de manquer une belle course on ne pouvait hésiter. La junte céda, et fit bien, car si elle s'était obstinée le peuple eût brûlé le lazaret[2] et les gens de la quarantaine.

Après avoir payé mon tribut de louanges et de regrets aux mânes de Sevilla, je dois parler d'une autre illustration qui règne aujourd'hui sans rivale dans le cirque. On connaît si mal en France ce qui se passe en Espagne, qu'il y a peut-être en deçà des Pyrénées des gens à qui le nom de Montès[3] est encore inconnu.

Tout ce que la renommée a publié de vrai ou de faux au sujet des matadors classiques, Pepe Illo et Pablo Romero, Montès le fait voir tous les lundis dans le cirque *national*, comme on dit aujourd'hui. Courage, grâce, sang-froid, adresse merveilleuse, il réunit tout. Sa présence dans le cirque anime, transporte acteurs et spectateurs. Il n'y a plus de mauvais taureaux, plus de chulos timides ; chacun se surpasse. Les toréadors d'un courage douteux deviennent des héros lorsque Montès les guide, car ils savent qu'avec lui personne ne court de danger. Un geste de lui suffit pour détourner le taureau le plus furieux au moment où il va percer un picador renversé. Jamais on n'a vu de *media luna* dans une place où Montès a combattu. Clairs, obscurs, tous les taureaux lui sont bons ; il les fascine, il les transforme, il les tue quand et comment il lui plaît. C'est le premier matador que j'aie vue *gallear el toro*, c'est-à-dire se présenter de dos à l'animal en fureur pour le faire passer sous son bras. À peine daigne-t-il tourner la tête quand le taureau se précipite sur lui. Quelquefois, jetant un manteau sur ses épaules, il traverse le cirque suivi par le taureau ; la bête, enragée, le poursuit sans pouvoir l'atteindre, et cependant elle est si près de Montès que chaque coup de corne relève le bas du

---

1. Libre pratique : autorisation donnée à des gens qui ont été soumis à la quarantaine de communiquer librement avec les habitants de l'endroit où ils se rendent. 2. Lazaret : voir la note 4, p. 122. 3. Francisco Paquiro dit Montès (1805-1851).

manteau. Telle est la confiance que Montès inspire, que
pour les spectateurs l'idée du danger a disparu, ils n'ont
plus d'autre sentiment que l'admiration.

Montès passe pour avoir des opinions peu favorables
à l'ordre de choses actuel[1]. On dit qu'il a été volontaire
royaliste[2], et qu'il est *écrevisse, cangrejo,* c'est-à-dire
modéré. Si les bons patriotes s'en affligent, ils ne peuvent
se soustraire à l'enthousiasme général. J'ai vu des *des-
calzos* (sans-culottes) lui jeter leurs chapeaux avec transport
et le supplier de les mettre un instant sur sa tête : voilà
les mœurs du seizième siècle[3]. Brantôme dit quelque part :
« J'ai connu force gentilshommes qui, premier que porter
leurs bas de soie, prioient leurs dames et maîtresses de
les essayer et porter devant eux quelques huit ou dix
jours, de plus que du moins ; et puis les portoient en très
grande vénération et contentement d'esprit et de corps[4]. »

Montès a la tournure d'un homme comme il faut. Il
vit noblement, et se consacre à sa famille, dont il a par
son talent assuré l'avenir. Ses manières aristocratiques
déplaisent à quelques toréadors qui le jalousent. Je me
souviens qu'il refusa de dîner avec nous lorsque nous
engageâmes Sevilla. À cette occasion Sevilla nous donna
son opinion sur le compte de Montès avec sa franchise
ordinaire. – « *Montes no fue realista ; es buen compañero,
luciente matador, atiende a los picadores, pero es un
p...*[5]. » Cela veut dire qu'il porte un frac hors du cirque,

---

1. Allusion au régime constitutionnel de la régente Marie-Christine, puis
de sa fille Isabelle, devenue reine en 1833. 2. En Espagne, vers 1830, le
terme de *modéré* avait le sens de conservateur, partisan du prétendant car-
liste, par opposition aux *libéraux* favorables au régime constitutionnel.
3. Mœurs du XVIᵉ : dans la préface de sa *Chronique du règne de Charles IX*
(1829), Mérimée écrit : « Il est curieux, ce me semble, de comparer ces
mœurs avec les nôtres, et d'observer dans ces dernières la décadence des
passions énergiques au profit de la tranquillité et peut-être du bonheur.
Reste la question de savoir si nous valons mieux que nos ancêtres. »
4. Mérimée cite ici une anecdote racontée par Brantôme, dans le second
livre de son *Recueil des Dames*, chapitre III : « Autre discours sur la beauté
de la belle jambe et la vertu qu'elle a », éd. E. Vaucheret, Bibliothèque de
la Pléiade, Paris, 1991, p. 441. 5. « Montès ne fut pas royaliste ; c'est un
bon compagnon, un matador brillant, plein d'attention pour les picadors ;
mais c'est une pute. »

qu'il ne va pas au cabaret, et qu'il a de trop bonnes façons.

Sevilla est le Marius de la tauromachie, Montès en est le César[1].

2

Une exécution[2]

Valence, 15 novembre 1830.

Monsieur,

Après vous avoir décrit les combats de taureaux, je n'ai plus, pour suivre l'admirable règle du théâtre des marionnettes, «toujours de plus en plus fort[3]», je n'ai plus, dis-je, qu'à vous parler d'une exécution. Je viens d'en voir une, et je vous en rendrai compte, si vous avez le courage de me lire.

D'abord il faut que je vous explique pourquoi j'ai assisté à une exécution. En pays étranger on est obligé de tout voir, et l'on craint toujours qu'un moment de paresse ou de dégoût ne vous fasse perdre un trait de mœurs curieux. D'ailleurs l'histoire du malheureux qu'on a pendu m'avait intéressé : je voulais voir sa physionomie ; enfin j'étais bien aise de faire une expérience sur mes nerfs.

Voici l'histoire de mon pendu. (J'ai oublié de m'informer

---

1. Opposition scolaire entre deux personnages de l'histoire romaine, Marius et César, qui illustre ici l'opposition entre deux *toreros* également populaires, mais différents de manières. 2. Une exécution : ce titre n'apparaît que dans la table des matières de *Mosaïque* (édition de 1833) ; la date *1830* n'apparaît qu'en 1842. 3. Un théâtre d'acrobates puis de marionnettes était dirigé au milieu du XVIIIe siècle par un certain Nicolet, qui marquait chacun de ses effets par une phrase passée en proverbe : «De plus en plus fort, comme chez Nicolet.»

de son nom.) C'était un paysan des environs de Valence[1],
estimé et redouté pour son caractère hardi et entreprenant.
C'était le coq de son village. Personne ne dansait mieux,
ne jetait plus loin la barre[2], ne savait plus de vieilles
romances. Il n'était pas querelleur, mais on savait qu'il
fallait peu de chose pour lui échauffer les oreilles. S'il
accompagnait des voyageurs son escopette sur l'épaule,
pas un voleur n'eût osé les arrêter, leurs valises eus-
sent-elles été remplies de doublons[3]. Aussi c'était un
plaisir de voir ce jeune homme, sa veste de velours sur
l'épaule, se prélassant par les chemins et se dandinant
d'un air de supériorité. En un mot, c'était un *majo* dans
toute la force du terme. Un majo, c'est tout à la fois un
dandy de la classe inférieure et un homme excessivement
délicat sur le point d'honneur.

Les Castillans ont un proverbe contre les Valenciens,
proverbe, suivant moi, de toute fausseté. Le voici : « À
Valence, la viande, c'est de l'herbe, l'herbe, de l'eau.
Les hommes sont des femmes, et les femmes – rien. »
Je vous certifie que la cuisine de Valence est excellente,
et que les femmes y sont extrêmement jolies et plus
blanches qu'en aucun autre royaume de l'Espagne[4]. Vous
allez voir ce que sont les hommes de ce pays-là.

On donnait un combat de taureaux. Le majo veut le
voir ; mais il n'avait pas un réal dans sa ceinture. Il
comptait qu'un volontaire royaliste[5] son ami, de garde ce
jour-là, le laisserait entrer. Point. Le volontaire était
inflexible sur sa consigne. Le majo insiste, le volontaire
persiste : injure de part et d'autre. Bref, le volontaire le
repousse rudement avec un coup de crosse dans l'estomac.
Le majo se retira ; mais ceux qui remarquèrent la pâleur

---

1. Une des principales villes d'Espagne, sur la côte est. **2.** Jeu de force
qui se pratiquait jadis dans les campagnes, qui consistait à jeter une lourde
barre de fer. **3.** Monnaie d'or, qui valait environ 42 F en 1830. **4.** Mérimée
fit l'expérience du contraire, et chanta les louanges des femmes de Valence
« cambrées de reins, blanches, sveltes et bien faites », dans une lettre à
Stendhal du 30 avril 1830, où il rappelait en même temps les exploits
amoureux qu'il avait accomplis dans cette ville, *Correspondance générale*,
XVI, p. 89. **5.** Royaliste : partisan de l'Ancien Régime, par opposition aux
libéraux ou constitutionnels.

répandue sur sa figure, qui observèrent ses poings fermés avec violence, ses narines gonflées et l'expression de ses yeux, ces gens-là pensèrent bien qu'il arriverait bientôt quelque malheur.

À quinze jours de là, le volontaire brutal fut envoyé avec un détachement à la poursuite de quelques contre-bandiers. Il coucha dans une auberge isolée (*venta*[1]). La nuit une voix se fait entendre qui appelle le volontaire : « Ouvrez, c'est de la part de votre femme. » Le volontaire descend à demi vêtu. À peine avait-il ouvert la porte qu'un coup d'espingole[2] met le feu à sa chemise et lui envoie une douzaine de balles dans la poitrine. Le meurtrier disparaît. Qui a fait le coup ? Personne ne peut le deviner. Certainement ce n'est pas le majo qui l'a tué ; car il se trouvera une douzaine de femmes dévotes et bonnes royalistes qui jureront par le nom de leur saint et en baisant leur pouce qu'elles ont vu le susdit, chacune dans son village, exactement à l'heure et à la minute où le crime a été commis.

Et le majo se montrait en public avec un front ouvert et l'air serein d'un homme qui vient de se débarrasser d'un souci importun. C'est ainsi qu'à Paris on se montre chez Tortoni[3] le soir d'un duel où l'on a bravement cassé le bras à un impertinent. Remarquez en passant que l'assassinat est ici le duel des pauvres gens[4] ; duel bien autrement sérieux que le nôtre, puisque généralement il est suivi de deux morts, tandis que les gens de la bonne compagnie s'égratignent plus souvent qu'ils ne se tuent.

_____

1. *Venta* : auberge isolée sur une route, à la différence de la *posada*, auberge de ville. Son dénuement est passé en proverbe et a fourni le cadre obligé d'épisodes du roman picaresque et d'étapes du récit de voyage en Espagne. Mérimée fera une description détaillée de la *venta del Cuervo* dans *Carmen*. 2. Espingole : gros fusil à canon court évasé, chargé à che-vrotines. 3. Café parisien : Mérimée y fait allusion à la fin du *Vase étrusque*, mais surtout au duel dans lequel il fut blessé au bras, sans avoir voulu riposter, par le mari de sa maîtresse Émilie Lacoste, en janvier 1828. 4. Mérimée reviendra sur ce sujet à l'occasion de son voyage en Corse, en consacrant dans ses *Notes* de voyage un long développement à la *ven-detta*, « forme ancienne et sauvage du duel ». L'opposition entre l'assassinat et le duel constitue l'intrigue de *Colomba*.

Tout alla bien jusqu'à ce qu'un certain *alguazil*[1], outrant le zèle (suivant les uns, parce qu'il était nouvellement en fonctions, – suivant d'autres, parce qu'il était amoureux d'une femme qui lui préférait le majo), s'avisa de vouloir arrêter cet homme aimable. Tant qu'il se borna à des menaces, son rival ne fit qu'en rire; mais, quand enfin il voulut le saisir au collet, il lui fit *avaler une langue de bœuf*[2]. C'est une expression du pays pour un coup de couteau. La légitime défense permettait-elle de rendre ainsi vacante une place d'alguazil?

On respecte beaucoup les alguazils en Espagne, presque autant que les *constables* en Angleterre. En maltraiter un est un cas pendable. Aussi le majo fut-il appréhendé[3] au corps, mis en prison, jugé et condamné après un procès fort long; car les formes de la justice sont encore plus lentes ici que chez nous.

Avec un peu de bonne volonté, vous conviendrez ainsi que moi que cet homme ne méritait pas son sort, qu'il a été victime d'une fatalité malheureuse, et que, sans se trop charger la conscience, les juges pouvaient le rendre à la société, dont il devait faire l'ornement (style d'avocat[4]). Mais les juges n'ont guère de ces considérations poétiques et élevées: il l'ont condamné à mort à l'unanimité.

Un soir, passant par hasard sur la place du Marché, j'avais vu des ouvriers occupés à élever aux flambeaux des solives bizarrement agencées, formant à peu près un π[5]. Des soldats en cercle autour d'eux repoussaient les curieux. Voici pour quelle raison. La potence (car c'en était une) est élevée par corvée[6], et les ouvriers mis en réquisition ne peuvent, sans se rendre coupables de rébel-

---

1. *Alguazil* ou alguacil: agent de police; personnage typique du roman de « matière » espagnole, où il est toujours montré sous un jour odieux. 2. Langue de bœuf: *lengua de buey*, couteau très effilé, à lame légèrement courbe. 3. Saisi de corps, arrêté. 4. Style d'avocat: une des formes de l'ironie de Mérimée consiste à jouer de ces différents registres stylistiques dont les poncifs sont tournés en ridicule. Le chapitre XX de *Colomba* s'ouvrait jusqu'à l'édition de 1850 par une parenthèse identique: *(style de journaux)*. 5. Un π: lettre grecque, dont la forme évoque une potence double. 6. Travail d'utilité publique, obligatoire, dû par les gens du peuple.

lion, se refuser à ce service. Par une espèce de compen-
sation, l'autorité prend soin qu'ils remplissent leur tâche,
que l'opinion publique rend presque déshonorante, à peu
près en secret. Pour cela on les entoure de soldats qui
écartent la foule, et ils ne travaillent que la nuit : de
manière qu'il n'est pas possible de les reconnaître, et
qu'ils ne risquent pas le lendemain d'être appelés char-
pentiers de potence.

À Valence c'est une vieille tour gothique qui sert de
prison. Son architecture est assez belle, surtout la façade,
qui donne sur la rivière. Elle est située à une des extrémités
de la ville, et c'est une de ses principales portes. On
l'appelle *la puerta de los Serranos*[1]. Du haut de la
plate-forme on découvre le cours du Guadalaviar, les cinq
ponts qui le traversent, les promenades de Valence et la
riante campagne qui l'entoure. C'est un assez triste plaisir
que de voir les champs quand on est enfermé entre quatre
murailles ; mais enfin c'est un plaisir, et il faut savoir
gré au geôlier qui permet aux détenus de monter sur
cette plate-forme. Pour des prisonniers la plus petite
jouissance a du prix.

C'est de cette prison que devait sortir le condamné
pour se rendre, à travers les rues les plus fréquentées de
la ville, monté sur un âne, à la place du Marché, où il
quitterait ce monde.

Je me suis trouvé de bonne heure devant *la puerta de
los Serranos* avec un de mes amis espagnols qui avait
la bonté de m'accompagner. Je m'attendais à trouver une
foule considérable rassemblée dès le matin ; mais je m'étais
trompé. Les artisans travaillaient tranquillement dans leurs
boutiques, les paysans sortaient de la ville après avoir
vendu leurs légumes. Rien n'annonçait que quelque chose
d'extraordinaire allait se passer, si ce n'est une douzaine
de dragons[2] rangés auprès de la porte de la prison. Le
peu d'empressement des Valenciens à voir des exécutions
ne doit pas être attribué, je crois, à un excès de sensibilité.
Je ne sais pas non plus si je dois penser, comme mon

_____

1. *Puerta de los Serranos* : porte des Montagnards, construite au XIVᵉ siècle,
au nord de la ville. 2. Militaires à cheval chargés du service d'ordre.

guide, qu'ils sont tellement blasés sur ce spectacle qu'il n'a plus d'attrait pour eux. Peut-être cette indifférence vient-elle des habitudes laborieuses du peuple de Valence. L'amour du travail et du gain le distingue non seulement parmi toutes les populations de l'Espagne, mais encore parmi celles de l'Europe.

À onze heures la porte de la prison s'est ouverte. Aussitôt s'est présentée une assez nombreuse procession de franciscains[1]. Elle était précédée d'un grand crucifix porté par un pénitent escorté de deux acolytes, chacun avec une lanterne emmanchée au bout d'un grand bâton. Le crucifix, de grandeur naturelle, était de carton peint avec un talent d'imitation extraordinaire. Les Espagnols, qui cherchent à faire la religion terrible, excellent à rendre les blessures, les contusions, les traces de tortures endurées par leurs martyrs. Sur ce crucifix, qui devait figurer à un supplice, on n'avait pas épargné le sang, la sanie[2], les tumeurs livides. C'était la plus hideuse pièce d'anatomie qu'on pût voir. Le porteur de cette horrible figure s'est arrêté devant la porte. Les soldats s'étaient un peu rapprochés. Une centaine de curieux à peu près étaient groupés derrière, assez près pour ne rien perdre de ce qui allait se faire et se dire, lorsque le condamné a paru accompagné de son confesseur.

Jamais je n'oublierai la figure de cet homme. Il était très grand et très maigre, et paraissait âgé de trente ans. Son front était élevé, ses cheveux épais, noirs comme du jais et droits comme les crins d'une brosse. Ses yeux, grands, mais enfoncés dans sa tête, semblaient flamboyants. Il était pieds nus, habillé d'une longue robe noire sur laquelle on avait cousu à la place du cœur une croix bleue et rouge. C'est l'insigne de la confrérie des agonisants[3]. Le collet de sa chemise, plissé comme une fraise[4], tombait sur ses épaules et sa poitrine. Une corde menue, blanchâtre, qui se distinguait parfaitement sur

---

1. Religieux de l'ordre mendiant de saint François, appelés aussi frères mineurs. 2. Mélange de pus et de sang coulant d'une plaie. 3. Associations de laïcs qui se chargeaient d'assister les mourants ou les condamnés dans leurs derniers instants. 4. Fraise : large col plissé.

l'étoffe noire de sa robe, faisait plusieurs fois le tour de son corps, et par des nœuds compliqués lui attachait les bras et les mains dans la position qu'on prend en priant. Entre ses mains il tenait un petit crucifix et une image de la Vierge. Son confesseur était gros, court, replet, haut en couleur, ayant l'air d'un bon homme, mais d'un homme qui depuis longtemps fait ce métier-là et qui en a vu bien d'autres.

Derrière le condamné se tenait un homme pâle, faible et grêle, d'une physionomie douce et timide. Il avait une veste brune avec la culotte et les bas noirs. Je l'aurais pris pour un notaire ou un alguazil en négligé s'il n'avait eu sur la tête un chapeau gris à grands bords, comme en portent les picadors aux combats de taureaux. À la vue du crucifix il ôta ce chapeau avec respect, et je remarquai alors une petite écuelle en ivoire fixée sur la forme comme une cocarde. C'était l'exécuteur des hautes œuvres[1].

En mettant la tête hors de la porte, le condamné, qui avait été obligé de se courber pour passer sous le guichet, se redressa de toute sa hauteur, ouvrit les yeux d'une grandeur démesurée, embrassa la foule d'un regard rapide et respira profondément. Il me sembla qu'il humait l'air avec plaisir, comme celui qui a été longtemps renfermé dans un cachot étroit et étouffant. Son expression était étrange : ce n'était point de la peur, mais de l'inquiétude. Il paraissait résigné. Point de morgue ni d'affectation de courage. Je me dis qu'en pareille occasion je voudrais faire une aussi bonne contenance.

Son confesseur lui dit de se mettre à genoux devant le crucifix ; il obéit et baisa les pieds de cette hideuse image. En ce moment tous les assistants étaient émus et gardaient un profond silence. Le confesseur, s'en apercevant, leva les mains pour les dégager de ses longues manches qui l'auraient gêné dans ses mouvements oratoires[2], et commença à débiter un discours qui lui avait

---

1. Le bourreau. La description physique du bourreau fait un contraste avec la terreur qu'inspire son office. 2. Oratoires : gestes qui accompagnent le discours du confesseur ; ils constituent l'*action*, partie de l'art de l'élo-

probablement servi plus d'une fois, d'une voix forte et accentuée, mais pourtant monotone par la répétition périodique des mêmes intonations. Il prononçait chaque mot clairement, son accent était pur, et il s'exprimait en bon castillan[1], que le condamné n'entendait peut-être que très imparfaitement. Il commençait chaque phrase d'un ton de voix glapissant, et s'élevait au fausset[2], mais il finissait sur un ton grave et bas.

En substance, il disait au condamné qu'il appelait son frère : «Vous avez bien mérité la mort ; on a même été indulgent pour vous en ne vous condamnant qu'à la potence, car vos crimes sont énormes.» Ici il dit un mot des meurtres commis, mais il s'étendit longuement sur l'irréligion dans laquelle le pénitent avait passé sa jeunesse, et qui seule l'avait poussé à sa perte. Puis, s'animant par degrés : «Mais qu'est-ce que le supplice justement mérité que vous allez endurer, comparé avec les souffrances inouïes que votre divin Sauveur a endurées pour vous ? Regardez ce sang, ces plaies», etc. Détail très long de toutes les douleurs de la Passion, décrites avec toute l'exagération que comporte la langue espagnole, et commentées au moyen de la vilaine statue dont je vous ai parlé. La péroraison[3] valait mieux que l'exorde. Il disait, mais trop longuement, que la miséricorde de Dieu était infinie, et qu'un repentir véritable pouvait désarmer sa juste colère.

Le condamné se leva, regarda le prêtre d'un air peu farouche et lui dit : «Mon père, il suffisait de me dire que je vais à la gloire[4], marchons.»

Le confesseur rentra dans la prison fort satisfait de son discours. Deux franciscains prirent sa place auprès du

quence, avec l'invention, la disposition, l'élocution et la mémoire, également mis en scène dans la description de Mérimée. 1. Castillan ou langue espagnole, par opposition aux différents dialectes. 2. Fausset : voix de tête. 3. Partie du discours, conclusion en forme d'amplification ; la péroraison répond à l'exorde, ou introduction. 4. À la gloire : allusion à une réplique de Corneille : «Où le conduisez-vous ? – À la mort. – À la gloire !», *Polyeucte*, V, III.

condamné ; ils ne devaient l'abandonner qu'au dernier moment.

D'abord on l'étendit sur une natte que le bourreau tira à lui quelque peu, mais sans violence, et comme d'un accord tacite entre le patient et l'exécuteur. C'est une pure cérémonie, afin de paraître exécuter à la lettre la sentence qui porte : « Pendu après avoir été traîné sur la claie[1]. »

Cela fait, le malheureux fut guindé sur un âne que le bourreau conduisit par le licou. À ses côtés marchaient les deux franciscains, précédés de deux longues files de moines de cet ordre et de laïques faisant partie de la confrérie des *Desamparados*[2]. Les bannières, les croix n'étaient pas oubliées. Derrière l'âne venaient un notaire et deux alguazils en habit noir à la française, culottes et bas de soie, l'épée au côté, et montés sur de mauvais bidets[3] très mal harnachés. Un piquet[4] de cavalerie fermait la marche. Pendant que la procession s'avançait fort lentement, les moines chantaient des litanies d'une voix sourde, et des hommes en manteau circulaient autour du cortège, tendant des plats d'argent aux spectateurs et demandant une aumône pour le pauvre malheureux *(por el pobre)*. Cet argent sert à dire des messes pour le repos de son âme ; et pour un bon catholique qu'on va pendre ce doit être une consolation de voir les plats s'emplir assez rapidement de gros sous. Tout le monde donne. Impie comme je suis, je donnai mon offrande avec un sentiment de respect.

En vérité j'aime ces cérémonies catholiques, et je voudrais y croire[5]. Dans cette occasion, elles ont l'avantage de frapper la foule infiniment plus que notre charrette, nos gendarmes, et ce cortège mesquin et ignoble qui

---

1. Treillage d'osier, sur lequel on traînait les condamnés, en marque d'infamie ; Mérimée insiste sur l'aspect symbolique du châtiment. 2. *Desamparados* : la confrérie des « Abandonnés », dont la chapelle se trouvait près de la cathédrale. 3. Mauvais cheval. 4. Troupe de cavaliers en faction. 5. Dans une lettre à Mme de La Rochejaquelein qui tentait de le convertir, Mérimée écrivit : « J'ai tâché de croire, mais je n'ai pas la foi », *Correspondance générale*, VII, p. 126.

accompagne en France les exécutions. Ensuite, et c'est pour cela surtout que j'aime ces croix et ces processions, elles doivent contribuer puissamment à adoucir les derniers moments d'un condamné. Cette pompe lugubre flatte d'abord sa vanité, ce sentiment qui meurt en nous le dernier. Puis ces moines qu'il révère depuis son enfance et qui prient pour lui, les chants, la voix des hommes qui quêtent pour qu'on lui dise des messes, tout cela doit l'étourdir, le distraire, l'empêcher de réfléchir sur le sort qui l'attend. Tourne-t-il la tête à droite, le franciscain de ce côté lui parle de l'infinie miséricorde de Dieu. À gauche, un autre franciscain est tout prêt à lui vanter la puissante intercession[1] de monseigneur saint François. Il marche au supplice comme un conscrit[2] entre deux officiers qui le surveillent et l'exhortent. Il n'a pas un instant de repos, s'écriera le philosophe[3]. Tant mieux. L'agitation corporelle où on le tient l'empêche de se livrer à ses pensées, qui le tourmenteraient bien davantage.

J'ai compris alors pourquoi les moines, et surtout ceux des ordres mendiants, exercent tant d'influence sur le bas peuple. N'en déplaise aux libéraux[4] intolérants, ils sont en réalité l'appui et la consolation des malheureux depuis leur naissance jusqu'à leur mort. Quelle horrible corvée, par exemple, que celle-ci, entretenir pendant trois jours[5] un homme qui va mourir ! Je crois que, si j'avais le malheur d'être pendu, je ne serais pas fâché d'avoir deux franciscains pour causer avec moi.

La route que suivait la procession était très tortueuse,

---

1. Intercession : par leurs prières, les franciscains implorent leur patron, saint François d'Assise, d'intervenir auprès de Dieu pour racheter l'âme du condamné. **2.** Conscrit : comme un *poltron (RP,* 1833*)*. **3.** Mérimée se moque de la bonne conscience des philanthropes et humanistes éclairés de son temps, héritiers des «philosophes» des Lumières, qui, en voulant rationaliser les peines, les ont déshumanisées. **4.** Libéraux : dans le sens de progressistes ; l'expression de Mérimée constitue un véritable oxymoron pour la conscience moderne, qui associe toujours libéraux et tolérance. **5.** Trois jours avant son exécution, le condamné est placé «en chapelle», enfermé dans une cellule meublée d'un autel et d'un crucifix, avec deux franciscains, afin de penser à son salut. Mérimée reprendra ce lieu dans *Carmen.*

afin de passer par les rues les plus larges. Je pris avec
mon guide un chemin plus direct afin de me trouver
encore une fois sur le passage du condamné. Je remarquai
que, dans l'intervalle de temps qui s'était écoulé entre sa
sortie de prison et son arrivée dans la rue où je le
revoyais, sa taille s'était courbée considérablement. Il
s'affaissait peu à peu ; sa tête tombait sur sa poitrine,
comme si elle n'eût été soutenue que par la peau de son
cou. Pourtant je n'observais pas sur ses traits l'expression
de la peur. Il regardait fixement l'image qu'il avait entre
les mains ; et, s'il détournait les yeux, c'était pour les
reporter sur les deux franciscains qu'il paraissait écouter
avec intérêt.

J'aurais dû me retirer alors ; mais on me pressa d'aller
sur la grande place, de monter chez un marchand, où
j'aurais toute liberté de regarder le supplice du haut d'un
balcon, ou bien de me soustraire à ce spectacle en rentrant
dans l'intérieur de l'appartement. J'allai donc.

La place était loin d'être remplie. Les marchandes de
fruits et d'herbes ne s'étaient pas dérangées. On circulait
partout facilement. La potence, surmontée des armes[1]
d'Aragon, était placée en face d'un élégant bâtiment
moresque, la Bourse de la Soie *(la Lonja de Seda)*. La
place du Marché est longue. Les maisons qui la bordent
sont petites quoique surchargées d'étages, et chaque rang
de fenêtres a son balcon en fer. De loin on dirait de
grandes cages. Un assez bon nombre de ces balcons
n'étaient point garnis de spectateurs.

Sur celui où je devais prendre place je trouvai deux
jeunes demoiselles de seize à dix-huit ans, commodément
établies sur des chaises, et s'éventant de l'air du monde
le plus dégagé. Toutes les deux étaient fort jolies, et à
leurs robes de soie noire fort propres, à leurs souliers de
satin et à leurs mantilles[2] garnies de dentelles, je jugeai
qu'elles devaient être les filles de quelque bourgeois aisé.
Je fus confirmé dans cette opinion parce que, bien qu'elles

---

1. Armoiries du royaume d'Aragon. **2.** Longue écharpe de dentelle noire,
la mantille est une pièce traditionnelle du costume espagnol féminin.

se servissent entre elles du dialecte valencien, elles entendaient et parlaient parfaitement l'espagnol.

Dans un coin de la place on avait élevé une petite chapelle. Cette chapelle et la potence, qui n'en était pas fort éloignée, étaient enfermées dans un grand carré formé par des volontaires royalistes et des troupes de ligne.

Les soldats ayant ouvert leurs rangs pour recevoir la procession, le condamné fut descendu de son âne et mené devant l'autel dont je viens de vous parler. Les moines l'entouraient ; il était à genoux, baisait souvent les marches de l'autel. J'ignore ce qu'on lui disait. Cependant le bourreau examinait sa corde, son échelle, et, cet examen fait, il s'approcha du patient toujours prosterné, lui mit la main sur l'épaule, et lui dit suivant l'usage : « Frère, il est temps. »

Tous les moines, un seul excepté, l'avaient abandonné, et le bourreau était, à ce qu'il paraissait, mis en possession de sa victime. En le conduisant vers l'échelle (ou plutôt l'escalier de planches), il avait soin, avec son grand chapeau qu'il lui mettait devant les yeux, de lui cacher la vue de la potence ; mais le condamné semblait chercher à repousser le chapeau avec des coups de tête, voulant montrer qu'il avait bien le courage d'envisager[1] l'instrument de son supplice.

Midi sonnait quand le bourreau montait à l'escalier fatal, tirant après lui le patient, qui ne montait qu'avec difficulté, parce qu'il allait à reculons. L'escalier est large, et n'a de rampe que d'un côté. Le moine était du côté de la rampe, le bourreau et le condamné montaient de l'autre. Le moine parlait continuellement et en faisant beaucoup de gestes. Arrivés au haut de l'escalier en même temps que l'exécuteur passait la corde autour du cou du patient avec une promptitude extraordinaire, on me dit que le moine lui faisait réciter le *Credo*. Puis élevant la voix, il s'écria : « Mes frères, joignez vos prières à celles du pauvre pécheur. » J'entendis une voix douce prononcer à côté de moi avec émotion : *Amen*. Je tournai la tête,

---

1. Envisager : regarder en face.

et je vis une de mes jolies Valenciennes dont les joues étaient un peu plus colorées, et qui agitait son éventail précipitamment. Elle regardait avec beaucoup d'attention du côté de la potence. Je dirigeai mes yeux de ce côté : le moine descendait l'escalier, et le condamné était suspendu en l'air, le bourreau sur ses épaules, et son valet lui tirait les pieds[1].

P. S. Je ne sais si votre patriotisme me pardonnera ma partialité pour l'Espagne[2]. Puisque nous en sommes sur le chapitre des supplices, je vous dirai que si j'aime mieux les exécutions espagnoles que les nôtres, je préfère aussi de beaucoup leurs galères à celles où nous envoyons chaque année environ douze cents coquins. Remarquez que je ne parle pas des *presidios* d'Afrique[3], que je n'ai pas vus. À Tolède, à Séville, à Grenade, à Cadix, j'ai vu un grand nombre de *presidiarios* (galériens) qui ne m'ont pas paru trop malheureux. Ils travaillaient à faire ou à réparer des routes. Ils étaient assez mal vêtus, mais leurs physionomies n'exprimaient point ce sombre désespoir que j'ai remarqué chez nos galériens. Ils mangeaient dans de grandes marmites un *puchero*[4] semblable à celui des soldats qui les gardaient, et fumaient ensuite leur cigare à l'ombre. Mais surtout ce qui m'a plu, c'est que le peuple ici ne les repousse pas comme il fait en France. La raison en est simple : en France, tout homme qui a été aux galères a volé ou fait pis ; en Espagne, au contraire, de très honnêtes gens, à différentes époques, ont été condamnés à y passer leur vie pour n'avoir pas eu des opinions conformes à celles de leurs gouvernants. Quoique le nombre de ces victimes politiques soit infiniment petit, cela suffit pourtant pour changer l'opinion à l'égard de tous les galériens. Il vaut mieux bien traiter un coquin que de manquer d'égards à un galant homme[5]. Aussi on

---

1. Pour hâter la strangulation. 2. Parti pris favorable à l'Espagne. 3. *Presidios* d'Afrique : places fortes sur les côtes du Maroc, servant de lieu de déportation et de détention pour les condamnés aux travaux forcés. 4. *Puchero* : sorte de pot-au-feu, appelé aussi *olla*. 5. Galant homme : ironie de Mérimée, qui oppose les mœurs d'Ancien Régime, propres à

leur donne du feu pour allumer leurs cigares, on les appelle mon ami, camarade. Leurs gardiens ne leur font pas sentir qu'ils sont des hommes d'une autre espèce.

Si cette lettre ne vous paraît pas énormément[1] longue, je vous conterai une rencontre que j'ai faite il y a peu de temps, et qui vous montrera quelles sont les manières du peuple avec les presidiarios.

En quittant Grenade pour aller à Baylen, je rencontrai par le chemin un grand homme chaussé d'alpargates[2] qui marchait d'un bon pas militaire. Il était suivi par un petit chien barbet[3]. Ses habits étaient d'une forme singulière, et différents de ceux des paysans que j'avais rencontrés. Bien que mon cheval fût au trot, il me suivait sans peine, et il lia conversation avec moi. Nous devînmes bientôt bons amis. Mon guide lui disait Monsieur, Votre Grâce *(Usted)*. Ils parlaient entre eux de monsieur un tel de Grenade, commandant le presidio, qu'ils connaissaient tous deux. L'heure du déjeuner venue, nous nous arrêtâmes devant une maison où nous trouvâmes du vin. L'homme au chien tira d'un sac un morceau de morue salée et me l'offrit. Je lui dis de joindre son déjeuner au mien, et nous mangeâmes tous les trois de bon appétit. Je dois vous avouer que nous buvions à la même bouteille[4], par la raison qu'il n'y avait pas de verre à une lieue environ. Je lui demandai pourquoi il s'était embarrassé d'un chien si jeune en voyage. Il me dit qu'il voyageait seulement pour ce chien, et que son commandant l'envoyait à Jaen le remettre à un de ses amis. Le voyant sans uniforme et l'entendant parler de commandant : « Vous êtes donc miquelet[5] ? lui dis-je. – Non ; presidiario. » Je fus un peu

---

l'Espagne, où les gens du peuple ont de la « politesse », aux usages français et démocratiques, qui sous couleur d'égalité, manquent d'égards aux honnêtes gens et les traitent comme des coquins. **1.** Énormément : au sens étymologique, plus qu'il ne convient. **2.** *Alpargates* : espadrilles. **3.** Sorte de caniche. **4.** Bouteille : le même épisode est raconté dans la lettre de Mérimée à Sophie Duvaucel, citée en appendice. **5.** Ou *miquelete*, corps de gendarmes assurant l'ordre dans les gouvernements provinciaux, fondé par Miquelet de Prats, ancien chef de bande, qui, au XVIIIᵉ siècle, avait créé une sorte de milice.

surpris. « Comment ne l'avez-vous pas vu à son habit ? »
demanda mon guide.

Au reste, les manières de cet homme, qui était un
honnête muletier[1], ne changèrent pas le moins du monde.
Il me donnait la bouteille d'abord, en ma qualité de
caballero[2] ; puis l'offrait au galérien, et buvait après lui ;
enfin il le traitait avec toute la politesse que les gens du
peuple ont entre eux en Espagne.

« Pourquoi donc avez-vous été aux galères ? demandai-je
à mon compagnon de voyage.

– Oh ! monsieur, pour un malheur. Je me suis trouvé
à quelques morts. *(Fué por una desgracia. Me hallé en
unas muertes.)*

– Comment diable ?

– Voici comment la chose se passa. J'étais miquelet.
Avec une vingtaine de mes camarades, j'escortais un
convoi de presidiarios de Valence. Sur le chemin, leurs
amis voulurent les délivrer, et en même temps nos prisonniers se révoltèrent. Notre capitaine était bien embarrassé. Si les prisonniers étaient lâchés, il était responsable
de tous les désordres qu'ils commettraient. Il prit son
parti et nous cria : "Feu sur les prisonniers !" Nous
tirâmes, et nous en tuâmes quinze, après quoi nous
repoussâmes leurs camarades. Cela se passait du temps
de cette fameuse constitution. Quand les Français[3] sont
revenus et qu'ils l'ont ôtée, on nous fit notre procès, à
nous autres miquelets, parce que parmi les presidiarios
morts il y avait plusieurs messieurs *(caballeros)* royalistes
que les constitutionnels avaient mis là. Notre capitaine
était mort, et on s'en prit à nous. Mon temps va bientôt
finir ; et comme mon commandant a confiance en moi
parce que je me conduis bien, il m'envoie à Jaen pour
remettre cette lettre et ce chien au commandant du presidio. »

Mon guide était royaliste, et il était évident que le

---

1. Muletier : honnête *arriero (RP)*. 2. Caballero : cavalier, homme du
monde. 3. Allusion à l'expédition militaire française en Espagne conduite
par le duc d'Angoulême en 1823, afin de garantir la royauté de Ferdinand VII.

galérien était constitutionnel ; cependant ils demeurèrent dans la meilleure intelligence. Quand nous nous remîmes en route, le barbet était si fatigué, que le galérien fut obligé de le porter sur son dos enveloppé dans sa veste. La conversation de cet homme m'amusait extrêmement ; de son côté, les cigares que je lui donnais, et le déjeuner qu'il avait partagé avec moi, me l'avaient tellement attaché, qu'il voulait me suivre jusqu'à Baylen. «La route n'est pas sûre, me disait-il, je trouverai un fusil à Jaen, chez un de mes amis, et quand bien même nous rencontrerions une demi-douzaine de brigands, ils ne vous prendraient pas un mouchoir. – Mais, lui dis-je, si vous ne rentrez pas au presidio, vous risquez d'avoir une augmentation de temps, d'une année peut-être ? – Bah ! qu'importe ? Et puis vous me donnerez un certificat attestant que je vous ai accompagné. D'ailleurs, je ne serais pas tranquille si je vous laissais aller tout seul par cette route-là... »

J'aurais consenti qu'il m'accompagnât s'il ne s'était pas brouillé avec mon guide. Voici à quelle occasion. Après avoir suivi, pendant près de huit lieues d'Espagne, nos chevaux, qui allaient au trot toutes les fois que le chemin le permettait, il s'avisa de dire qu'il les suivrait encore quand même ils prendraient le galop. Mon guide se moqua de lui. Nos chevaux n'étaient pas tout à fait des rosses ; nous avions un quart de lieue[1] de plaine devant nous, et le galérien portait son chien sur son dos. Il fut mis au défi. Nous partîmes, mais ce diable d'homme avait véritablement des jambes de miquelet, et nos chevaux ne purent le dépasser. L'amour-propre de leur maître ne put jamais pardonner au presidiario l'affront qu'il lui avait fait. Il cessa de lui parler ; et arrivés que nous fûmes à Campillo de Arenas[2], il fit si bien que le galérien, avec la discrétion qui caractérise l'Espagnol, comprit que sa présence était importune, et se retira.

---

1. Un peu plus de 1 km. 2. Campillo de Arenas : village entre Jaen et Grenade ; il sera à nouveau cité à la fin de la lettre suivante.

3

Les Voleurs[1]

Madrid, novembre 1830.

Monsieur,

Me voici de retour à Madrid[2], après avoir parcouru
pendant plusieurs mois, et dans tous les sens, l'Andalousie[3],
cette terre classique des voleurs, sans en rencontrer un
seul. J'en suis presque honteux. Je m'étais arrangé pour
une attaque de voleurs, non pas pour me défendre, mais
pour causer avec eux et les questionner bien poliment
sur leur genre de vie. En regardant mon habit usé aux
coudes et mon mince bagage, je regrette d'avoir manqué
ces messieurs. Le plaisir de les voir n'était pas payé trop
cher par la perte d'un léger porte-manteau[4].

Mais si je n'ai pas vu de voleurs, en revanche je n'ai
pas entendu parler d'autre chose. Les postillons, les auber-
gistes vous racontent des histoires lamentables de voyageurs
assassinés, de femmes enlevées, à chaque halte que l'on
fait pour changer de mules. L'événement qu'on raconte
s'est toujours passé la veille sur la partie de la route que
vous allez parcourir. Le voyageur qui ne connaît point
encore l'Espagne, et qui n'a point eu le temps d'acquérir
la sublime insouciance castillane, *la flema castellana*,
quelque incrédule qu'il soit d'ailleurs, ne laisse pas de
recevoir une certaine impression de tous ces récits. Le
jour tombe, et avec beaucoup plus de rapidité que dans
nos climats du Nord ; ici le crépuscule ne dure qu'un
moment : survient alors, surtout dans le voisinage des
montagnes, un vent qui serait sans doute chaud à Paris,
mais qui, par la comparaison que l'on en fait avec la

---

1. Les voleurs : Les voleurs *en Espagne (RP).* 2. Mérimée fut de retour à
Madrid vers le 20 septembre 1830. 3. Andalousie : région du sud de
l'Espagne, comprenant en particulier les provinces de Séville, de Cordoue
et de Grenade. 4. Valise cylindrique qui équipe le cavalier.

chaleur brûlante du jour, vous paraît froid et désagréable.
Pendant que vous vous enveloppez dans votre manteau,
que vous enfoncez sur vos yeux votre bonnet de voyage,
vous remarquez que les hommes de votre escorte (*escopeteros*[1]) jettent l'amorce de leurs fusils sans la renouveler.
Étonné de cette singulière manœuvre, vous en demandez
la raison, et les braves qui vous accompagnent répondent,
du haut de l'impériale où ils sont perchés, qu'ils ont bien
tout le courage possible, mais qu'ils ne peuvent pas résister
seuls à toute une bande de voleurs. « Si l'on est attaqué,
nous n'aurons de quartier qu'en prouvant que nous n'avons
jamais eu l'intention de nous défendre. »

Alors à quoi bon s'embarrasser de ces hommes et de
leurs inutiles fusils ? – Oh ! ils sont excellents contre les
rateros[2], c'est-à-dire les amateurs brigands qui détroussent
les voyageurs quand l'occasion se présente ; on ne les
rencontre jamais qu'au nombre de deux ou de trois.

Le voyageur se repent alors d'avoir pris tant d'argent
sur lui. Il regarde l'heure à sa montre de Bréguet[3], qu'il
croit consulter pour la dernière fois. Il serait bien heureux
de la savoir tranquillement pendue à sa cheminée de Paris.
Il demande au *mayoral* (conducteur) si les voleurs prennent
les habits des voyageurs.

« Quelquefois, monsieur. Le mois passé la diligence de
Séville a été arrêtée auprès de la Carlota[4], et tous les
voyageurs sont entrés à Ecija[5] comme de petits anges.

– De petits anges ! Que voulez-vous dire ?

– Je veux dire que les bandits leur avaient pris tous
leurs habits, et ne leur avaient pas même laissé la chemise.

– Diable ! » s'écrie le voyageur en boutonnant sa redingote ; mais il se rassure un peu, et sourit même en

---

1. *Escopeteros* ou porteurs d'escopettes, l'arme traditionnelle du peuple et
des hors-la-loi, en Espagne et en Corse ; elle apparaît dès *Mateo Falcone*.
2. *Rateros* : filous, brigands. **3.** Abraham-Louis Bréguet (1747-1823) :
célèbre horloger d'origine suisse, fixé à la fin du XVIIIe siècle en France.
Ses chronographes étaient recherchés pour leur grande élégance et leur
extrême précision. **4.** Auprès de la Carlota : *à une lieue* de la Carlota (*RP*) ;
petite ville de la Sierra Morena, à 25 km de Cordoue. **5.** Ecija : ville située
à 90 km au nord de Séville.

remarquant une jeune Andalouse[1], sa compagne de voyage, qui baise dévotement son pouce en soupirant : «*Jésus, Jésus!*» (On sait que ceux qui baisent leur pouce après avoir fait le signe de la croix ne manquent pas de s'en trouver bien.)

La nuit est tout à fait venue; mais heureusement la lune se lève brillante sur un ciel sans nuages. On commence à découvrir de loin l'entrée d'une gorge affreuse qui n'a pas moins d'une demi-lieue de longueur. «Mayoral, est-ce là l'endroit où l'on a déjà arrêté la diligence?

– Oui, monsieur, et tué un voyageur. – Postillon, poursuit le mayoral, ne fais pas claquer ton fouet, de peur de les avertir.

– Qui? demande le voyageur.

– Les voleurs, répond le mayoral.

– Diable! s'écrie le voyageur.

– Monsieur, regardez-donc là-bas, au tournant de la route... Ne sont-ce pas des hommes? ils se cachent dans l'ombre de ce grand rocher.

– Oui, madame; un, deux, trois, six hommes à cheval!

– Ah! Jésus, Jésus!... (Signe de croix et baisement de pouce.)

– Mayoral, voyez-vous là-bas?

– Oui.

– En voici un qui tient un grand bâton, peut-être un fusil?

– C'est un fusil.

– Croyez-vous que ce soient de bonnes gens (*buena gente*)? demande avec anxiété la jeune Andalouse.

– Qui sait!» répond le mayoral en haussant les épaules et abaissant le coin de sa bouche.

«Alors, que Dieu nous pardonne à tous!» et elle se

---

1. Jeune Andalouse : *jolie* Andalouse *(RP,* 1833*)*; Mérimée évoquera à nouveau ce personnage dans une lettre à Jenny Dacquin : «Je pense à une jolie petite Grenadine qui, en montant sur son mulet pour passer dans la montagne de Ronda (route classique des voleurs), baisait dévotement son pouce et se frappait la poitrine cinq ou six fois, bien assurée après cela que les voleurs ne se montreraient pas, pourvu que l'*Englès* (c'est-à-dire moi : tout voyageur est Anglais...) ne jurât pas trop par la Vierge et les saints»; *Correspondance générale,* I, p. 182.

cache la figure dans le gilet du voyageur, doublement
ému.

La voiture va comme le vent : huit mules vigoureuses
au grand trot. Les cavaliers s'arrêtent : ils se forment sur
une ligne – c'est pour barrer le passage. – Non, ils
s'ouvrent ; trois prennent à gauche, trois à droite de la
route : c'est qu'ils veulent entourer la voiture de tous les
côtés.

« Postillon, arrêtez vos mules si ces gens-là vous le
commandent ; n'allez pas nous attirer une volée de coups
de fusil !

– Soyez tranquille, monsieur, j'y suis plus intéressé
que vous. »

Enfin l'on est si près, que déjà l'on distingue les grands
chapeaux, les selles turques et les guêtres de cuir blanc des
six cavaliers. Si l'on pouvait voir leurs traits, quels yeux,
quelles barbes ! quelles cicatrices on apercevrait ! Il n'y a
plus de doute, ce sont des voleurs, car ils ont des fusils.

Le premier voleur touche le bord de son grand chapeau
et dit d'un ton de voix grave et doux : « *Vayan Vds. con
Dios*, allez avec Dieu ! » C'est le salut que les voyageurs
échangent sur la route. « *Vayan Vds. con Dios* », disent
à leur tour les autres cavaliers s'écartant poliment pour
que la voiture passe, car ce sont d'honnêtes fermiers
attardés au marché d'Ecija, qui retournent dans leur village
et qui voyagent en troupe et armés, par suite de la grande
préoccupation des voleurs dont j'ai déjà parlé.

Après quelques rencontres de cette espèce, on arrive
promptement à ne plus croire du tout aux voleurs. On
s'accoutume si bien à la mine un peu sauvage des paysans,
que des brigands véritables ne vous paraîtraient plus que
d'honnêtes laboureurs qui n'ont pas fait leur barbe depuis
longtemps. Un jeune Anglais[1], avec qui j'ai lié connaissance à Grenade, avait longtemps parcouru sans accident
les plus mauvais chemins de l'Espagne ; il en était venu

---

1. Un jeune Anglais : *J'ai fait connaissance à Grenade avec un jeune
Anglais qui, pour avoir longtemps parcouru (RP)* ; dans le chapitre XII de
son *Voyage en Espagne* (1840), Théophile Gautier reprendra l'anecdote de
l'Anglais racontée par Mérimée.

à nier opiniâtrement l'existence des voleurs. Un jour il est arrêté par deux hommes de mauvaise mine, armés de fusils. Il s'imagina aussitôt que c'étaient des paysans en gaieté qui voulaient s'amuser à lui faire peur. À toutes leurs injonctions de leur donner de l'argent, il répondait en riant et en disant qu'il n'était pas leur dupe. Il fallut, pour le tirer d'erreur, qu'un des véritables bandits lui donnât sur la tête un coup de crosse dont il montrait encore la cicatrice trois mois après.

Excepté quelques cas fort rares, les brigands espagnols ne maltraitent jamais les voyageurs. Souvent ils se contentent de leur enlever l'argent qu'ils ont sur eux, sans ouvrir leurs malles, ou même sans les fouiller. Pourtant il ne faut pas s'y fier. — Un jeune élégant[1] de Madrid se rendait à Cadix avec deux douzaines de belles chemises qu'il avait fait venir de Londres. Les brigands l'arrêtent auprès de la Carolina[2], et après lui avoir pris toutes les onces[3] qu'il avait dans sa bourse, sans compter les bagues, chaînes, souvenirs amoureux qu'un homme aussi répandu[4] ne pouvait manquer d'avoir, le chef des voleurs lui fit remarquer poliment que le linge de sa bande, obligée qu'elle était d'éviter les endroits habités, avait grand besoin de blanchissage. Les chemises sont déployées, admirées, et le capitaine disant, comme Hali du Sicilien[5] : « Entre cavaliers, telle liberté est permise », en mit quelques-unes dans son bissac, puis ôta les noires guenilles qu'il portait depuis six semaines au moins, et se couvrit avec joie de la plus belle batiste de son prisonnier. Chaque voleur en fit autant ; en sorte que l'infortuné voyageur se trouva en un instant dépouillé de sa garde-robe et en possession d'un tas de chiffons qu'il n'aurait pas osé toucher du bout de sa canne. Encore lui fallait-il endurer

---

1. Un jeune élégant : Mérimée reprendra ces données dans l'épisode du Dancaïre de *Carmen*. 2. Carolina : dans la Sierra Morena, au nord de Baylen, dans la province de Jaen. 3. Monnaie d'or, valant environ 85 francs-or. 4. Répandu, au sens de reçu dans la bonne société. 5. Allusion à une réplique de Hali, *Le Sicilien ou l'Amour peintre*, scène IX, de Molière : « J'entre ici librement, mais entre cavaliers telle liberté est permise », à quoi don Pèdre répond : « Je vous laisse aller sans vous reconduire, mais entre cavaliers cette liberté est permise. »

les plaisanteries des brigands. Le capitaine, avec ce sérieux goguenard[1] que les Andalous affectent si bien, lui dit, en le congédiant, qu'il n'oublierait jamais le service qu'il venait de recevoir, qu'il reprendrait les siennes aussitôt qu'il aurait l'honneur de le revoir. « Surtout, ajouta-t-il, n'oubliez pas de faire blanchir les chemises de ces messieurs. Nous les reprendrons à votre retour à Madrid. » Le jeune homme qui me racontait ce vol, dont il avait été la victime, m'avouait[2] qu'il avait plutôt pardonné aux voleurs l'enlèvement de ses chemises que leurs méchantes plaisanteries.

À différentes époques, le gouvernement espagnol s'est occupé sérieusement de purger les grandes routes des voleurs, qui, depuis un temps immémorial, sont en possession[3] de les parcourir. Ses efforts n'ont jamais pu avoir de résultats décisifs. Une bande a été détruite, mais une autre s'est formée aussitôt. Quelquefois un capitaine général[4] est parvenu à force de soins à chasser tous les voleurs de son gouvernement ; mais alors les provinces voisines en ont regorgé.

La nature du pays, hérissé de montagnes, sans routes frayées[5], rend bien difficile l'entière destruction des brigands. En Espagne comme dans la Vendée, il y a un grand nombre de métairies isolées, *aldeas*, éloignées de plusieurs milles de tout endroit habité. En garnisonnant[6] toutes les métairies, tous les petits hameaux, on obligerait promptement les voleurs à se livrer à la justice sous peine de mourir de faim ; mais où trouver assez d'argent, assez de soldats ?

Les propriétaires des aldeas sont intéressés, on le sent, à conserver de bons rapports avec les brigands, dont la vengeance est redoutable. D'un autre côté, ceux-ci, qui comptent sur eux pour leur subsistance, les ménagent,

---

1. Moqueur : l'expression fait oxymoron. 2. M'avouait : Le *propriétaire des chemises, qui me racontait lui-même sa mésaventure*, m'avouait *(RP)*. 3. Possession : être en droit de, avoir le privilège. 4. Gouverneur d'une province. 5. Tracées, rendues praticables. 6. Garnisonnant : en établissant des soldats ; Mérimée emploie le terme dans le chapitre XV de *Colomba*, dans le sens d'assurer la défense par des troupes en garnison.

leur payent bien les objets dont ils ont besoin, et quelquefois même les associent au partage du butin. Il faut encore ajouter que la profession de voleur n'est point regardée généralement comme déshonorante. Voler sur les grandes routes, aux yeux de bien des gens, *c'est faire de l'opposition*, c'est protester contre des lois tyranniques. Or l'homme qui, n'ayant qu'un fusil, se sent assez de hardiesse pour jeter le défi à un gouvernement, c'est un héros que les hommes respectent et que les femmes admirent. Il est glorieux certes de pouvoir s'écrier comme dans la vieille romance :

> A todos los desafio,
> Pues a nadie tengo miedo[1] !

Un voleur commence en général par être contrebandier[2]. Son commerce est troublé par les employés de la douane. C'est une injustice criante pour les neuf dixièmes de la population que l'on tourmente un galant homme qui vend à bon compte de meilleurs cigares que ceux du roi, qui rapporte aux femmes des soieries, des marchandises anglaises et tout le commérage de dix lieues à la ronde. Qu'un douanier vienne à tuer ou à prendre son cheval, voilà le contrebandier ruiné ; il a d'ailleurs une vengeance à exercer : il se fait voleur. – On demance ce qu'est devenu un beau garçon qu'on a remarqué quelques mois auparavant et qui était le coq de ce village ? « Hélas ! répond une femme, on l'a obligé de se jeter dans la montagne. Ce n'est pas sa faute, pauvre garçon ! il était si doux ! Dieu le protège ! » Les bonnes âmes rendent le gouvernement responsable de tous les désordres commis par les voleurs. C'est lui, dit-on, qui pousse à bout les pauvres gens qui ne demandent qu'à rester tranquilles et à vivre de leur métier.

Le modèle du brigand espagnol, le prototype du héros

---

1. *A todos* : « Je les défie tous, car je n'ai peur de rien », vers tirés d'une chanson très connue, *El Contrabundista*, composée vers 1805 par Manuel Garcia, le célèbre ténor, père de la Malibran ; il la chanta à Paris en 1809 ; Vigny en cite un couplet dans *Cinq-Mars*. 2. Malfaiteurs qui se livrent à un commerce illicite de marchandises prohibées, ou dont ils ne règlent pas les droits de douane.

de grand chemin, le Robin Hood[1], le Roque Guinar de
notre temps, c'est le fameux José Maria, surnommé *el
Tempranito*, le Matinal. C'est l'homme dont on parle le
plus de Madrid à Séville et de Séville à Malaga. Beau,
brave, courtois autant qu'un voleur peut l'être, tel est
José Maria[2]. S'il arrête une diligence, il donne la main
aux dames pour descendre et prend soin qu'elles soient
commodément assises à l'ombre, car c'est de jour que
se font la plupart de ses exploits. Jamais un juron, jamais
un mot grossier ; au contraire, des égards presque res-
pectueux et une politesse naturelle qui ne se dément
jamais. Ôte-t-il une bague de la main d'une femme :
« Ah ! madame, dit-il, une si belle main n'a pas besoin
d'ornements ! » Et tout en faisant glisser la bague hors du
doigt, il baise la main d'un air à faire croire, suivant
l'expression d'une dame espagnole, que le baiser avait
pour lui plus de prix que la bague. La bague, il la prenait
comme par distraction ; mais le baiser, au contraire, il le
faisait durer longtemps. On m'a assuré qu'il laisse toujours
aux voyageurs assez d'argent pour arriver à la ville la
plus proche, et que jamais il n'a refusé à personne la
permission de garder un bijou que des souvenirs rendaient
précieux.

On m'a dépeint José Maria comme un grand jeune
homme de vingt-cinq à trente ans, bien fait, la physionomie
ouverte et riante, des dents blanches comme des perles
et des yeux remarquablement expressifs. Il porte ordinairement un costume de majo, d'une très grande richesse.
Son linge est toujours éclatant de blancheur, et ses mains
feraient honneur à un élégant de Paris ou de Londres.

Il n'y a guère que cinq ou six ans qu'il court les
grands chemins. Il était destiné par ses parents à l'Église,
et il étudiait la théologie à l'université de Grenade ; mais
sa vocation n'était pas fort grande, comme on va le voir,

---

1. Robin Hood est un hors-la-loi fameux de la forêt de Sherwood, personnage du roman de Walter Scott, *Ivanhoé* (1816) ; Roque Guinar intervient
dans *Don Quichotte* de Cervantès (II, IX) ; c'est un brigand d'une rare
courtoisie pour ses victimes. 2. José Maria : Mérimée se souviendra de ce
personnage dont il trace le portrait au début de *Carmen*.

car il s'introduisit la nuit chez une demoiselle de bonne
famille... L'amour fait, dit-on, excuser bien des choses... ;
mais on parle de violence, d'un domestique blessé..., je
n'ai jamais pu tirer cette histoire au clair. Le père fit
grand bruit, et un procès criminel fut commencé. José
Maria fut obligé de prendre la fuite et de s'exiler à
Gibraltar. Là, comme l'argent lui manquait, il fit marché
avec un négociant anglais pour introduire en contrebande
une forte partie[1] de marchandises prohibées. Il fut trahi
par un homme à qui il avait fait confidence de son projet.
Les douaniers surent la route qu'il devait tenir et s'embus-
quèrent sur son passage. Tous les mulets qu'il conduisait
furent pris, mais il ne les abandonna qu'après un combat
acharné dans lequel il tua ou blessa plusieurs douaniers.
Dès ce moment, il n'eut plus d'autre ressource que de
rançonner les voyageurs.

Un bonheur extraordinaire l'a constamment accompagné
jusqu'à ce jour. Sa tête est mise à prix, son signalement
est affiché à la porte de toutes les villes, avec promesse
de huit mille réaux[2] à celui qui le livrera mort ou
vif*, fût-il un de ses complices. Pourtant José Maria
continue impunément son dangereux métier, et ses courses
s'étendent depuis les frontières du Portugal jusqu'au
royaume de Murcie[3]. Sa bande n'est pas nombreuse, mais
elle est composée d'hommes dont la fidélité et la résolution
sont depuis longtemps éprouvées. Un jour, à la tête d'une
douzaine d'hommes de son choix, il surprit à la *venta
de Gazin* soixante et dix volontaires royalistes envoyés à
sa poursuite, et les désarma tous. On le vit ensuite regagner
les montagnes à pas lents, chassant devant lui deux mulets
chargés des soixante et dix escopettes qu'il emportait
comme pour en faire un trophée.

---

* Lorsque j'étais à Séville, on trouva, un matin, sur la porte de Triana, au
bas du signalement de José Maria, ces mots écrits au crayon : « *Signature
du susdit :* JOSÉ MARIA. » [*Triana : faubourg mal famé de Séville, alors
habité par des gitans.*]

---

1. Une partie est une marchandise destinée à la vente. 2. Huit mille réaux :
ancienne monnaie espagnole. 3. Murcie : province de l'est de l'Espagne.

On conte des merveilles de son adresse à tirer à balle. Sur un cheval lancé au galop, il touche un tronc d'olivier à cent cinquante pas. Le trait suivant fera connaître à la fois son adresse et sa générosité.

Un capitaine Castro, officier rempli de courage et d'activité, qui poursuit, dit-on, les voleurs autant pour satisfaire une vengeance personnelle que pour remplir son devoir de militaire, apprit par un de ses espions que José Maria se trouverait un tel jour dans une aldea écartée où il avait une maîtresse. Castro au jour indiqué monte à cheval, et, pour ne pas éveiller les soupçons en mettant trop de monde en campagne, il ne prend avec lui que quatre lanciers. Quelques précautions qu'il mît en usage pour cacher sa marche, il ne put si bien faire que José Maria n'en fût instruit. Au moment où Castro, après avoir passé une gorge profonde, entrait dans la vallée où était située l'aldea de la maîtresse de son ennemi, douze cavaliers bien montés paraissent tout à coup sur son flanc, et beaucoup plus près que lui de la gorge où seulement il pouvait faire sa retraite. Les lanciers se crurent perdus. Un homme monté sur un cheval bai se détache au galop de la troupe des voleurs, et arrête son cheval tout court à cent pas de Castro. – «On ne surprend pas José Maria, s'écrie-t-il. Capitaine Castro, que vous ai-je fait pour que vous vouliez me livrer à la justice? Je pourrais vous tuer; mais les hommes de cœur sont devenus rares, et je vous donne la vie. Voici un souvenir qui vous apprendra à m'éviter. À votre shako!» En parlant ainsi il l'ajuste, et d'une balle il traverse le haut du shako du capitaine. Aussitôt il tourna bride et disparut avec ses gens.

Voici un autre exemple de sa courtoisie.

On célébrait une noce dans une métairie des environs d'Andujar[1]. Les mariés avaient déjà reçu les compliments de leurs amis, et l'on allait se mettre à table sous un grand figuier devant la porte de la maison; chacun était en disposition de bien faire[2], et les émanations des jasmins

---

1. Andujar : dans la province de Jaen, à 70 km à l'est de Cordoue, sur le Guadalquivir. 2. Bien se comporter, expression familière qui s'applique aux plaisirs de la table et de l'amour.

et des orangers en fleur se mêlaient agréablement aux
parfums plus substantiels s'exhalant de plusieurs plats qui
faisaient plier la table sous leur poids. Tout d'un coup
parut un homme à cheval, sortant d'un bouquet de bois
à portée de pistolet de la maison. L'inconnu sauta lestement
à terre, salua les convives de la main, et conduisit son
cheval à l'écurie. On n'attendait personne, mais en Espagne
tout passant est bien venu à partager un repas de fête.
D'ailleurs, l'étranger à son habillement paraissait être un
homme d'importance. Le marié se détacha aussitôt pour
l'inviter à dîner.

Pendant qu'on se demandait tout bas quel était cet
étranger, le notaire d'Andujar, qui assistait à la noce, était
devenu pâle comme la mort. Il essayait de se lever de
la chaise qu'il occupait auprès de la mariée ; mais ses
genoux pliaient sous lui, et ses jambes ne pouvaient plus
le supporter. Un des convives, soupçonné depuis longtemps
de s'occuper de contrebande, s'approcha de la mariée :
« C'est José Maria, dit-il, je me trompe fort, ou il vient
ici pour faire quelque malheur *(para hacer una muerte)*.
C'est au notaire qu'il en veut. Mais que faire ? Le faire
échapper ? – Impossible ; José Maria l'aurait bientôt rejoint.
– Arrêter le brigand ? – Mais sa bande est sans doute
aux environs ; d'ailleurs il porte des pistolets à sa ceinture
et son poignard ne le quitte jamais. – Mais, monsieur le
notaire, que lui avez-vous donc fait ? – Hélas ! rien,
absolument rien ! » Quelqu'un murmura tout bas que le
notaire avait dit à son fermier, deux mois auparavant, que
si José Maria venait jamais lui demander à boire, il devrait
mettre un gros d'arsenic[1] dans son vin.

On délibérait encore sans entamer la *olla*[2], quand
l'inconnu reparut suivi du marié. Plus de doute, c'était
José Maria. Il jeta en passant un coup d'œil de tigre au
notaire, qui se mit à trembler comme s'il avait eu le
frisson de la fièvre ; puis il salua la mariée avec grâce,

---

1. Gros d'arsenic : ancienne unité de poids, correspondant à un huitième
d'once, soit quatre grammes. 2. *Olla*, ou *olla podrida*, autre nom du
puchero, plat typique, sorte de potée de viande de bœuf et de mouton, de
saucisses fortes et de légumes.

et lui demanda la permission de danser à sa noce. Elle n'eut garde de lui refuser ou de lui faire mauvaise mine. José Maria prit aussitôt un tabouret de liège, l'approcha de la table, et s'assit sans façon à côté de la mariée, entre elle et le notaire, qui paraissait à tout moment sur le point de s'évanouir.

On commença à manger. José Maria était rempli d'attentions et de petits soins pour sa voisine. Lorsqu'on servit du vin d'extra, la mariée, prenant un verre de montilla[1] (qui vaut mieux que le xérès, selon moi), le toucha de ses lèvres, et le présenta ensuite au bandit. C'est une politesse que l'on fait à table aux personnes que l'on estime. Cela s'appelle *una fineza*. Malheureusement cet usage se perd dans la bonne compagnie, aussi empressée ici qu'ailleurs de se dépouiller de toutes les coutumes nationales.

José Maria prit le verre, remercia avec effusion, et déclara à la mariée qu'il la priait de le tenir pour son serviteur, et qu'il ferait avec joie tout ce qu'elle voudrait bien lui commander.

Alors celle-ci, toute tremblante et se penchant timidement à l'oreille de son terrible voisin : «Accordez-moi une grâce, dit-elle. – Mille ! s'écria José Maria.

«Oubliez, je vous en conjure, les mauvais vouloirs que vous avez peut-être apportés ici. Promettez-moi que pour l'amour de moi vous pardonnerez à vos ennemis[2], et qu'il n'y aura pas de scandale à ma noce.

– Notaire ! dit José Maria se tournant vers l'homme de loi tremblant, remerciez madame ; sans elle, je vous aurais tué avant que vous eussiez digéré votre dîner. N'ayez plus peur, je ne vous ferai pas de mal.» Et, lui versant un verre de vin, il ajouta avec un sourire un peu méchant : «Allons, notaire, à ma santé ; ce vin est bon et il n'est pas empoisonné.» Le malheureux notaire croyait avaler un cent d'épingles. «Allons, enfants ! s'écria le voleur, de la gaieté ! *(vaya de broma)* vive la mariée !»

---

1. Montilla : vin blanc réputé, produit dans la région de Cordoue ; le xérès est produit dans les environs de Cadix. 2. Ennemis : même promesse dans *Carmen*.

Et se levant avec vivacité, il courut chercher une guitare et se mit à improviser un couplet en l'honneur des nouveaux époux.

Bref, pendant le reste du dîner et le bal qui le suivit, il se rendit tellement aimable, que les femmes avaient les larmes aux yeux en pensant qu'un aussi charmant garçon finirait peut-être un jour[1] à la potence. Il dansa, il chanta, il se fit tout à tous. Vers minuit, une petite fille de douze ans, à demi vêtue de mauvaises guenilles, s'approcha de José Maria, et lui dit quelques mots dans l'argot des bohémiens[2]. José Maria tressaillit : il courut à l'écurie, d'où il revint bientôt emmenant son bon cheval. Puis s'avançant vers la mariée, un bras passé dans la bride : « Adieu ! dit-il, enfant de mon âme *(hija de mi alma)*, jamais je n'oublierai les moments que j'ai passés auprès de vous. Ce sont les plus heureux que j'aie vus depuis bien des années. Soyez assez bonne pour accepter cette bagatelle d'un pauvre diable qui voudrait avoir une mine à vous offrir. » Il lui présentait en même temps une jolie bague.

« José Maria, s'écria la mariée, tant qu'il y aura du pain dans cette maison, la moitié vous appartiendra. »

Le voleur serra la main à tous les convives, celle même du notaire, embrassa toutes les femmes ; puis, sautant lestement en selle, il regagna ses montagnes. Alors seulement le notaire respira librement. Une demi-heure après arriva un détachement de miquelets[3] ; mais personne n'avait vu l'homme qu'ils cherchaient.

Le peuple espagnol qui sait par cœur les romances des Douze Pairs, qui chante les exploits de Renaud de Montauban[4], doit nécessairement s'intéresser beaucoup au seul homme qui, dans un temps aussi prosaïque que le nôtre, fait revivre les vertus chevaleresques des anciens preux. Un autre motif contribue encore à augmenter la popularité

---

1. Un jour : finirait peut-être *ses jours (RP)*. 2. Bohémiens : même épisode dans *Carmen*, à la *venta del Cuervo*. 3. Miquelets : voir la note 5 de la page 191. 4. Anciennes histoires en vers, reprenant les personnages des chansons de geste. Renaud de Montauban, un des quatre fils Aymon, est encore évoqué dans *Don Quichotte* (I, VI).

de José Maria : il est extrêmement généreux. L'argent ne lui coûte guère à gagner, et il le dépense facilement avec les malheureux. Jamais, dit-on, un pauvre ne s'est adressé à lui sans en recevoir une aumône abondante.

Un muletier me racontait qu'ayant perdu un mulet qui faisait toute sa fortune, il était sur le point de se jeter la tête la première dans le Guadalquivir, quand une boîte, contenant six onces d'or, fut remise à sa femme par un inconnu. Il ne doutait pas que ce fût un présent de José Maria, à qui il avait indiqué un gué un jour qu'il était poursuivi de près par les miquelets.

Je finirai cette longue lettre par un autre trait de bienfaisance de mon héros.

Certain pauvre colporteur des environs de Campillo de Arenas conduisait à la ville une charge de vinaigre. Ce vinaigre était contenu dans des outres, suivant l'usage du pays, et porté par un âne maigre, tout pelé, à moitié mort de faim. Dans un étroit sentier, un étranger, qu'à son costume on aurait pris pour un chasseur, rencontre le vinaigrier ; et d'abord qu'il voit l'âne, il éclate de rire. «Quelle haridelle[1] as-tu là, camarade ? s'écrie-t-il. Sommes-nous en carnaval pour la promener de la sorte ?» Et les rires ne cessaient pas.

«Monsieur, répondit tristement l'ânier piqué au vif, cette bête, toute laide qu'elle est, me gagne encore mon pain. Je suis un malheureux, moi, et je n'ai pas d'argent pour en acheter une autre.

— Comment ! s'écria le rieur, c'est cette hideuse bourrique qui t'empêche de mourir de faim ? mais elle sera crevée avant une semaine. — Tiens, continua-t-il en lui présentant un sac assez lourd, il y a chez le vieux Herrera un beau mulet à vendre ; il en veut 1 500 réaux, les voici. Achète ce mulet dès aujourd'hui, pas plus tard, et ne marchande pas. Si demain je te trouve par les chemins avec cette effroyable bourrique, aussi vrai qu'on me nomme José Maria, je vous jetterai tous les deux dans un précipice.»

---

1. Mauvaise monture.

L'ânier resté seul, le sac à la main, croyait rêver. Les
1 500 réaux étaient bien comptés. Il savait ce que valait
un serment de José Maria, et se rendit aussitôt chez
Herrera, où il se hâta d'échanger ses réaux contre un
beau mulet.

La nuit suivante Herrera est éveillé en sursaut. Deux
hommes lui présentaient un poignard et une lanterne
sourde à la figure. « Allons, vite ton argent ! – Hélas !
mes bons seigneurs, je n'ai pas un quarto chez moi. – Tu
mens ; tu as vendu hier un mulet 1 500 réaux que t'a
payés un tel de Campillo. » Ils avaient des arguments
tellement irrésistibles, que les 1 500 réaux furent bientôt
donnés, ou, si l'on veut, rendus.

P.-S. José Maria est mort depuis plusieurs années.

En 1833, à l'occasion de la prestation de serment à la
jeune reine Isabelle, le roi Ferdinand accorda une amnistie
générale, dont le célèbre bandit voulut bien profiter. Le
gouvernement lui fit même une pension de deux réaux
par jour pour qu'il se tînt tranquille. Comme cette somme
n'était pas suffisante pour les besoins d'un homme qui
avait beaucoup de vices élégants, il fut obligé d'accepter
une place que lui offrit l'administration des diligences. Il
devint *escopetero* et se chargea de faire respecter les
voitures qu'il avait si souvent dévalisées. Tout alla bien
pendant quelque temps : ses anciens camarades le crai-
gnaient ou le ménageaient. Mais un jour quelques bandits
plus résolus arrêtèrent la diligence de Séville, bien qu'elle
portât José Maria. Du haut de l'impériale il les harangua ;
et l'ascendant qu'il avait sur ses anciens complices était
tel qu'ils paraissaient disposés à se retirer sans violence,
lorsque le chef des voleurs, connu sous le nom du *Bohémien
(el Gitano)*, autrefois lieutenant de José Maria, lui tira un
coup de fusil à bout portant et le tua sur la place.

1842[1].

---

1. Mérimée consigne dans ce post-scriptum, publié en 1842, les renseignements qu'il a recueillis durant son deuxième voyage en Espagne, en
1840 ; il reviendra à José Maria dans *Carmen*, en 1845.

APPENDICES

I

VISION DE CHARLES XI
(1810)

Me trouvant, [...] dans la nuit du 16 au 17 décembre
1676 plus tourmenté que de coutume par ma mélancolie
habituelle, je m'éveillai vers onze heures et demie et je
portai sur-le-champ les yeux du côté de la fenêtre. Je
remarquai plus de clarté qu'à l'ordinaire dans la salle du
trône, ce qui me fit demander au chancelier Bielke, qui
se trouvait en ce moment dans mon appartement, ce que
signifiait la clarté qu'on apercevait dans la salle et si le
feu n'y aurait pas pris? Celui-ci me répondit que c'était
le reflet de la lune que j'apercevais. Je fus satisfait de
cette réponse et tâchai de goûter un peu de repos. Mais
un sentiment d'inquiétude m'agitant, je me retournai une
seconde fois vers la fenêtre où je fus frappé de découvrir
la même clarté. Je répétai donc que les choses n'étaient
pas dans l'état naturel, et le bien-aimé chancelier répondit
encore que c'était le clair de la lune qui m'avait frappé.
Le conseiller Bielke entra dans ce moment dans ma
chambre pour savoir comment je me trouvais; je me hâtai
de demander à ce brave homme si le feu n'avait pas
réellement pris à la salle du trône. Il fut un instant avant
de répondre : «Grâce au ciel, me dit-il, c'est le clair de
lune qui cause l'inquiétude de Votre Majesté.» J'étais un
peu plus tranquille, lorsque, me tournant une troisième
fois vers la fenêtre, il me sembla que je voyais plusieurs
hommes. Alors, je me levai, je pris ma robe de chambre,
j'allai à la fenêtre que j'ouvris et je vis très distinctement,
cette fois, la salle éclairée et remplie d'hommes. «Messieurs, dis-je à ceux qui étaient avec moi, tout n'est pas

dans l'ordre ici. Vous êtes tous persuadés que qui craint Dieu, ne doit rien craindre en ce monde. Je veux aller voir cependant ce que ceci signifie. » J'ordonne à l'un de ceux qui m'entouraient de faire venir le concierge pour m'apporter les clefs. Dès qu'il fut entré, je me rendis avec lui et tous ceux qui se trouvaient là vers une issue secrète et fermée, pratiquée dans mon appartement à la droite de la chambre à coucher de Gustave, fils d'Éric ; j'ordonnai au concierge d'en ouvrir la porte, mais il me supplia en tremblant de l'en dispenser. Je priai le chancelier Bielke de l'ouvrir lui-même, qui s'en excusa également. Je fis la même demande au conseiller du royaume, Oxenstiern, homme déterminé qui me répondit : « Sire, j'ai bien fait serment à Votre Majesté de risquer ma vie et de verser mon sang pour elle ; mais j'ai de même juré de ne pas ouvrir cette porte. » Je commençai moi-même à me troubler. Cependant, m'étant un peu remis, je pris la clef et j'ouvris moi-même la porte. L'appartement et le parquet étaient couverts d'un drap noir ; nous nous mîmes à trembler et nous gagnâmes pourtant l'entrée de la salle du trône ; je chargeai le concierge d'en ouvrir la porte, qui me conjura ainsi que tous les autres de l'en épargner. Je fus encore une fois obligé d'ouvrir moi-même ; mais j'avais à peine le pied dans la salle que le trouble dont je fus saisi me força d'en sortir promptement. M'étant fait soutenir un moment, je dis à ceux qui étaient près de moi que s'ils voulaient me suivre nous verrions ce que c'était et que peut-être Dieu nous découvrirait quelque chose. Ils y consentirent en tremblant. Aussitôt que nous fûmes entrés, nous vîmes une grande table autour de laquelle étaient seize hommes vénérables qui avaient devant eux de grands livres. On voyait au milieu un jeune roi de seize, dix-sept ou dix-huit ans, une couronne sur la tête et un sceptre à la main. À la droite du jeune roi, nous vîmes un seigneur de haute taille et d'une belle figure qui paraissait âgé de quarante ans et dont l'extérieur annonçait la probité ; à sa gauche se trouvait un vieillard d'environ soixante-dix ans. Ce qu'il y a de plus remarquable, c'est que le jeune roi secoua plusieurs fois la

tête quand tous ces hommes vénérables frappaient fortement leurs livres avec la main. Je détournai un instant
mes regards du jeune roi et j'aperçus tout à côté de la
table deux billots et deux bourreaux qui, les manches
retroussées, abattirent l'une après l'autre plusieurs têtes.
Le sang qui coulait abondamment inonda bientôt le parquet. Dieu m'est témoin que j'éprouvai dans ce moment
une frayeur mortelle. Je portai les yeux sur mes pantoufles,
sur lesquelles je croyais que le sang avait rejailli, mais
je n'en pus découvrir aucune trace. Tous ceux qu'on
venait de décapiter étaient pour la plupart de jeunes
seigneurs. J'éloignai mes regards de cette scène ensan-
glantée pour les reporter du côté de la table derrière
laquelle on découvrait, dans l'un des coins de la salle,
un trône presque renversé et près de lui un homme qui
paraissait être le souverain dont l'âge annonçait quarante
ans. Je me sentis frissonner, trembler et je tâchai de
regagner la porte d'où je me mis à crier à haute voix :
«Quelle est la voix du maître qu'il faut écouter ? Mon
Dieu, quand doit arriver tout ce que je vois ?» On ne
me répondit pas. Je m'écriai encore : «Grand Dieu ! Dans
quel temps s'accomplira tout cela ?» Je n'eus pas plus
de réponse que la première fois. Le jeune roi se mit à
remuer la tête, tandis que les vénérables recommencèrent
à frapper de leurs mains leurs grands livres. Je criai une
troisième fois, plus fort qu'auparavant : «Oh ! mon Dieu,
apprends-moi quand ces événements doivent avoir lieu.
Daigne au moins m'apprendre ce que je dois faire.» Ici
le jeune roi me répondit : «Il ne se passera rien de ton
temps, mais tout s'accomplira sous le règne du sixième
roi qui te succédera. Il sera de l'âge et de la figure que
tu me vois et je te révèle que son tuteur ressemblera à
celui qui est auprès de moi. À la chute du roi, de jeunes
seigneurs le porteront au trône dans un âge avancé; mais
ce tuteur, qui, pendant son règne – poursuivit le jeune
souverain –, veut enfin fixer la fortune chancelante de
l'État et le trône, est consolidé en sorte que la Suède
n'eut et n'aura même jamais un roi plus grand que celui
placé devant toi. Le peuple suédois sera heureux sous

son gouvernement ; il atteindra une grande vieillesse et
éteindra toutes les dettes du royaume qui aura de plus,
à sa mort, plusieurs millions au trésor. Cependant, pour
obtenir l'affermissement du trône, jamais le passé ni
l'avenir n'offriront d'exemple du sang qui sera versé en
Suède. Donne-lui, en ta qualité de roi, les meilleurs
avertissements. » À peine les mots étaient-ils achevés que
tout disparut à nos yeux et nous nous trouvâmes seuls
avec nos lumières. Nous nous retirâmes frappés d'un
étonnement facile à concevoir. En rentrant dans la chambre
noire nous ne fûmes pas moins surpris de voir que tout
avait disparu et que les choses s'y trouvaient dans l'ordre
accoutumé. Remonté dans mon appartement, je me mis
à écrire le mieux qu'il me fut possible tout ce que nous
avions vu et entendu. Ces avis seront cachetés et remis
successivement à chaque nouveau roi qui ouvrira la lettre
et la recachètera après l'avoir lue. Son contenu est en
tout exactement conforme à la vérité. Pour plus d'authenticité, je prends ici Dieu notre juge à témoin du serment
que je fais.

Signé :

CHARLES XI roi actuel de Suède.

Pour nous, témoins oculaires de tout ce que Sa Majesté
vient d'affirmer, nous en attestons la vérité et faisons le
même serment.

Signé :

CHARLES BIELKE, chancelier.
M.W. BIELKE, conseiller du royaume.
ALEXANDRE OXENSTIERN,
PETER GRAUSLEN, vice-concierge.

II

LETTRE ADRESSÉE D'ESPAGNE
À MADEMOISELLE SOPHIE DUVAUCEL

Au Jardin des Plantes, à Paris
Grenade, 8 octobre 1830

« Savez-vous bien, Mademoiselle, qu'en vous écrivant je fais une action sublime ? Vous n'ignorez pas que je suis coutumier de semblables actions. Apprenez donc que l'affranchissement de cette lettre jusqu'à Irun va me coûter une piècette. (Certes, mon style vaut bien cela.) Or, le banquier sur qui j'avais une lettre de crédit n'est pas à Grenade, et je me trouve à la tête de neuf francs pour tout potage, sans trop savoir comment je ferai pour payer mon auberge, un cheval pour me sortir d'ici, etc... Voyez un peu la magnanimité : je sacrifie la neuvième partie de ma fortune pour vous écrire et me fie, pour le reste, à la Providence et à une autre lettre de crédit que j'attends par le prochain courrier.

« Je ne vous dirai rien de l'Alhambra : vous l'avez dans votre bibliothèque ; mais croyez que vous n'êtes pas dispensée de faire le voyage de Grenade et qu'aucun livre in-quarto, voire même in-folio, ne pourra vous donner une idée de la tour des Lions et de la Salle des Ambassadeurs. Après demain, je dîne avec un noble et aimable Grenadin au milieu de ces ruines vénérables. Imaginez un peu le plaisir que j'aurai à boire de bon vin de Jeréz, dans le palais de Boabdil !

« J'aime mieux vous parler de la pénitence qu'il faut accomplir pour voir tant de merveilles. Par un triste hasard, je me suis trouvé retenu cinq jours dans la petite ville d'Algésiras, attendant des mules, des chevaux ou des vaisseaux. Vinrent enfin des ânes et, sur cette noble monture, je me suis mis en route en compagnie d'un honnête Prussien, mon compagnon d'infortune, et d'une demi-douzaine de muletiers ou, pour mieux dire, d'âniers. Il nous a fallu huit jours pour gagner Grenade. Il est vrai que nous avions le chemin le plus romantique du monde, c'est-à-dire le plus montueux, le plus pierreux, le plus désert qui puisse exercer la patience d'un voyageur qui, depuis trois mois, est à bonne école pour se former à cette vertu. Les peuples, sur notre passage, accouraient en foule, admirant notre accoutrement étrange, nos casquettes surtout qui, en Andalousie, sont presque séditieuses : *"Señor Ynglesito sera..."* Car quel autre qu'un Anglais pourrait pousser la manie des voyages jusqu'à s'enfermer dans la Sierra de Ronda ?

« Vous vous représentez les Espagnols comme des gens fort graves et silencieux, et ce sont, au contraire, les plus bavards et les plus impitoyables questionneurs, les Andalous surtout... J'entre dans une boutique d'une mauvaise petite ville de montagnes, et je demande des cigares.

– "Ah ! vous êtes étranger ? Oui. – Ynglesito ? (Les Andalous se servent toujours de diminutifs.) – Non. – Français ? – Oui. – Militaire ? – Non. – Marchand ? – Non. – Qui êtes-vous donc ? – Un homme qui demande des cigares. – Est-il vrai qu'il vient des soldats de là-bas ? (Ici je ferme les deux yeux et baisse les deux coins de ma bouche, ce qui veut dire : 'Je ne sais pas.') – Et étiez-vous en France quand est arrivée cette algarade ?... – Non." Survient une femme qui me regarde sous le nez et tâte le drap de mon habit. La femme : "Est-ce que c'est du drap de là-bas ? Quelle belle mante on ferait avec cela ! Les Françaises sont-elles jolies ? Êtes-vous marié ? Parlez donc un peu français pour voir quelle langue c'est." Moi : "Que le diable vous emporte ! – Quelle drôle de langue ! on ne l'entend pas et ils s'entendent entre eux !"

« Vous savez que j'attache quelque importance à un bon dîner. Jugez de l'extrémité où j'étais réduit. En lisant mon menu, vous allez frémir d'horreur. Il est bon que vous sachiez d'abord que dans une auberge espagnole on trouve assez souvent du pain et de l'eau, mais pas autre chose. En conséquence, nous étions obligés d'acheter notre dîner d'avance. Souvent, j'ai porté en croupe un coq vivant dont je devais souper le soir. Il ne fallait rien moins que l'appétit que donne l'air des montagnes pour me rendre insensible au sort de cet infortuné volatile et particulièrement à la dureté de sa chair. Le coq, au bout du voyage, est tué, plumé, mis en quartiers et jeté dans une grande poêle, avec de l'huile, beaucoup de piment et du riz. Le tout étant censé cuit, on sert la poêle sur une petite table haute de deux pieds, et mon Prussien, le muletier, son garçon et moi nous mangeons à la gamelle, chacun armé d'une petite cuiller de bois fort courte. Le muletier était le plus sale cochon de l'Andalousie ; mais il serait inutile, ou plutôt il serait indécent et extravagant, de demander une assiette à part, ou de prier que l'on servît les cheveux séparément pour l'usage de ceux qui les aiment.

« Ce souper, digne des temps héroïques, étant achevé, nous disons des douceurs à la fille de la maison, tout en fumant nos cigares, puis nous allons nous jeter tous les deux sur un matelas épais comme une brochure à dix sous, et nous dormons enveloppés dans nos manteaux, quand les punaises ne sont pas trop affamées. Samedi dernier, nous avions un matelas pour chacun et nous nous préparions à dormir comme des rois quand sont survenus trois autres voyageurs, gens de bonne mine et paraissant éduqués. Nous avons montré, dans cette occasion, une haute vertu, en offrant à ces pauvres diables de partager nos lits. Les matelas étant très étroits, il n'a pas été facile de nous arranger pour dormir à cinq, là où il n'y avait place que pour deux. Cependant, la Providence étant grande et le sommeil aussi grand, nous avons dormi.

« Je ne vous ai parlé que des désagréments ; je voudrais vous dire quelque chose des beautés du voyage ; mais les descriptions ne sont pas mon fort. Vous êtes peintre : arrangez des montagnes, des rochers, des châteaux en ruines, la mer (*N.B.* que vous peindrez avec le cobalt le plus beau) et un ciel tantôt d'un azur foncé, tantôt chargé de nuages d'orage bien noirs. N'allez pas vous aviser de mettre des arbres dans le paysage : les arbres lui ôteraient tout son caractère espagnol. Je vous permets les aloès et les cactus, nopals, *higa chumbera*, dont je vous souhaite de manger les fruits. Avec de l'herbe sèche et quelques buissons par-ci par-là. En vérité, tout cela est si beau que l'on a oublié la dureté des poules et des matelas, les punaises, etc...

« Je n'ai rien à vous dire des voleurs. On dit que le pays en fourmille, mais je n'en ai pas rencontré. De quoi vivent ces pauvres diables ? Les voyageurs sont si rares ! J'ai passé dans une *venta* que dix-huit de ces messieurs avaient pillée la veille, à ce que nous disait le *ventero*; mais je ne conçois pas ce que l'on peut prendre dans une *venta*, excepté des bancs de bois et la poêle à frire.

« À Loja, j'ai vu quelque chose de plus tragique. La veille (j'ai le malheur de n'arriver jamais que le lendemain) un orage avait produit un torrent énorme qui, tombant d'une sierra très élevée et entraînant avec lui des oliviers et de grosses pierres, a détruit trois maisons qui se trouvaient sur son passage. L'inondation a été si subite que personne n'a pu se sauver. Une des maisons était une école de petites filles, qui, étant en classe dans ce moment, ont toutes péri. Le matin même, on en avait enterré onze, et à peu près autant avaient été entraînées trop loin pour qu'on pût retrouver leurs corps. La violence de l'eau était telle qu'une très grosse pierre, qui servait pour une prise d'eau, pesant près de cinq cents livres, a été portée à près d'une demi-lieue de distance. Les gens du pays nous ont dit que cela était arrivé par un châtiment de Dieu. Qu'avaient fait ces pauvres petites filles pour être noyées ou écrasées par les rochers ?

« Je voudrais vous dire quelque chose des Espagnoles et surtout des Andalouses, mais je n'ai plus de papier. Quant à l'article *pieds*, avant d'avoir vu Cadiz, j'ai accusé les voyageurs d'exagération, mais, après avoir vu la promenade, un dimanche, et les souliers qui s'y promenaient, j'ai trouvé qu'on n'avait pas assez loué leur petitesse et leur élégance. Figurez-vous une petite femme noire avec des dents blanches comme la porcelaine de Sèvres, des yeux et des pieds de même grandeur, et des cheveux qui traîneraient à terre si on ne les rattachait sur le haut de la tête avec un peigne de dix-huit pouces de haut. Voilà la moyenne des Gaditanas » (i.e. des dames de Cadiz). *Vide* le dessin explicatif.

[*Ce dessin représente les deux silhouettes d'une Anda-louse, l'une de face, l'autre de dos. Mérimée a indiqué au-dessous de la première : «Dame de Cadiz ;» et au-dessous de la seconde : «Vue de dos.»*

Les silhouettes sont accompagnées de la légende sui-vante, dont les lettres, répétées sur le dessin, se réfèrent aux différentes parties du costume.]

Explication de la figure ci-jointe :

A. – Peigne d'écaille. – *N.B.* Il faut deux tortues pour en faire un.

B. – Robe de satin noir faite à la française. (On ne porte plus la basquine.)

C. – Éventail.

D. – Mantille de dentelle noire.

E. – Pieds ou pattes de mouches qui en tiennent lieu.

Pr. M.

III

MONTESQUIEU : DE L'ESPRIT DES LOIS (Livre XV)

CHAPITRE V

DE L'ESCLAVAGE DES NÈGRES

Si j'avais à soutenir le droit que nous avons eu de rendre les nègres esclaves, voici ce que je dirais :

Les peuples d'Europe ayant exterminé ceux de l'Amé-rique, ils ont dû mettre en esclavage ceux de l'Afrique, pour s'en servir à défricher tant de terres.

Le sucre serait trop cher, si l'on ne faisait travailler la plante qui le produit par des esclaves.

Ceux dont il s'agit sont noirs depuis les pieds jusqu'à la tête ; et ils ont le nez si écrasé qu'il est presque impossible de les plaindre.

On ne peut se mettre dans l'esprit que Dieu, qui est

un être très sage, ait mis une âme, surtout une âme bonne, dans un corps tout noir.

Il est si naturel de penser que c'est la couleur qui constitue l'essence de l'humanité, que les peuples d'Asie, qui font des eunuques, privent toujours les noirs du rapport qu'ils ont avec nous d'une façon plus marquée.

On peut juger de la couleur de la peau par celle des cheveux, qui, chez les Égyptiens, les meilleurs philosophes du monde, étaient d'une si grande conséquence, qu'ils faisaient mourir tous les hommes roux qui leur tombaient entre les mains.

Une preuve que les nègres n'ont pas le sens commun, c'est qu'ils font plus de cas d'un collier de verre que de l'or, qui, chez des nations policées, est d'une si grande conséquence.

Il est impossible que nous supposions que ces gens-là soient des hommes; parce que, si nous les supposions des hommes, on commencerait à croire que nous ne sommes pas nous-mêmes chrétiens.

De petits esprits exagèrent trop l'injustice que l'on fait aux Africains. Car, si elle était telle qu'ils le disent, ne serait-il pas venu dans la tête des princes d'Europe, qui font entre eux tant de conventions inutiles, d'en faire une générale en faveur de la miséricorde et de la pitié?

IV

SAINTE-BEUVE : PORTRAITS CONTEMPORAINS

« En relisant le *Théâtre de Clara Gazul*, toutes les autres productions de l'auteur me sont revenues à l'esprit, et je me suis confirmé dans l'idée que c'était l'un des artistes les plus originaux et les plus caractéristiques de cette époque souverainement individuelle. Né, j'imagine, avec une sensibilité profonde, il s'est bientôt aperçu qu'il y aurait duperie à l'épandre au milieu de l'égoïsme et de l'ironie du siècle; il a donc pris soin de la contenir au dedans de lui, de la concentrer le plus possible, et, en quelque sorte, sous le moindre volume; de ne la produire dans l'art qu'à l'état de passion âcre, violente, héroïque, et non pas en son propre nom ni par voie lyrique, mais en drame, en récit, et au moyen de personnages responsables. Ces personnages mêmes, l'artiste les a poussés d'ordinaire au profil le plus vigoureux et le plus simple, au langage le plus bref et le plus fort; dans sa peur de l'épanchement et de ce qui y ressemble, il a mieux aimé s'en tenir à ce qu'il y a de plus certain, de plus saisissable dans le réel; sa sensibilité, grâce à ce détour, s'est produite d'autant plus énergique et fière qu'elle était nativement peut-être plus timide, plus tendre, plus rentrée en elle-même; elle a fait bonne contenance, elle s'est aguerrie et a pris à son tour sa revanche d'ironie sur le siècle : de là une manière à part, à laquelle toutes les autres qualités de l'auteur ont merveilleusement concouru. — Esprit positif, observateur, curieux et studieux des détails, des faits, et de tout ce qui peut se montrer et se préciser, l'auteur s'est de bonne heure affranchi de la métaphysique vague de notre époque critique, en religion, en philosophie, en art, en histoire, et il ne s'est guère soucié d'y rien substituer. Éclectiques, romantiques, doctrinaires, républicains ou monarchistes; systématiques de tout bord et de toute conviction, il les a laissés dire; il n'en a repoussé ni épousé aucun, se taisant, n'écoutant pas toujours, s'abstenant d'avoir là-dessus le moindre avis : mais il relisait de temps à autre *le Prince* de Machiavel, qui lui semblait une œuvre solide à méditer; il relisait l'*Art poétique* d'Horace, pour y retrouver quelques détails sur les procédés scéniques des anciens, ou les *Confessions* de saint Augustin, pour y voir comment un jour le saint prit goût, malgré lui, aux jeux du cirque. Il s'attachait aux faits, interrogeait les voyageurs, s'enquérait des coutumes sauvages comme des anecdotes les plus civilisées; s'intéressait à la forme d'une dague ou d'une liane, à la couleur d'un fruit, aux ingrédients d'un breuvage; il rétrogradait sans répugnance et avec une nerveuse souplesse d'imagination aux mœurs antérieures, se faisait à volonté Espagnol, Corse, Illyrien, Africain, et de nos jours choisissait de préférence les curiosités rares, les singularités de passions, les cas étranges, débris de ces mœurs premières et qui ressortent avec le plus de saillie du milieu de notre époque blasée et nivelée ; des adultères, des duels, des coups de poignard, de bons scandales à notre morale d'étiquette. En s'appliquant à ces faits, pour leur imprimer le cachet de son génie, pour les tailler en diamants et les enchâsser dans un art très ferme et très serré, l'auteur n'a jamais songé, ce semble, à les rapporter aux conceptions générales, soit religieuses, soit politiques, dont ils n'étaient que des fragments ou des vestiges ; la vue d'ensemble ne lui sied pas ; il est trop positif pour y croire ; il croit au fait bien défini, bien circonstancié, poursuivi jusqu'au bout dans sa spécialité de passion et dans son expression matérielle ; le reste lui paraît fumée et nuage. Sans croyance aux doctrines générales du passé, sans confiance aux vagues pressentiments d'avenir ni aux inductions d'une critique conjecturale, s'il abordait des actes et des passions tenant par leur milieu à une époque *organique*, il les verrait mal et les peindrait incomplètement. S'il s'attaquait au vrai moyen âge, aux siècles de Hildebrand et de Bernard, il n'accorderait pas assez à l'influence universelle, à la splendeur du soleil catholique ; les exceptions et les points obscurs le distrairaient de la vérité d'ensemble. De nos jours, quand il a abordé certaines parties du règne de Napoléon, ça a été la critique et l'ironie qui ont prévalu ; il nous a peint des lieutenants de la vieille armée espions, de jeunes fils de famille bonapartistes grossiers ; et sa sublime *Prise d'une Redoute* n'est que le côté lugubre de la gloire militaire : il n'a pas embrassé, dans les peintures détachées qu'il en a données, l'harmonie de ce grand règne. Aussi M. Mérimée, dans le choix de ses sujets, se prend-il de préférence à des époques où les particularités ne sont pas trop commandées par un ordre dominant, ou à des races qui sont demeurées dans leur sauvagerie primitive. Le XVIᵉ siècle lui va à merveille, parce que le moyen âge, en s'y brisant, le remplit d'éclats, et qu'en crimes et en vertus l'énergie individuelle, poussée à son comble, y hérite directement de tout ce qu'avait amassé, durant des siècles, l'organisation féodale et catholique. Son talent d'observation et son génie de peintre y triomphent dans le choc violent des événements et l'originalité des caractères. De nos jours les histoires de bandits corses, de peuplades slaves, les aventures de négriers, lui conviennent encore ; il s'y complaît et y excelle. Ou bien c'est ce que notre civilisation raffinée a de plus piquant et de plus relevé dans son insipidité habituelle : des comédiennes héroïques, des prêtres amoureux, des retours subtils de jalousie ou de remords. Le procédé d'exécution répond tout à fait à ce qu'on peut attendre : une simplicité parfaite, une force continue ; point de *pomposo* ni de bavardage ; point de réflexion ni de digressions ; quelque chose de droit qui va au but, qui ne se détourne ni d'un côté ni de l'autre, et pousse devant, en marquant chaque pas, comme un bélier sombre ; point de vapeurs à l'horizon ni de demi-teintes, mais des lignes nettes, des couleurs fortes dans leur sobriété, des *ciels* un peu crus, des tons graves et bruns ; chaque circonstance essentielle décrite, chaque réalité serrée de près et rendue avec une exactitude sévère ; chaque personnage conséquent à lui-même de tout point ; vrai de geste, de costume, de visage ; concentré et viril dans sa passion, même les femmes ; et derrière ces personnages et ces scènes, l'auteur qui s'efface, qu'on n'entend ni ne voit, dont la sympathie ni l'amour n'éclatent jamais dans le cours du récit par quelque cri irrésistible, et qui n'intervient au plus que tout à la fin, sous un faux air d'insouciance et avec un demi-sourire d'ironie. Tel nous semble M. Mérimée. C'est assurément l'artiste le moins chrétien d'aujourd'hui, celui dont le caractère individuel est le plus purgé de toutes réminiscences doctrinales et sentimentales du passé. » – M. Vinet a défini M. Mérimée un *esprit à la fois exquis et dur.*

BIBLIOGRAPHIE

TRAHARD (P.) – JOSSERAND (P.), *Bibliographie des œuvres de Prosper Mérimée*, Paris, Champion, 1929.

ŒUVRES DE MÉRIMÉE

Mosaïque, éd. M. Levaillant, Paris, Champion, 1937.
Œuvres. Théâtre de Clara Gazul, Romans et Nouvelles, éd. J. Martin – P. Salomon, Paris, Gallimard, « La Pléiade », 1978.
Nouvelles, éd. M. Crouzet, Paris, Imprimerie nationale, 2 vol., 1987.
Notes de voyages, éd. P.M. Auzas, Paris, Hachette, 1971, rééd. Paris, A. Biro, 1989.
Correspondance générale, éd. M. Parturier, Paris, Le Divan, Toulouse, Privat, 1941-1964, 17 volumes (tome 1 : 1822-1835 ; tome 2 : 1836-1840).

ÉTUDES BIOGRAPHIQUES

AUTIN (J.), *Prosper Mérimée, écrivain, archéologue, homme politique*, Paris, Librairie académique Perrin, 1983.
FREUSTIÉ (J.), *Prosper Mérimée*, Paris, Hachette, 1982.
MOREL (E.), *Prosper Mérimée. L'Amour des pierres*, Paris, Hachette, 1988.
TRAHARD (P.), *Prosper Mérimée de 1834 à 1853*, Paris, Champion, 1928.

ÉTUDES LITTÉRAIRES

BIASOTTO (A.), « Premonizione e rimorso ossessivo in Prosper Mérimée *(L'Enlèvement de la redoute, La Partie de trictrac)* », *Letterature*, VIII, 1985.
BOWMAN (F.P.), *Mérimée, Heroism, Pessimism and Irony*, Berkeley, 1962.

CHABOT (J.), *L'Autre Moi. Fantasmes et fantastique dans les nouvelles de Mérimée*, Aix-en-Provence, Edisud, 1983.

CRECELIUS (K.J.), «Mérimée's *Federigo* from folktale to short story», *Studies in short Fiction*, 1982.

DALE (R.C.), *The Poetics of Prosper Merimée*, La Haye-Paris, Mouton, 1966.

FIORENTINO (Fr.), *I gendarmi e la macchia. L'esotisme nella narrativa di Mérimée*, Padoue, 1978.

GEORGE (A.J.), *Short Fiction in France, 1800-1850*, New York, 1964.

HOVENKAMP (J.W.), *Mérimée et la couleur locale*, Nimègue, 1928.

KRAPPE (A.H.), «Note sur les sources de Mérimée : *Tamango, Mateo Falcone*», *Revue d'histoire littéraire de la France*, 1928.

MOREAU (P.), «Deux remarques sur la phrase de Mérimée», *Revue d'histoire littéraire de la France*, 1924.

OZWALD (T.), «La nouvelle mériméenne : entre atticisme et mutisme», *La Licorne*, XXI, 1991.

PEYRE (R.), *Revue d'histoire littéraire de la France*, 1914.

PINVERT (L.), «Mérimée et le combat de Schwardino : le vrai *Enlèvement de la redoute*», *Revue des études historiques*, 1914.

RAITT (A.W.), *Prosper Mérimée*, Londres, Eyre and Spottiswoode, 1970.

ROCHE (A.J.), «La source de *Tamango* de Mérimée», *Revue de littérature comparée*, XIV, 1934.

SAN MIGUEL (M.), *Mérimée ; erudicion y creacion literaria*, Salamanque, 1984.

TRAHARD (P.), *Prosper Mérimée et l'art de la nouvelle*, Paris, 1941.

TABLE

Imprimé en France par CPI
en septembre 2015
N° d'imprimeur : 2018234.
Dépôt légal 1ʳᵉ publication : octobre 1995.
Édition 14 – septembre 2015
LIBRAIRIE GÉNÉRALE FRANÇAISE – 31, rue de Fleurus – 75278 Paris Cedex 06

31/3888/0